▼
Latitudes

D0288784

9/21

Du même auteur

Zora, un conte cruel, VLB éditeur, 2013.

MA SŒUR CHASSERESSE

Projet dirigé par Marie-Noëlle Gagnon, éditrice

Conception graphique : Nathalie Caron
Mise en pages : Marquis Interscript
Révision linguistique : Sylvie Martin
En couverture : Jef Thompson / shutterstock.com

Québec Amérique
7240, rue Saint-Hubert
Montréal (Québec) Canada H2R 2N1
Téléphone : 514 499-3000, télécopieur : 514 499-3010

Nous reconnaissons l'aide financière du gouvernement du Canada par
l'entremise du Fonds du livre du Canada pour nos activités d'édition.

Nous remercions le Conseil des arts du Canada de son soutien. L'an dernier,
le Conseil a investi 157 millions de dollars pour mettre de l'art dans la vie
des Canadiennes et des Canadiens de tout le pays.

Nous tenons également à remercier la SODEC pour son appui financier.
Gouvernement du Québec – Programme de crédit d'impôt pour l'édition
de livres – Gestion SODEC.

Conseil des arts   Canada Council
du Canada   for the Arts

SODEC
Québec

**Catalogage avant publication de Bibliothèque et Archives
nationales du Québec et Bibliothèque et Archives Canada**

Arseneault, Philippe
Ma sœur chasseresse
(Latitudes)
ISBN 978-2-7644-3344-7 (Version imprimée)
ISBN 978-2-7644-3345-4 (PDF)
ISBN 978-2-7644-3346-1 (ePub)
I. Titre. II. Collection : Latitudes (Éditions Québec Amérique).
PS8601.R735M3 2017   C843'.6   C2016-942032-9
PS9601.R735M3 2017

Dépôt légal, Bibliothèque et Archives nationales du Québec, 2017
Dépôt légal, Bibliothèque et Archives du Canada, 2017

Imprimé au Québec

PHILIPPE ARSENEAULT

MA SŒUR CHASSERESSE

Québec Amérique

À Ni Bei

Ils ont pas besoin de gros dictionnaires
pour s'mer des pétaques, labourer la terre
Mais avec les femmes, ils sont un peu là
Les p'tits Canayens, on les embête pas.

Eugène Daigneault,
Les p'tits Canayens on les embête pas

PROLOGUE

— Cette nuit, j'ai rêvé que tu me trompais pendant ton voyage au Canada.

— C'est bien possible. Deux mois…

— C'est long.

— Oui. Assez pour coucher avec cent Québécoises.

— Crétin.

— Ça pourrait se faire. Ce sont des folles du cul. Elles couchent avec n'importe qui. Elles ne feraient pas la différence avec un cheval. « Bienvenue à tous. Entrez sans frapper. »

— C'est vrai ?

Je hochai la tête.

— Des hommes viennent de partout pour coucher avec elles. Des Ontariens, des Américains… Les *French girls*, qu'ils les appellent. Les reines des sauteuses.

— Qu'est-ce qu'elles font de si extraordinaire ?

— Je n'en sais rien.

— Des cochonneries avec la langue ?

— Peut-être.

— Comment peux-tu ne pas savoir ? C'est ton pays, ce sont tes compatriotes.

— Est-ce que tu me croirais si je te disais que je n'ai jamais couché avec une Québécoise ?

— Pas possible.

— Vrai de vrai.

— Pourquoi ? Il y a quelque chose qui cloche avec elles ? Ou bien quelque chose qui cloche avec toi ?

— Avec elles, naturellement. Moi, je suis parfaitement normal.

— Mmm… Mais alors, ta première fois, c'était avec qui ? Tu m'as dit que tu avais seize ans.

— C'était une Amérindienne, à La Tuque. Elle ne compte pas pour une Québécoise. Après, j'ai déménagé à Montréal pour l'université. Pendant ces années-là, j'ai couché avec seulement trois filles. J'étais plutôt solitaire. Une Haïtienne et deux Chinoises.

— Ah ! Tu en pinçais déjà pour les Chinoises.

— Ça ne date pas d'hier.

— C'est quoi, le problème avec les Québécoises ? Les mecs, vous aimez les filles vicieuses, non ?

— Oui, mais les Québécoises sont trop familières. Avec elles, j'ai toujours l'impression d'avoir affaire à des sœurs, même quand il s'agit de parfaites inconnues. C'est une grande famille, les Québécois. Tant pis s'ils ne se connaissent pas : ils se parlent comme s'ils étaient liés par le sang. Ce coudoiement dans le langage (je grimaçai)… c'est à vomir. Il n'y a pas de mystère entre les gens. Et pas d'érection sans mystère. Pas pour moi, en tout cas.

Meng Wu pouffa.

— Ce n'est pas drôle, répliquai-je en frissonnant d'écœurement. À ce point de vue, je commettrais l'inceste si je couchais avec une Québécoise.

— C'est pour ça que tu es venu en Chine ? Le bout du monde pour fuir la consanguinité ? Ici, tu peux coucher avec toutes les filles que tu veux.

— Oui, mais je t'ai rencontrée, et alors, ça n'avait plus de sens. Tu me suffis.

Meng Wu fit une moue sibylline, puis aspira d'un coup la moitié de son lait fouetté.

— Tu exagères, comme toujours, dit-elle en s'essuyant la bouche du bout du doigt. La haine t'aveugle.

Je haussai les épaules.

— Tu ne peux pas savoir, tu n'es jamais allée là-bas. Les Chinois, vous êtes le plus loin que l'on puisse être des Québécois. Vous êtes dans le non-dit, dans la retenue… La révélation lente.

— Tu ne parles pas, tu pètes.

— C'est vrai ! Vous êtes… je ne sais pas bien comment l'expliquer… dans l'ordre des choses. Vous connaissez les vertus érotiques de l'inconnu. L'autre qu'on ne connaît pas, il couve un secret, comme une pépite ; ce secret est précieux. Tu n'as pas idée à quel point tout cela est émouvant pour moi.

— Tu sais bien que les Chinois ne sont pas comme tu dis. Tu as vécu chez ces plOucs du Nord-Est. Écoute leur opéra traditionnel : que des histoires de fesses.

— Mais même dans le Nord-Est, j'avais l'impression que chaque personne avec qui je me liais avait un jardin secret. Je n'avais jamais ressenti ça au Québec. Au travail, dans la vie, avec les amis : là-bas, tout le monde parle tout le temps, tout le monde déballe tout, comme si c'était une obligation.

— Moi, je trouverais ça réconfortant de vivre dans une société où les gens ne sont pas aussi indifférents, dit Meng Wu en se regardant le bout des ongles. Où les gens ne font pas de cachotteries. Ça rend les amitiés plus vraies.

— Tu ne sais pas de quoi tu parles. Même leur fraternité, c'est du faux. Elle repose sur un mensonge. C'est une fraternité de façade, comme celle qu'affichent les familles malheureuses quand elles se montrent en public. En réalité, les Québécois sont seuls et déprimés. Ils sont misérables. Pourtant, quand je pense à eux, je suis incapable de ressentir de la pitié. Tout ce qui monte, c'est de la haine.

Meng Wu posa son lait fouetté en soupirant.

— La glande qui sécrète la haine est située juste à côté de celle qui fait la pitié. Pige donc dans l'autre tonneau, à l'occasion. Ça te changera.

— Hein ?

— Les hommes québécois aussi sont des dégénérés sexuels ?

— Les Québécois ? Non. Ce sont (je cherchais un mot chinois qui concentrait tout ce que je pensais mais ne trouvai rien, alors j'en utilisai plusieurs)… ce sont des masses. Lourdes. Ils ne marchent pas : ils se traînent. Et grouillent d'une espèce de vie parasitaire… Pire que tout.

Nos boissons bues, nous déambulâmes un moment dans l'aéroport. Nous échangeâmes deux ou trois platitudes – j'étais mélancolique, j'appréhendais déjà l'absence de Meng Wu dans ma vie pendant deux mois. De toute façon, l'espace immense assourdissait les mots, comme si nous parlions sous l'eau. Il valait mieux acheter des choses et nous taire. Les aéroports sont pensés pour ça. Une bouteille de Maotai pour mon père. Pour les filles de mon frère, des jeux de PlayStation en chinois. Rien pour ma mère : je lui avais acheté une qipao à Chengdu quelques semaines plus tôt, elle était dans ma valise, enveloppée dans une jolie gaze coquelicot.

Avant d'entrer dans la zone de sécurité, je pressai Meng Wu contre mon cœur. Après deux années ensemble, nous ne nous étreignions plus aussi souvent. J'avais oublié comme elle était carrée. Quand nous faisions l'amour, j'étais obnubilé par ses seins. Le reste du temps, je la trouvais belle, simplement. Il fallait que je l'enlace pour que se rappelle à moi sa saine solidité de montagnarde de l'Anhui.

— À mon retour, lui glissai-je à l'oreille, je t'achèterai un appartement.

Elle claqua la langue et se raidit dans mes bras.

— J'ai de l'argent aussi. Au moins autant que toi.

— Tu l'utiliseras plutôt pour t'acheter une Audi.

Son visage s'illumina. Meng Wu rêvait d'une Audi blanche. Une fois, seulement, elle me l'avait dit. C'était au lit, un soir avant de s'endormir. Elle s'était tartiné le visage avec une crème de nuit à la pêche qu'elle avait ramenée de Tianjin, ses cheveux mouillés étaient pris dans une serviette. « Si tu avais assez de fric pour t'acheter une voiture, avais-je demandé, tu choisirais quel modèle ? » « Une Audi blanche », avait-elle répondu sans hésiter. Elle ne m'en avait plus jamais reparlé, mais Meng Wu n'avait pas besoin de me répéter les choses, je retenais tout. Quand on aime vraiment, c'est comme ça : pas une parole ne se perd.

— Essaie de te détendre un peu, me dit-elle avec un visage grave. Change-toi les idées. Je comprends que les funérailles seront tristes, mais passe du temps avec tes parents, ton frère, son petit bébé, tes nièces. Vois des amis.

— Ce ne sont pas des funérailles, je te l'ai dit. C'est une messe commémorative. Ce n'est pas la même chose.

— Ah.

— Ce sera un voyage horrible. Quand je suis là-bas, je ne suis pas la même personne. Comment dire ? Cette province, elle m'arrache des morceaux de cœur. Je préférerais rester ici, avec toi.

Meng Wu ne répondit rien, mais sortit de son sac un livre qu'elle me tendit. Je le reconnus tout de suite : c'était sa traduction d'une nouvelle de Lu Xun, *Regret du passé*, suivie d'un court essai sur l'œuvre et d'une série de notes très élaborées concernant l'adaptation en anglais. C'était, à l'origine, son travail de maîtrise. Elle était parvenue à le faire publier après l'obtention de son diplôme.

— Pourquoi tu me donnes ça ? On en a plein d'exemplaires à la maison.

— Regarde.

Elle feuilleta le livre pour me montrer une photo qu'elle avait glissée à l'intérieur. Je souris. Meng Wu à vélo, de dos. On ne voyait pas grand-chose : il faisait noir, elle était en mouvement, c'est moi qui l'avais photographiée et je n'y connaissais rien. La veille de ce jour-là, nous nous étions disputés si violemment qu'il s'en était fallu de peu que nous mettions fin à notre relation. J'avais passé la nuit au Hyatt de Wangfujing. Au matin, nous nous étions réconciliés en pleurant de soulagement et de fatigue, et avions dormi toute la journée, lovés. Puis, après avoir mangé de l'anguille dans un restaurant de la rue de l'Autel de la lune, nous avions loué des vélos et fait une longue balade de nuit dans les venelles autour du musée Lu Xun. Meng Wu n'avait pas souvent de ces foucades récréatives – patin, ping-pong, yoga chaud ou froid, Zumba : très peu pour elle – et je les agréais d'autant plus gracieusement quand elles passaient. Ce soir-là, elle était folle de joie. Il y avait des années qu'elle n'avait pas fait de bicyclette. Elle filait devant, sa longue tresse battant la mesure. J'avais pris cette photo, précieuse pour moi parce qu'on y voyait bien davantage que Meng Wu ; cette insouciance, ce plaisir pur, ils participaient de *l'essence* de Meng Wu, de son âme, de ce qui la rendait unique. Sa beauté m'avait séduit, mais c'est plus tard, en découvrant comme elle vivait dans le cœur vrai des choses, que j'étais tombé amoureux d'elle. Elle n'était pas bonne ni vertueuse : elle était vérité, c'était beaucoup mieux. Ma vérité. Comme une alchimiste, Meng Wu décuisait le monde autour de nous, le ramollissait pour le réincruder et en extraire les principes premiers, ceux d'avant la grande hypocrisie. Depuis longtemps je n'aimais plus cette vie, mais Meng Wu la rachetait, elle servait d'amiable compositeur entre la réalité et moi, et je ne voulais rien d'autre ici-bas que suivre ses brisées. Comment aurais-je pu vivre sans elle ? Pour moi, il n'y avait pas d'autres zones habitables que sa proche orbite.

Je ne me souvenais pas de lui avoir dit à quel point j'aimais cette photo. Pourtant, elle l'avait fait développer pour moi. Peut-être que je lui en avais touché un mot, un jour, au détour d'une conversation ? Elle aussi, elle gravait mes mots dans sa tête. Elle devait m'aimer beaucoup. Elle plaqua sa main sur mon cœur, et je pensais que c'était ce qu'elle allait dire : « Je t'aime ». Elle murmura plutôt :

— Prends bièn soin de toi, d'accord ? Et ne t'inquiète pas pour ton cœur. Il est plus solide que tu ne le crois. Il est fait pour traverser des tempêtes. Et puis, deux mois dans ta province de merde, il y a des choses pires dans la vie.

PREMIÈRE PARTIE

TOGETHER ADDRESSING
THE REAL ISSUES

1

Pour le voyageur qui fait Pékin-Montréal et qui est sensible à ce genre de choses, la transition civilisationnelle qui s'opère lors de l'escale à Vancouver est extraordinairement déstabilisante et instructive. Dans mon cas, le trouble était renforcé par ce fait que je vivais en Chine depuis quatorze ans et que j'avais complètement (et amoureusement) intégré la mécanique impitoyable du vivre-ensemble chinois. Dans le vol d'Air China qui reliait Pékin et Vancouver, on était encore en Chine, même à des kilomètres au-dessus de la mer de Béring. Dans le choix des hôtesses – filles-couteaux de moins de trente ans aux sourires automatiques, enchaînant les mouvements et les paroles comme des notes sur une partition de musique industrielle –, on était intégralement en Asie. Je savais que dans le vol Vancouver-Montréal d'Air Canada, on nous imposerait le ballet inélégant de Saskatchewanaises hommasses, girondes, peroxydées, syndiquées. Ce n'était pas politiquement correct de le penser, mais je préférais les agentes de bord chinoises. Leur uniforme cintré laissait deviner des fesses sans défaut ; pourtant, le professionnalisme de leur chorégraphie castrait les passagers, qui ne les guignaient pas longtemps et retournaient à leur *smartphone*. Les Canadiennes intimidaient par leur poids, les Chinoises par leur beauté. Deux civilisations.

En Chine, dès que l'on sort de chez soi, on est emporté par un torrent humain, et, où qu'on aille, on est un parmi cent mille. À l'aéroport de Vancouver, au-delà de l'émoi de me retrouver entouré d'autant de gens de ma race pour la première fois depuis deux ans, je retrouvais le grand vide canadien. Il était tôt, cinq heures et des poussières, le hall des arrivées internationales sentait les fraises et le café. Je marchais vite dans les interminables corridors, sans me soucier d'où j'allais. Tout cet espace pour moi seul. Zigzaguer pour le plaisir. Dix mètres me séparaient des voyageurs que je croisais, autant dire des années-lumière. J'en fixais un ; il n'était pas comme celui d'avant, il avait des cheveux d'une couleur différente, une coiffure distincte, des vêtements qui disaient un milieu socio-économique nettement circonscrit. Tout à coup, je n'habitais plus le Léviathan ; je flottais plutôt comme un électron libre dans un agrégat d'éléments individualisés, allongé de vide et de marmonnements. Après cinq minutes, la tête me tourna. La faim ? J'achetai une brioche et un café à un comptoir et m'assis. Les gens circulaient avec beaucoup d'indolence, ce n'était pas comme en Chine, la nuée trotte-menu qu'il fallait suivre pour éviter le piétinement. Alors, je compris pourquoi je me sentais mal. En moi, une tension s'était dissipée trop sèchement : il s'agissait de cette nervosité, obligatoire à Pékin, ce trépignement qu'il fallait imprégner à ses mouvements et à sa conscience pour suivre le tempo, dans la rue, à la banque, au McDo, au supermarché. Ici, il me fallait reconquérir le silence et l'espace.

À Pékin, la horde en mouvement masque la laideur de la ville, en tout cas la fait oublier. Les masses laborieuses avancent avec une solennité qui transcende la crasse et le kitsch. Au Canada, pas assez d'humains pour cacher le décor. Pas de mer vivante pour tapisser le patriotisme paroissial de cet aéroport de mauvais goût. Combien de comptoirs de beignes ces pauvres patates de Canadiens anglais avaient-ils jugé nécessaire de construire pour convaincre les voyageurs internationaux qu'ils ne débarquaient pas aux États-Unis? Combien de feuilles d'érable en plexiglas pour annoncer des boutiques de saumon fumé? Combien d'orignaux en peluche vêtus d'uniformes de la police montée? De cruchons de sirop d'érable? De t-shirts blancs XXXL «*I'm Canadian eh!*»? Je croisais des agentes de bord d'Air Canada en transit, des ourses qui tiraient leur petite valise et buvaient du café dans des gobelets bruns. Elles traînaient la jambe, comme si elles étaient à la plage, et graillonnaient dans un anglais de *soccer mom* très inharmonieux.

— *You'll never guess what I've gotten in Amsterdam last week.*

— *Gonorrhea?*

— *Bitch* (rires). *A dragon tattoo on my left boob.*

J'entendis du français canadien aussi. Ma langue maternelle. Depuis mon dernier séjour au pays, ce patois n'avait pas vécu ailleurs qu'entre mes deux oreilles, dans un espace mental qu'écrasait le chinois que j'utilisais chaque jour. C'était étrange de l'entendre parlé par d'autres. Dans le bruissement de voix qui baignait le terminal, il me parvenait comme une rumeur. Je tournais la tête, mais ne pouvais en identifier la source.

Dans le vol vers Montréal, je sortis de mon sac le roman que j'avais écrit, *Putrescence Street*, et le relus au complet pour en ramener le contenu à mon souvenir, comme il y avait plus d'un an que j'y avais mis le point final.

Dans la vie, j'avais une mission : acheter des choses à Meng Wu, ma petite amie chinoise. Deux choses, en fait, mais qui coûtent cher à Pékin : un appartement et une voiture. Cela organisait mon existence, lui donnait un sens. C'était l'appui sur lequel je me repliais aux heures d'angoisse, quand les gens et les événements m'apparaissaient dans leur existentielle frivolité. Que ces emmanchés mènent sottement leur vie jusqu'à l'inéluctable plongeon dans l'ultravide, cela les regardait. Moi, je m'en allais quelque part, j'avais deux objectifs :

1 – trouver un appartement à l'intérieur du deuxième périphérique, idéalement à Gulou ou à Jianguomen ;

2 – acheter une Audi A4 berline, blanc « glacier métallisé », *peut-être* une A3, si on n'avait plus d'argent pour l'A4 après avoir payé l'appartement.

Mon métier de professeur de droit me rapportait des croûtes. J'avais donc cherché une source de revenus supplémentaires. J'aimais beaucoup écrire, mais mon chinois était trop bancal pour espérer être publié en Chine. Après réflexion, j'avais décidé d'écrire un roman canadien-français et de le vendre au Canada français. Je me figurais que, même s'il y avait plusieurs années que je ne vivais plus dans leur pays, je saisissais assez justement les goûts de ces gens pour construire une histoire gagnante. Il suffisait de viser juste. J'avais d'abord envisagé une saga paysanne : une laitière appelée Fléchère, son mari Ti-Jean (une bonne pomme), les suffragettes, la guerre (la maudite guerre!) qui vient, la conscription, la naissance du «nous», des vies dures, mais des gens bons comme du bon pain, *Chère Fléchère* (titre potentiel), ma pétrousse, avait un duvet dru au-dessus de la lèvre. Mais le temps, le temps! Combien fallait-il de temps pour écrire sept cents pages? Des mois, sûrement. J'avais besoin d'argent vite. Cent vingt-huit pages: c'est la limite que je m'étais fixée. Dans ces circonstances, l'avenue fleurie du succès passait par le roman montréaliste. Précis, tassé, snob. Rempli de tout ce qu'aiment les Montréalais (des niaiseries). Je m'étais mis à l'ouvrage. Il me fallait, pour pareille entreprise, renouer avec les préoccupations du beau monde canadien-français, dont m'avait éloigné mon exil chinois. J'avais commandé par la poste des romans qui avaient eu du succès dans les dernières années et, sur des blogues et des sites mondains comme *Nightlife*, *La Fabrique culturelle* ou *Ricochet*, noté au hasard des noms de restaurants et de bars à la mode. J'avais cochonné la rédaction en un été pékinois. À la fin: *Putrescence Street*. Voilààà!

Dans un exorde échevelé écrit au «je», le narrateur, que j'avais appelé Henry (pour Montherlant), se présentait. Trente-six ans. Célibataire, grand, mince. Il avait des lettres. Sa barbe et sa chevelure onduleuse avaient grisonné trop tôt, mais les filles juraient que cela améliorait le bouquet. Mile-End pur jus. Sur le bras gauche, deux tomawaks inversés entourés de modèles macromoléculaires, précédés d'une queue de renard dans le pli du coude; à droite, le long de l'humérus, un légionnaire romain dont l'ombre débordait sur le gras intérieur du bras, et d'autres dessins plus petits, abstrus, cabalistiques. *Technical team leader* chez Ubisoft, Henry roulait sur l'or. Il ne voyageait pas beaucoup (qu'a-t-on besoin de bouffer des kilomètres quand on est propriétaire d'un condo sur l'avenue Bernard?), mais était versé dans les gastronomies exotiques puisqu'il mangeait chaque soir au restaurant, avec des amis ou des filles. Vers vingt-trois heures, il s'installait dans des bars à la mode ou dans des fêtes privées, buvait du scotch en écoutant de la musique, en discutant, en soulignant l'absurdité de toutes choses. Mais Henry ne buvait pas pour faire chic, il buvait pour se faire mal, jusqu'à se torcher la gueule, jusqu'à sortir des appartements en rampant et en dégueulant et en riant comme un cul, pour analgésier une grande tristesse qui l'habitait (quoi d'autre?). Des filles le raccompagnaient, elles le laissaient les baiser malgré ses chemises maculées de sauce et de vomi, parce qu'il était beau et qu'elles avaient des espérances pour la suite. Elles se bâtissaient des châteaux en Espagne : Henry couchait avec au moins deux filles chaque semaine, jamais les mêmes, sans rien concéder d'autre que son sexe, sans jamais, non plus, cicatriser la blessure infligée à son cœur cinq ans plus tôt par une rouquine assassine : Slany O'Davoren de Westmount, tatouage d'escopette sur le mollet, maîtrise en architecture, maison superbe sur l'avenue Mt Stephen, la noune la mieux entretenue de l'univers connu (elles sont comme ça, les anglos : de vrais boulingrins), un dalmatien appelé Whatsyourname qu'elle promenait chaque jour au crépuscule dans le parc King-George, *anyways*, tout cela était théorique, le personnage de Slany ne survenait nulle part dans le roman, elle était partie à Londres après avoir brisé le cœur d'Henry. Cinq ans que notre héros, donc (dépressif, insomniaque, incapable d'aimer et intolérant au gluten), traînait ses savates dans les ruelles (vertes et bichonnées par le comité citoyen

« Friends of Mile-End Neighbourhood/Amis du Mile-End Quartier ») entre Waverly et Saint-Urbain, englué dans un pèlerinage existentiel immobile. Il vivait des « phases ». Un temps, il avait tâté de l'analité avec un *technical art director* d'Ubi, un petit mince aux fesses grosses comme des tartelettes au sucre. Henry cherchait aussi une bonace de l'âme dans l'alcool, au début. Ensuite, vers le tiers du roman, dans la cocaïne. Enfin, dans l'héroïne. L'histoire devenait alors une succession de saturnales, qui gagnaient en décadence et en brutalité jusqu'à la page 90. À ce point du livre (l'acmé, n'est-ce pas ?), Henry faisait une surdose. Son cœur s'arrêtait de battre quelques secondes cependant que ses abattis, convulsés, faisaient l'étoile. Le sang lui sortait par les yeux, la moelle osseuse par le trou du cul.

La Fin Du Monde.

Après deux semaines à l'hôpital, Henry prenait le chemin de la clinique de désintoxication. Là, pendant une dizaine de pages, il repensait sa vie et renouait avec « une certaine forme de bonheur ». Péroraison : à son retour chez lui, sa première décision consistait à quitter son travail chez Ubisoft. Il partait pour un grand voyage à Hawaï, puis, revenu dans le Mile-End (bronzé, noueux, aguerri), il achetait une boutique de vinyles *vintage* à la décoration rustique, coin Jeanne-Mance et Saint-Viateur. Dans la dernière scène du livre (page 126), on le retrouvait, seul derrière son comptoir, fumant un cigare Romeo y Julieta et sirotant un Chivas Regal 21 ans en écoutant *Bitches Brew* sur un vieux tourne-disque Philips ALL Transistor 1970 vert lime (l'amour du travail bien fait). Il fermait les yeux, un demi-sourire sur les lèvres. *Ting-ting…* Une femme entrait dans le magasin. «*Hi, Henry… Long time no see.*» Voilà. L'histoire finissait comme ça. La paix et le mystère.

Putrescence Street était un roman en «franglais», c'est-à-dire qu'au français déjà anémique parlé en Amérique, j'avais rajouté cette inestimable couche de *street English* que goûtent tant les Canadiens français. Extrait (p. 36) :

Whatever ce que cette fille-là pouvait m'apporter, whatever ses diplômes en whatever ou les livres qu'elle avait lus, je la regardais sur le lit, là, pis je me disais que c'était une fucking fraud. Elle dormait tight, c'en était quasiment drôle. Avec son esti de scrunchie dans les cheveux pis son fucking tatouage de lampe à huile sur le jarret, avec ses cuisses qui ressemblaient à des cônes de viande de chez Amir, elle avait juste l'air way perdue dans un monde qui n'était pas le sien. My world. Welcome in it. Je me suis allumé une smoke pis je me suis approché de la fenêtre. 6 AM. Dehors, le ciel était gris sale comme le ventre de la lune, and the moon didn't give a fuck.

And what about me? J'en étais vraiment rendu là, à baiser des filles comme elle? La veille, début de soirée, genre à l'heure où le ciel est bleu comme le bleu de la pochette de Saxophone Colossus *de Sonny Rollins, je revenais de chez le Chinois avec ma douze. Je suis passé devant Kem CoBa, elle était dans le line-up avec des amies. Nos regards se sont croisés. Elle a sorti sa langue en me fixant; invitation to a blow job? or just dry lips? I wondered… Nevermind, ça m'a complètement turné on. Elle était un peu chubby, elle devait être cochonne. Je suis allé lui parler, je les ai invitées, elle pis ses chums de filles, à aller boire un verre à L'Assommoir. Elles étaient down.*

Anyways...

Rendus chez nous au milieu de la nuit, la première affaire qu'elle m'a demandée, ça a été de lui faire un cunni. Ça faisait du sens. So I did. Après, je l'ai prise en missionnaire, juste pour me mettre la face dans ses boobs. Des vraies boules... Rare sight, avec toutes ces Asiatiques de McGill dans le voisinage. Mais whatever I did, I just couldn't get over the fact that she was fat. Je veux dire, j'avais ben vu qu'elle était chubby en posant les yeux sur elle sur Fairmount, mais là, elle était flambant nue sous moi, pis j'ai été forcé de l'admettre : she was a big fat girl. C'était une grosse torche.

Maintenant, debout devant la fenêtre, je regrettais de l'avoir ramenée la veille. Je voulais déjeuner tranquille en écoutant Song for My Father *d'Horace Silver, mon rituel du dimanche matin. Mais qu'est-ce que je pouvais faire ? La kicker dans les reins ? « Fuck off, grosse touriste, retourne dans ton stinky 3 1/2 d'Hochelag » ?*

Dans le salon, j'ai mis Ellington at Newport 1956 *sur la table tournante, great way de la réveiller on the side. J'écoutais* Black and Tan Fantasy *en fumant mon premier joint de la journée, en buvant mon premier café aussi, les pieds posés sur ma table de travail. Cool, smooth Mile-End mornings... Mais la grosse ne se réveillait pas, ça fait que je suis descendu pour acheter des bagels. Je lui en fourrerais un dans yeule à son réveil et je la crisserais dehors après deux gorgées de café.*

— Hey! Abraham! lançai-je à mon juif unilingue anglophone préféré en rentrant chez St-Viateur Bagel où, seuls les douchebags disent le contraire, on fait les meilleurs bagels à Montréal.

— Hey! Henry! New fuckin' day over Montreal, eh?

— True that.

Ce roman avait tout pour plaire aux Canadiens français. Il était écrit dans une langue pitoyable, un bichlamar dégueulatif qui, par un effet de miroir, réconfortait et confortait les lecteurs en injectant dans la littérature la pauvreté du jargon qu'ils utilisaient chaque jour. Par ailleurs, les canons de la rectitude politique étaient respectés. Les grands dépositaires de sagesse étaient des immigrants gentils et laborieux, comme ce juif qui faisait des bagels, ou encore la femme de ménage haïtienne d'Henry, qui le réconfortait en lui apportant du pouding au riz («le meilleur au monde») et en lui disant des proverbes *de son pays* (en réalité des truismes de secrétaire médicale que j'avais piqués dans de vieux numéros de *Châtelaine*). J'avais mis un personnage homosexuel, il était spirituel et benoît. Quant à la méchanceté dont Henry faisait preuve avec les femmes, elle était évidemment à mettre sur le compte de son chagrin d'amour. Et puis, lors de sa cure de désintoxication, il devenait ami avec une infirmière boulotte, monoparentale, latino et bouddhiste par les soins de laquelle il vivait une authentique rédemption féministe. Voilà. Les immigrants, les femmes, les homosexuels: j'avais fait de la lèche à tout le monde. Maintenant, j'estimais que j'étais en droit de vendre des livres, et même, d'en vendre des cargaisons.

— Je vais me faire des couilles en or, avais-je prédit à Meng Wu.

— Qu'est-ce qui te rend si sûr de toi?

— Ce sont des ânes (*shalü*).

À partir de la Chine, je m'étais lancé à la recherche d'un éditeur canadien-français. Ça n'avait pas été long: une petite maison à la mode, Elpis, qui se spécialisait dans ce genre de plaquettes urbaines, m'avait proposé de publier *Putrescence Street* dès l'automne, pour la rentrée. Les discussions sur le contrat se goupillèrent en trois semaines, par courriels.

Vint ensuite le travail d'édition, pendant lequel il se passa quelque chose d'amusant. À l'origine, mon texte était émaillé de références à la culture populaire des années 1990. *Name dropping* à tout va: Henry écoutait Soundgarden, Stone Temple Pilots, les Red Hot, R.E.M. (jusqu'à *New Adventures in Hi-Fi*, « pas la merde enregistrée après »). Chaque année, à l'anniversaire de la mort de Kurt Cobain, il pleurait et se faisait un rail d'héroïne à la mémoire du saint homme. Son cinéma de prédilection datait aussi de cette période, il y pigeait la moitié de son discours mondain: *Trainspotting*, *Leon*, *The Big Lebowski*, *Goodfellas* et tout Tarantino. Mais alors que l'éditrice et moi mettions la dernière touche au texte, un jeune gars publia chez Boréal un premier roman assez dans l'esprit du mien (l'histoire de jeunes perdus du Mile-Ex qui partaient en camping dans le parc national de la Mauricie, faisaient du *mush* autour d'un feu de camp et finissaient par se sodomiser en groupe au milieu des siffleux et des goulus). Il avait mis de l'anglais, heureusement pas autant que moi. Problème: lui aussi avait poivré son texte de chansons et de répliques de films des *nineties*. Mauvais sort! Quelques mois avant la parution de mon livre. Que faire? Pas d'autre choix que d'adopter une culture de substitution. Je choisis le jazz. Je repassai tout le manuscrit et remplaçai les noms de musiciens et d'albums par des références à la musique *black*, que je piochai sur un site Internet, *100 Essential Jazz Albums*. Je le dis non sans fierté: de toute ma vie, je n'ai jamais écouté un morceau de jazz au long tant cette musique m'emmerde, et de la vingtaine de *big papas* louisianais et de trompettistes cocaïnomanes que je nomme dans mon roman, il n'y en a pas un dont je connaisse la musique. Par exemple, dans l'extrait ci-dessus, quand je parle du bleu de la pochette de *Saxophone Colossus* de Sonny Rollins, il faut savoir qu'à l'origine, je disais *le bleu de la pochette de* Brothers in Arms *de Dire Straits*. Les deux bleus sont très différents et je n'ai jamais écouté une seule note de *Saxophone Colossus*, mais tout cela n'a aucune importance. Au-cune.

Le livre parut en septembre. Porté par deux prépapiers enthousiastes publiés la veille du lancement (*Voir* et *La Presse*), il obtint dès la première semaine des ventes enviables, qui centuplèrent à mesure que tombaient les bonnes critiques. *Libras*: «Ce livre est un cri. Celui d'Henry, dont la désespérance rejoint, à travers le temps et l'espace, celle d'Antoine Roquentin. Brillant. Tragique. Remuant.» *Bible urbaine*: «Au fond, c'est un livre sur l'altérité. Que cherche-t-il, ce Henry, badaud perpétuel, spectateur de la vie qui sommeille dans ce Mile-End trop propre, trop tranquille, repu? Dans les aventures sans lendemain, dans les orgies, dans la drogue, quelle est sa quête? C'est la recherche de l'autre, de celui-qui-n'est-pas-soi. Un livre

fort, qui marquera l'année littéraire. Quatre étoiles. »
La Presse+ : « Le Mile-End qu'on aime est omniprésent ;
c'est, littéralement, un personnage du livre. Trois étoiles. »
La chroniqueuse littéraire de *Montréalissime !*, à la radio
de Radio-Canada (timbre flûté, débit haletant) : « Une nouvelle voix est née, celle de Roé Léry, la voix de la "montréalitude", une voix qui ne connaît ni langue, ni race, ni
frontière. » Ma petite préférée : à MAtv, une animatrice
proche de l'orgasme avait cité cette réplique d'un personnage féminin du roman (p. 22) : « Oh ! *My God !* C'est vraiment *nice ! Wow !* », qu'elle avait ainsi commentée : « Queeel
bonheur de lecture ! Mon Dieu ! Il était donc temps que
l'anglais prenne enfin la place qui lui revient dans la littérature d'ici ! » « On. Aime. Ça ! », avait renchéri la chroniqueuse salade à côté d'elle en détachant bien chaque mot.
Elle avait tort, bien sûr ; *on* n'aimait pas ça, *elles* n'aimaient
pas ça, personne n'aimait ça ni n'y trouvait d'attraits. Il y
avait beau temps que ces gens n'aimaient plus rien, qu'ils
confondaient l'amour et la mode. Ainsi, chez Proust, de ces
rentières qui, dans les salons, unissaient leur voix à celle du
Tout-Paris pour vanter un violoniste ou un peintre auquel
elles n'entendaient rien, ou qui étaient antidreyfusardes
juste parce qu'il aurait mal paru de ne pas l'être. Pour faire
donner la patte aux chèvres culturelles de la rue Saint-
Laurent, il suffisait d'être à la mode. Or, le français était la
chose la plus démodée qui soit puisqu'il les séparait de
l'Autre, de l'Autre admirable, du Tant Aimable Autre, je
dis « aimable » au sens vieux du mot, c'est-à-dire « digne
d'être aimé », quand elles-mêmes ne se savaient dignes
que d'une chose : se faire pisser à la raie. Ce n'est pas pour
me vanter, mais j'avais fait fort. En donnant trois mots

d'anglais par phrase à ces casques de bain colonisés, je leur avais fait avaler une cacographie pour une « écriture portée par un souffle puissant » (*L'actualité*), et j'avais fait de l'argent.

Dans ce concert d'éloges, une fausse note, du *Devoir*. Le type des lettres canadiennes-françaises avait réservé huit lignes à mon livre à la fin d'une chronique portant sur un tout autre sujet. Froide appréciation du thème, antipathie sentie pour le personnage principal et sa narration. Cette phrase, surtout, qui m'avait fait sourire : « Par ailleurs, quand on a déjà parcouru la moitié du chemin vers Newcastle, on ne s'arrête pas, on va jusqu'au bout. » Je lui avais envoyé un mot pour lui dire que c'était la chose la plus intelligente qu'on avait écrite sur mon torche-cul.

Putrescence Street se hissa en deuxième position du *top ventes de romans* d'Archambault (derrière *Gilberte à la croisée des chemins*, de la saga d'Irène Perron *Les bâtisseurs de Daveluyville*, mais devant *Trois folles à Punta Cana* de Geneviève Paquin). Sur iTunes Canada, les albums de jazz mentionnés dans mon livre et que je n'avais jamais écoutés connurent un sursaut de ventes, au point, pour certains, d'accéder au *top 10*.

On a dit que j'avais fixé l'esprit de mon temps, que j'étais un Mordecai Richler francophone.

Je n'assistai pas à cette fête que me fit ma province natale. Chez Elpis, on m'offrit de me payer l'aller-retour Pékin-Montréal, avec une semaine dans un hôtel du centre-ville et deux repas par jour, pour que je vienne faire des entrevues et signer des exemplaires au Salon du livre. Je refusai sans explications. Qu'aurais-je pu dire ? « Le voyage en avion est crevant et votre ville est déprimante »? Diffi-cultueuse, la directrice de la maison cacaba un peu, puis abdiqua. Finalement, le fait que j'habitais en Chine nimba mon nom de mystère et fit croire que cet excellent cos-mopolitisme que j'affichais dans mon roman n'était pas feint. « Ce doit être quelqu'un de vraiment très, très ouvert d'esprit », s'était exclamée une tapette à Radio-Canada.

Tout ça, c'était il y a près d'un an. M'étais-je fait des couilles en or avec *Putrescence Street*? Non. J'avais rapide-ment compris qu'un succès de librairie au Canada français ne rapproche ni d'un appartement ni d'une Audi blanche à Pékin. Mais – et je ne l'aurais pas cru initialement – le renom, même prodigué par des béotiens, délectait plus que l'argent. De toute façon, dans l'intervalle, Meng Wu avait obtenu une lucrative vacation d'enseignement au départe-ment de littérature anglaise de l'Université de Pékin. Les coffres étaient pleins, nous étions près d'acheter notre pre-mier appartement. Nous cherchions déjà un quartier.

Aujourd'hui, trois événements me rappelaient à la maison. D'abord, mon frère venait d'avoir un bébé. Je m'étais fait une sorte de tradition de revenir au Québec pour embrasser les nouveau-nés chaque fois que ma belle-sœur accouchait (c'était leur quatrième). À l'autre extré-mité du spectre de l'existence, il y a la mort, par suicide, en l'occurrence : un camarade du secondaire s'était pendu un an plus tôt (à peu près en même temps qu'avait paru mon livre), j'avais raté les funérailles, mais je tenais à être présent pour la messe commémorative. Il s'appelait Daniel. Ça n'avait jamais été un ami à proprement parler, mais j'avais une dette envers lui, que son geste fatal me forçait à hono-rer post mortem. Sa faute, pas la mienne. Finalement, point d'orgue à mon voyage, un anniversaire, le soixante-dixième de mon père. Mon cadeau : un séjour de chasse à l'ours ensemble, dans une pourvoirie du réservoir Gouin. Nous y allions chaque année quand j'étais jeune. La dernière fois, j'avais dix-huit ans. Mon frère ne nous accompagnait jamais. Il détestait la chasse.

Ces événements réunis composaient un voyage – deux mois – beaucoup plus long que ceux que j'avais l'habitude de faire au Québec. En apprenant qu'il fallait que je vienne de toute façon, les gens d'Elpis avaient organisé une *run* de lait dans les principaux médias montréalais. Le coup d'aile serait salutaire ; après un an, l'intérêt pour *Putrescence Street* s'essoufflait, les ventes aussi, c'était bien naturel. Heureusement, ma marque luisait toujours dans le gotha local, et la relationniste d'Elpis avait obtenu sans difficulté des entrevues aux meilleures enseignes.

Putrescence Street se lisait si vite qu'après avoir terminé ma relecture dans l'avion, j'eus encore le temps de regarder un film, de manger lentement un plateau-repas en écoutant de la musique et de faire deux donjons à Zelda sur ma 3DS.

Au terme d'un vol de cinq heures dix minutes, les roues du Boeing se posèrent sur le tarmac de PET. Frémissement de l'âme : c'est sur ce continent que j'étais né. Dans le terminal, on parlait surtout anglais, mais de loin en loin me parvenaient des phrases en français canadien – « Tu vò-tu faiy' l'hivay' a'ec ce gilet-là ? », « Ben c'est çò, da'l'fond, comme que j'disa à Jennifer, astheu' j'l'ai ajté, tsé, j'peux pò comme pò l'met' », « J'assume que tu l'ò ajté a'ec ta carte de crédit. Tant qu'à fay', t'ara dû ajter le *coat* en *spandex* brun pour met' dessus, tu vò g'ler que'l'criss », « Sérieux, lò, le *spandex*, c'est tellement *overraté*», «C'est y'où qu'on peut ajter d'la boisson pò chère?» «Tsé, l'araignée qu'on ò vue hiey en faisant 'a vaisselle? Ben je l'ai pognée dans l'coulouèr jusse avant d'partiy'» –, et en cherchant des yeux, je trouvais les visages. Ils étaient encore distants, flous, c'était comme s'apercevoir dans un miroir au loin, je n'étais pas sûr de me reconnaître en eux, pourtant ils trompetaient ma terre natale. Bien malgré moi, je ressentis de la joie. Et alors? Aurait-il fallu, pour être fidèle à mes principes, que je ronchonne de force? Cette inexplicable griserie du retour, y avait-il une seule raison pour que je ne la savoure pas moi aussi, comme tous les hommes qui reviennent chez eux après un long voyage? À ces pensées, je devins tout à coup très gai. Je traversai la salle de récupération des bagages en chantonnant *Something Grabbed a Hold of My Hand*:

Something grabbed a hold of my hand

I didn't know what had my hand

But that's when all my troubles began.

Il était un peu passé quinze heures. Une navette faisait la liaison avec le centre-ville. Je redécouvris Montréal par les vitres d'un autobus bleu et blanc de la STM, et si j'étais joyeux, je n'en étais pour autant ni con ni aveugle: comme elle serrait le cœur, cette petite ville de province! D'échangeurs décrépits fusaient en rayons de raides avenues, interminables et nues, bordées d'immeubles cachou qui, d'où j'étais, évoquaient des cubes de bouillon posés en quinconce sur une nappe sépia crottée. En certains endroits, de monstrueux blocs d'ébonite et de verre (pour la plupart des sièges sociaux de syndicats ou d'associations professionnelles, rien qui transpirait l'argent qui roule) encaissaient l'autoroute 20 ; alors, cette plaine urbaine mal arborée, mal dessinée, laide, était momentanément voilée, mais on la retrouvait quelques kilomètres plus loin, quand s'épuisaient les immeubles en hauteur. Une trop grande proportion de l'espace de cette ville était réservée au logement, une trop petite à l'activité productive. C'était un habitat souffreteux d'un pour cent d'augmentation de PIB. Pékin m'avait habitué à du douze pour cent. Heureusement, l'ensemble s'esthétisait un peu quand on arrivait au centre-ville.

Pour mon séjour, j'avais loué un appartement au mois, coin Sherbrooke et De Bullion. J'y déposai mes affaires et sortis marcher. Je n'avais nulle part où aller, je me sentais aussi libre et heureux qu'on puisse l'être. Après tout, ces deux mois au Canada français étaient aussi des vacances de mon travail. Le temps était doux et légèrement humide, comme si le Bon Dieu venait de finir de se raser et se pulvérisait de l'eau sur les joues. J'avais trois mille cinq cents yuans en poche, il fallait que je les convertisse en beaux dollars du dominion, alors j'entrai dans la première banque que je croisai, une succursale de la TD. Des rubans noirs délimitaient un couloir dans lequel les clients étaient invités à faire la file, mais il n'y avait personne, qu'un type tout au bout qui attendait qu'un guichet se libère. J'aurais pu contourner le tracé et aller me ficher derrière lui par le devant, mais ç'aurait été profaner ce grand marqueur démocratique qu'est la queue, dont l'absence dans les banques et les commerces chinois m'avait si souvent mis en rage. Comment avais-je pu rayer tout cela de mes tablettes ? Les queues dociles ? Les caissières amènes, les inconnus qui vous tiennent la porte, les automobilistes qui vous laissent traverser aux intersections ? Ces concitoyens qui freinent leur liberté là où commence la mienne ? Je fis le parcours lentement, en sifflotant. À la fin, le client qui attendait se tourna brièvement et hocha perceptiblement la tête pour me souhaiter la bienvenue derrière lui. Je trouvai cela très touchant. Un humble ouvrier. Veste sans manches, chemise à carreaux, jean et cals aux mains. Un genre de graisse faisait reluire ses avant-bras. Les gars de la construction ont tous ça sur la peau, un mélange de sébum et d'huile à outils. Quarante ans et des poussières. Il était chauve, et comme chaque fois que je croisais un chauve, j'enroulai une mèche autour de mon doigt pour me rassurer.

Nous étions tout près des comptoirs, si bien que quand le tour de l'ouvrier arriva, je pus assister à son opération. La jeune employée qui le servait était nouvelle (un macaron sur son chemisier saumon disait « *I'm in training to serve you better* – Soyez fins avec moi, je m'entraîne »). Une matrone sans âge la flanquait comme un échalas, merveilleux exemple de tutorat en milieu de travail, de transmission d'expertise.

— Bonjour *Hi* ! dit la jeunette à l'ouvrier.

— Bonjour.

— Qu'est-ce que je peux faire pour vous ?

— Je voudrais transférer de l'argent sur le compte de ma fille. 'Est étudiante à Sherbrooke.

— Certainement. Vous avez votre numéro de compte ?

— Euh… *Shit*… Mon numéro de compte… Non, j'ai pas ça sur moi.

La matrone intervint.

— *Ask him if he has his debit card.*

— Avez-vous votre carte de débit ?

— Oui… minute…

Le type fouilla dans son portefeuille et posa sa carte sur le comptoir.

— Merci. *So… money transfer…*

— *See there*, dit la matrone en pointant l'écran. *Select « Payments and transfers » from the top menu bar, then « transfer funds ». Now, you have to choose between « within Canada » and « International ». In this case…*

— *Sherbrooke…*

— *… is in… Canada… there you go. Now, what do you need ?*

— *The recipient's account number ?*

— Je l'ai, dit le client en dépliant un bout de papier sur le comptoir. Le nom, c'est « Mélanie Gagnon ».

— Mélaniiie Gagnon, murmura la caissière après avoir tapé le numéro.

— *Now, you…*

— *I type the sender's debit card number.*

— *… type the sender's number, yup. From which account do we transfer the money ?*

— Vous avez deux comptes, monsieur, dit la stagiaire. Un compte individuel et un compte conjoint. De quel compte est-ce qu'on transfère l'argent ?

— Le compte conjoint.

— Cooompte conjoint… *Do I click on « calculate » or is it just…*

— *Don't, not for a transfer anyway. It's a standard button, don't mind it. Here… Now…*

— *The amount.*

— *The amount.*

— Trois cents piasses, dit l'homme.

— Trois cents dollars? répéta la stagiaire avec une inflexion interrogative caricaturale.

— *What now?* demanda la matrone.

— *I… display the coupon?*

— *Both coupons. The sender's AND the receiver's. Here, like this… Now – and that's the tricky part –, you have to make sure the coupon's numbers match.*

— *Oh… They don't.*

— *Weeelll… They don't if you look there, because that's not where you oughta look, sweetie. However, they do if you pay attention to this part of the form…*

— *Oh, yeah. Sure.*

— *… which is the part that both clients will get once the transaction is completed.*

— *Got it.*

Ils bouclèrent la transaction du client en deux coups de cuillère à pot. Elle était efficace, cette petite. Le type parti, elle me lança un sourire engageant.

— Bonjour *Hi*!

— *Hi, sweetie.*

2

La relationniste d'Elpis s'appelait Mireille. Elle m'avait tutoyé dès notre première rencontre (une cousine, une sœur). C'était une fille sans intérêt, sinon pour sa musculature de panthère et les tatouages en forme d'oreilles de loup qui suivaient les lignes latérales de son peaucier du cou. « Ben c'est ça, da'l'fond, moi pis mon chum, on fait beaucoup d'escalade. Pis du vélo l'été, pis ben d'la rando. On est ben, ben plein air. Tsé, on est l'genre à s'déplacer en vélo même l'hiver. On est c'que certains appellent des "fous" (hochement de tête entendu, ricanement de fausse humilité)! » Avec sa face renfrognée de moufette et sa poitrine lenticulaire, elle n'était pas belle, elle n'était pas gentille non plus, mais elle faisait son travail et me fichait la paix dans mes heures libres. Elle se bornait à m'introduire quand je devais rencontrer des journalistes. Dans les événements mondains où je faisais de la figuration, elle me frôlait la main quand j'étais sur le point de gaffer. Avant de me présenter à des gens du milieu, elle déclinait leur fiche technique.

— Ben c'est ça, da'l'fond, elle a adoré ton livre, me dit-elle à mi-voix ce matin-là, dans la régie du studio 34 de Radio-Canada.

Elle parlait de l'animatrice de *Montréalissime!*, l'émission de radio où j'allais passer dans quelques minutes.

— Elle va te parler du franglais. Pour te féliciter, j'veux dire. Elle est ben gros là-dedans. Son chum est anglo. C'est un metteur en scène ben connu de Toronto…

— Wow.

— Pis ils vivent dans un loft en face du parc Jeanne-Mance. T'as pas l'air nerveux, mais peut-être que tu devrais être un p'tit peu nerveux. Je sais qu'ça fait longtemps qu't'as pas vécu au Québec, faque tu l'sais pas, mais cette émission-là, c'est une grosse affaire.

— Je le sais.

— Genre, dans les cinquante-cinq, soixante mille de cotes d'écoute.

— Wow.

— Pis elle, c'est un peu une « papesse » (guillemets avec les doigts) de la culture à Montréal. Elle est plus jeune, jeune, mais elle est encore ben à' mode.

— Quel âge elle a ?

— Je sais pas. Genre soixante.

Nous étions assis sur des bancs pliables, rencognés contre la console, la réalisatrice et le régisseur entendaient tout ce que nous disions, j'aurais voulu que Mireille se retienne un peu, la réalisatrice souriait. Un indicatif musical se fit entendre, la porte du studio s'ouvrit et une jeune femme splendide en sortit. À notre hauteur elle ne s'arrêta pas, mais en nous croisant me regarda longuement en esquissant un sourire équivoque, dont je ne sus pas dire s'il était complice ou aguicheur. Pourtant, je n'avais rien qui puisse plaire à cette femme. Je me retournai à son passage, comme un homme bien élevé ne doit jamais faire, mais je n'eus pas le temps de la voir quitter la régie que Mireille me tapotait l'épaule.

— C'est à toi.

La réalisatrice me poussa dans le studio. J'entendis Mireille souffler «bonne chance». Un vent tiède fit gonfler le dos de mon t-shirt quand la porte matelassée se referma derrière moi.

— Elle avait ses règles. Sais-tu comment je le sais?

La question ne m'était pas adressée. Dans le poste concave d'une grande table couverte de papiers, de magazines et de journaux, une vampiresse ravinée surmontée d'une coiffure de minette jactait dans un microphone, interrogeant quelqu'un – la réalisatrice, peut-être – qu'elle fixait de l'autre côté de la baie vitrée donnant sur la régie. Les réponses arrivaient dans ses écouteurs, je n'entendais pas cette partie du dialogue.

— …

— L'odeur.

— …

— Elle sentait le sang. Tsé? Une odeur qui prend la gorge… de désinfectant ultrapuissant, pour nettoyer les hottes de four (elle pinçait les doigts, comme si elle tenait un papillon par une aile). Il y a des femmes comme ça qui empestent pendant leurs menstruations. (Elle tourna les yeux vers moi, me fit signe de m'asseoir.) Excusez-moi, je viens de vivre une expérience *odorifère* assez particulière!

— Justement, dis-je tout bas, pouvez-vous me dire qui était cette fille qui…

— Andrée! On va-tu avoir le temps de passer la capsule sur le blé d'Inde d'automne avant les nouvelles? (À moi:) Vous êtes prêt? Dans quinze secondes. (Je hochai la tête.) Mettez les écouteurs. La bouche près du micro.

Mon roman était posé sur la table, elle le prit.

— On vous l'avait annoncé, Roé Léry est dans notre studio ce matin. C'est un beau, beau grand bonheur de l'avoir avec nous, puisqu'il habite en Chine. Roé Léry, c'est ce jeune auteur – on peut dire jeune, han? Vous avez quel âge?

— Trente-huit.

— Ah. Euh. Qui a publié l'an dernier un roman intitulé *Putrescence Street*, au succès phé-no-mé-nal. On a dit de Roé Léry… On a écrit des choses très élogieuses sur vous! Moi, je me souviens d'avoir lu… attendez… «la nouvelle voix de Montréal»! Ça ne vous gêne pas, toutes ces louanges?

— Non, merci.

— Écoutez, c'est bien simple, je vais avoir de la misère à faire cette entrevue de manière objective parce que j'ai a-do-ré votre roman. Ç'a été une de mes belles lectures de l'année passée. *Putrescence Street*, donc. C'est, au fond, l'histoire d'un trentenaire montréalais d'aujourd'hui, Henry, qui se cherche, qui cherche un sens à sa vie. Dans la beauté, on pourrait dire. Il fouille la beauté de Montréal, du Mile-End, ce quartier qu'il habite, et qui l'habite, qu'il aime. Quel extraordinaire hommage au Mile-End! Mais là, expliquez-nous un peu… Vous, là, vous vivez en Chine!

Racontez-nous ce que vous faites là-bas. Dites-nous qui vous êtes. L'année dernière, vous n'aviez pas pu venir à Montréal pour faire la promotion de votre roman. Les gens ne vous connaissent pas.

Entré dans le studio pendant l'introduction, un photographe me mitraillait.

— En fait, je suis parti en Chine il y a quatorze ans, à la fin de mes études en droit. J'ai fait un peu d'immigration à Shanghai avec un avocat canadien, puis j'ai abandonné la pratique et je suis devenu prof à CUPSL, la China University of Political Science and Law. J'enseigne le droit et le français du droit.

— Le français du droit?

— Oui. Je prépare des étudiants en droit qui prévoient d'aller poursuivre leurs études en France. Il faut leur apprendre le français tout court, mais aussi la langue très technique du droit.

— Et vous-même, vous avez appris le mandarin?

— Oh oui! J'ai pas eu le choix. C'est mieux. Pour se faire comprendre au restaurant ou au salon de massage.

— Ah bon! Mais ici, au Canada, vous venez d'où?

— La Tuque.

— Alors pourquoi le Mile-End, dans votre roman?

Elle était gentille. Elle semblait sincèrement séduite par mon roman; ses phrases s'enchaînaient dans une litanie fervente, pantelante, qu'elle déclamait en serrant les épaules et en tendant vers moi son corps décharné, comme une invitation presque érotique à la remplir de mes réponses.

— C'est un beau quartier. Quand j'étudiais à l'Université de Montréal, j'habitais pas très loin, dans Côte-des-Neiges. Mais pas le Côte-des-Neiges sale des rastas. Plutôt rue Goyer, avec les hassidiques. Ou est-ce qu'on dit « hassidim » ?

Elle se recula un peu sur sa chaise et échappa un rire nerveux.

— Je pense qu'on dit « hassidim » !

— Ah bon. Vous êtes sûre ? J'aurais juré que c'était « hassidiques ».

Elle fit un moulinet du doigt pour me signaler d'enchaîner.

— Le soir, au lieu d'étudier, je passais des heures à marcher dans Outremont et dans le Mile-End. Je faisais presque toutes les rues du Mile-End, systématiquement. C'est un quartier très carré, dans tous les sens. L'agencement est régulier, les gens aussi… Des lignes pures, partout. Je trouvais ça très apaisant. Et toutes ces fleurs !

— Hé ! (gloussement) C'est certainement pas à moi que vous allez avoir besoin de vendre le Mile-End. Je suis déjà conquise !

— Vous m'en direz tant !

Cette fille qui m'avait souri avant l'entrevue m'obsédait. Il était un type de beauté féminine qu'une synesthésie étrange, dont je n'aurais pas cru qu'elle soit en moi, en tout cas dormante le reste du temps, transformait en portail vers d'extraordinaires voyages sensoriels. Elle, par exemple, m'avait tout de suite évoqué un bois moussu, baigné d'une fraîche touffeur ; c'est-à-dire que je voyais clairement, par l'œil de mon imagination, un décor statique, exactement comme une toile, une scène faite de troncs massifs, du début d'un plan d'eau à droite, d'une lumière douce de Vierge à l'Enfant, irréelle sous une ramure aussi épaisse, et de cette fille si belle, assise sur une souche, vêtue, exactement comme elle venait de m'apparaître, d'une jupe tube queue-de-vache et d'un chemisier blanc qui découvrait sa gorge. Je pouvais presque sentir l'humidité mouiller ma peau. Marron pour marron, il n'y avait sans doute rien de bizarre à ce que mon imagination tire de cette chevelure et de ces grands yeux obscurs et caressants l'image d'une nature végétale, humique, féconde et douce.

— Et cette langue qu'on trouve dans votre roman! poursuivit l'animatrice. Cette langue inventive! *rough!* si montréalaise! décomplexée!

— Il y a une langue montréalaise, énonçai-je mécaniquement.

— Oui! De la même façon qu'il y a une identité montréalaise, je pense, non?

— Que oui! Vous et les autres Montréalais, vous n'êtes pas comme, mettons, les gens de Sherbrooke ou de Matane.

— (Hésitation:) Bien sûr que non. C'est évident… C'est ce que vous pensez? Mais vous, justement. Montréalais: l'êtes-vous?

— Oh! oui. Je veux dire, pas par le sang. Malheureusement, je suis né en région. Mais les années que j'ai passées ici ont fait de moi un vrai Montréalais, oui.

— Justement: qu'est-ce que c'est, pour vous, un vrai Montréalais?

— Mmm… C'est quelqu'un qui est attaché à un certain art de vivre. Un *foodie*, avec un goût pour les cuisines du monde, parce qu'il est large d'esprit. C'est aussi quelqu'un de cultivé, qui va au Festival de jazz, au Festival du cinéma de Montréal…

— … « Festival des films du monde »…

— … au Festival du rire…

— … « Festival de l'humour »…

— … au Festival du français…

— … « FrancoFolies »…

— … au Festival des Africains…

— … « Nuits d'Afrique »…

— … au Festival des homosexuels, et au Festival des Autochtones, et au Festival du heavy métal, et à la Grande Fête de la métamphétamine, et au Festival de la joie. Et le samedi matin, il va fumer du *pot* et manger du poulet portugais en écoutant des *pushers* jouer du tambour au pied du mont Royal.

Ma thuriféraire porta la main à son oreillette droite. Dans le silence qui suivit, je notai que la réalisatrice, derrière sa console, lui disait quelque chose. Finalement, l'animatrice éclata de rire.

— Ha! Ha! Ça s'appelle les Tam-Tams et c'est le dimanche! Ha! Ha! Ça fait longtemps que vous êtes parti, vous là! Je pense que vous avez besoin d'un cours *Montréal 101* pour vous remettre dans le bain.

J'essayais de me concentrer sur l'entrevue, mais je ne parvenais pas à chasser de ma conscience les agréments de la fille de tantôt. C'était une expérience bien étrange que ces beaux déplacements mentaux que m'avaient fait faire, dans toute ma vie, certainement pas plus de filles que mes deux mains ne comptaient de doigts, et, le plus souvent, des filles dont je n'avais qu'entraperçu la grâce dans la rue, à l'université ou dans le métro, sans jamais les connaître. Ça n'avait rien à voir avec la beauté objective. Des tas de filles ravissantes couraient les rues ; très peu, en revanche, poussaient à ce genre de voyages. Non, il s'agissait plutôt d'une profondeur secrète, dont ces visages surnaturels n'étaient, au fond, que la carte d'invitation, de la même manière que des dispositions habiles de rideaux de velours et de néons cerise, à Pékin, dans certains quartiers tranquilles, rendaient de petits bordels discrets fort intrigants, même pour un promeneur qui ne ressentait pas d'envies sexuelles particulières. Chez ces femmes singulières, les charmes du visage laissaient deviner des intermondes, des fééries, des plongées en niveaux qui, comme les enfers de Dante, s'exploraient sous admission, pour peu que la maîtresse des lieux nous tienne la main et que l'on montre les qualités de cœur exigées par chaque cercle. La fille de tantôt était de cette race-là. Elle était une porte vers d'autres rêves, une échappée de vue, quand la plupart des gens sont des murs. Ce bois délicieux qu'elle avait planté dans mon esprit y resterait longtemps ; je savais déjà qu'il faudrait des semaines pour qu'une lassitude et la soif de nouvelles beautés, enfin, l'effacent.

— Toutes ces belles activités, poursuivis-je, font du Montréalais quelqu'un de sophistiqué et d'intéressant. Et le multiculturalisme… Le Montréalais est quelqu'un qui a une ouverture à l'autre qui est extraordinaire.

— (Tristounette:) Mais y a des Montréalais qui ne sont pas ouverts. Il faut le dire, ça.

— Oui, des francophones qui sont hostiles à l'anglais. Des séparatistes, la plupart du temps. Mais ces gens-là, il faut les montrer du doigt, les réprouver. Et les envoyer vivre à Trois-Rivières. Parce que ce ne sont pas… (Fou rire maternel. La voix haut perchée de la chamelle avait un charme coulant quand elle bavassait, mais dans le rire atteignait des aigus irritants.) des Montréalais. Je répète: ce-ne-sont-pas-des-Montréalais. S'ils n'ont pas profité de cette mixité ethnique pour devenir meilleurs, alors ils ont échoué ce qu'on pourrait appeler le test de la « montréalitude ».

— Le test de la « montréalitude »! J'aime. Ça!

On était le matin, tout cela se faisait dans la bonne humeur et une tendresse sans équivoque. J'étais dans ses petits papiers, notre complicité était incroyable. Par ailleurs, je me demandais si je reverrais jamais la jolie fille. En tout cas, ça ne serait pas bien difficile de savoir qui elle était. Je n'aurais qu'à demander au régisseur en sortant. Ou bien à aller voir sur Internet la liste des invités de *Montréalissime!* pour l'émission d'aujourd'hui.

— Une chose qui frappe dans votre roman, c'est justement qu'il y a très peu de « pure laine ».

— Il n'y en a qu'un, en fait. Le narrateur. Et encore. Au début, je voulais qu'il soit de la race de… chose, là… Sugar Sammy. Mais chez Elpis, ils ont dit non.

— Eh bien moi, je dis oui!

— Voyez-vous, madame (je ne connaissais pas son nom, j'avais oublié de demander), un Montréalais, c'est quelqu'un que le multiculturalisme a perfectionné moralement. Je veux dire, carrément : quelqu'un qui s'est ennobli par la simple proximité de cette diversité ethnique. Il y a un brin de magie là-dedans. Vivre à côté d'un restaurant marocain – juste ça –, ça vous décoince un chauvinisme, que vous le vouliez ou non. Quasiment malgré vous. Même chose pour les femmes voilées...

— Ouf ! Ish...

— Ou les sikhs à turban, ou les Haïtiens, ou les femmes juives qui portent des perruques ; seulement d'en croiser dans la rue, ça fait de vous quelqu'un de meilleur. Meilleur que quelqu'un qui n'en croise pas, dans une ville où, par exemple, il n'y aurait pas de toute cette belle urbanité. Je sais pas, moi. Sorel, par exemple.

Je la sentis étourdie de valser sur des champs de mines. Et puis, elle cherchait s'il y avait de la goguenardise dans mon homélie. Mais si son adhésion craquait un peu, les grandes idées la séduisaient et elle le démontrait en hochant la tête après chaque phrase. J'aurais aimé que les auditeurs voient le geste, le tableau vivant de notre compromission, il y avait tant à rire : son œil approbateur de cabotine acariâtre quand j'avais accusé les indépendantistes, mon avant-bras gauche accoudé sur la table, brandi comme une bite, poing fermé (*warriors of light, we will prevail*), le face-à face parfait de nos épaules... Sans la distance physique entre nous (un mètre ?), ce compérage aurait fatalement pris la forme d'un embrassement, puisque c'était exactement ce que nous faisions, mais de manière virtuelle : nous enlacions nos culpabilités de Blancs francophones comme deux vipères émergeant d'un panier, nous nous élevions ensemble vers quelque chose d'imprécis, un salut, une extase. Mieux : une transformation. Il faudrait voir où cette câlinerie colonisée nous mènerait, mais en communiant ainsi à l'autel de l'anglais et de la nord-américanité triomphante, nous transcendions la condition d'étron qui venait avec notre citoyenneté provinciale et nous nous rapprochions de la véritable finalité de l'existence canadienne-française : devenir l'Autre.

— J'ai pas mal voyagé dans ma vie, madame. J'ai vécu un temps parmi les Japonais, dont on dit toujours beaucoup de bien. Raffinés, cultivés, travailleurs, etc. Pourtant, vous ne pouvez pas imaginer de ville plus ethniquement monolithique que Tokyo. Qu'est-ce qu'il faut en déduire ? Je vais vous le dire, moi : que forcément et en vérité, cinq Tokyoïtes ne valent pas un Montréalais.

Elle remua sur sa chaise, comme si elle avait un ver dans le cul.

— Tokyo, c'est quand même pas mal, souffla-t-elle.

— Aussi bien que Montréal ?

— Sans doute pas ! (Complice :) Mais revenons à l'anglais. Est-ce que ça vous insulte quand on dit que vous écrivez en franglais ?

— Est-ce que ça vous insulte quand on vous dit que vous êtes citoyenne du monde ? Est-ce que c'est un crime d'embrasser la culture de l'autre au point d'apparier sa langue et la sienne ? Trouvez-moi, madame, une plus belle façon de dire à l'Anglo : « Je t'aime. » Je vois... un pont.

— Un pont ! Oui, vous êtes un pont avec les anglophones.

Friponne. Il en faudrait beaucoup avant qu'elle cède. Nous n'étions même pas proches du point de rupture, la conversation prenait un tour moliéresque. Niaiserie, pédanterie, cosmopolitisme en toc et lichage de cul agressif : une vraie fédéraliste, qui vivait, avec ceux de sa sorte, dans l'idée que l'éclat de son armure de vertu était proportionnel à la véhémence avec laquelle elle crachait sur sa langue maternelle. Y avait-il même, chez ces gens, un résidu de dignité primordiale ? Une limite passé laquelle ça n'allait plus ? C'était une question qui m'avait toujours intéressé : à partir de quand le fédéraliste canadien-français dit-il « Non, ça suffit, il ne faut pas ambitionner » ? Ou n'y a-t-il simplement pas de limite à leur moutonnerie ? En tout cas, chez cette ratatinée de l'avenue de l'Esplanade, c'était dur de toucher le fond. Mais j'étais obstiné et l'exercice m'amusait.

— À votre avis, est-ce que le franglais est une langue en soi ? demanda-t-elle.

Sur ce coup-là, elle allait tellement loin que c'est moi qui restai baba.

— Han ?

— C'est que moi, là, j'ai une fascination particulière pour le franglais. Ma théorie, c'est qu'on est en train d'assister à l'émergence d'un nouveau véhicule communicationnel. Un langage adapté aux besoins des jeunes Montréalais d'aujourd'hui.

— C'est à moitié vrai seulement, répliquai-je. La réalité est beaucoup mieux. Ce qu'il faut bien expliquer, c'est que le franglais, c'est une affaire de Canadiens français. Les anglophones et les immigrants, ils s'en tiennent à l'anglais, ils ne laissent pas le français cannibaliser leur belle langue, et on les en félicite. Non, le franglais, c'est un stade de mutation, et ce phénomène concerne exclusivement les francophones. Ce sont les Canadiens français qui muent, si vous voulez. Une grande mue du français vers l'anglais. C'est un processus, pas une fin en soi. La fin, c'est l'anglais, et c'est tant mieux. Il faut plus d'anglais, plus vite. *More English, faster.*

— Ah! Ben dites donc! Vous y allez pas avec le dos de la cuillère, vous!

— Savez-vous, madame, quel est le taux d'illettrisme au Québec?

— (Brusquement grave:) Il est très, très élevé. On a, ici même, organisé une table ronde sur le sujet il y a quelques mois.

— Cinquante-trois pour cent.

— (Découragée:) Hé, la, la!

— Pigez un adulte au hasard dans notre Belle Province: vous avez plus qu'une chance sur deux de tomber sur quelqu'un qui est trop niaiseux pour décoder un texte simple, comme un menu de restaurant ou la posologie d'un médicament. «Deux comprimés aux quatre heures»…

— Ouf! Mais je sais pas si j'utiliserais le mot «niaiseux»…

— Excusez-moi. Disons «intellectuellement démuni».

— Oui, ou juste malchanceux dans la vie!

Je grimaçai.

— On n'est pas en Afrique, madame. Des paysans pauvres qui ont besoin de leurs enfants pour pousser des vaches amorphes dans des champs, des écoles en torchis à trois, quatre heures de marche… Eux sont malchanceux, eux subissent l'illettrisme. Mais ici ? Est-ce qu'on le subit ou on le construit ?

— « Construire » ? dit-elle en se décollant de moi et en prenant soudainement beaucoup de hauteur. Qu'est-ce que vous voulez dire, « construire l'illettrisme » ?

— On est en droit de poser la question, insistai-je. On est au Canada, quand même. Les écoles sont à côté, elles sont gratuites, même pour les adultes. Et on ne peut pas invoquer le travail comme excuse. Les gens qui ont une job travaillent huit heures par jour, il leur reste beaucoup de temps, et les gens qui ont pas de job reçoivent un chèque en restant chez eux à rien faire. Tout ce qu'il faut pour apprendre à lire, c'est du temps, et du temps, tout le monde en a. Malgré tout, on s'est bricolé un illettrisme tiers-mondiste. Plus les moyens d'action sont nombreux, plus l'ignorance est coupable. Des gens baveux diraient qu'il faut quasiment faire exprès pour être plus analphabètes que les Polonais ou les Cubains. Genre, en embrassant l'anal-phabétisme comme un mode de vie, et l'ignorance de façon plus générale.

— Un peuple ne choisit pas d'être analphabète !

— Je pense comme vous. Pourtant, il nous reste à expliquer ce cinquante-trois pour cent. Cinquante-trois pour cent ! Un Québécois sur deux ne peut pas lire *Bedondaine et Califourchon à la chasse aux papillons*. Encore moins *Le Petit Prince*, ou des fables de La Fontaine. Pourquoi ? Dans une province riche, où les gens mangent tellement qu'ils ont le cul qui traîne à terre? Où les hôpitaux, les écoles, les bibliothèques sont gratuits? L'université accessible à tout le monde? Comment on a pu en arriver là?

Je lui laissai du temps pour répondre, ce qu'elle n'apprécia guère, elle me le fit savoir par une œillade empoisonnée. C'était le temps des adieux, de la séparation, de la petite dissociation. Adieu, mon antique pétroleuse. Poursuis seule ta crapoteuse reptation: j'ai assez avalé de poussière.

— Il y a un ensemble de facteurs, lâcha-t-elle finalement. Ce sont des questions très compliquées.

— Si vous permettez, je vais quand même proposer une explication. Et si on était juste trop cons pour le français?

Cette fois, je vis distinctement la réalisatrice bondir et commander quelque chose dans son microphone. Réaction immédiate de la papesse de Montréal, qui toucha son oreillette en faisant oui de la tête et en contractant les ridules mal botoxées qui striaient le dessus de sa lèvre.

— Bon, coupa-t-elle d'une voix autoritaire. Avec tout ça, on n'a pas beaucoup parlé de *Putrescence Street*.

— C'est juste une petite idée. Ça m'étonne que personne ne l'ait encore formulée. La langue, c'est un outil, et il en va des outils comme des instruments de musique. Certains exigent beaucoup de dextérité, d'autres moins. Le français, c'est une langue de virtuose, et, de la même façon que le violon peut se transformer en instrument de torture dans les mains d'un musicien sans talent, les subtilités du français peuvent ralentir l'apprentissage dans une population intellectuellement limitée. Vu de cette façon, le glissement des Québécois vers l'anglais est une bonne chose. C'est même, comment dire... un sabordage identitaire qu'on devrait célébrer. À sa manière, il est noble. Il porte en lui l'admission de notre petitesse. Cette humilité judéo-chrétienne, elle me touche, moi. Le Canadien français comprend quelle est sa place dans l'ordre des choses. À genoux, avec dans la bouche un…

— Bon. On peut s'arrêter ici. Roé Léry, bonne ch…

— Moi, madame, j'accuse l'histoire. La vraie responsable de nos malheurs, c'est elle. Criss d'histoire ! En nous donnant le français comme langue de partage, elle a fait comme un gardien de zoo qui glisserait un bistouri aux babouins à travers les barreaux de leur cage. C'est elle qui a laissé entre nos mains l'instrument de ce carnage culturel qui dure depuis deux cents ans et qui indispose nos voisins anglophones, qui sont, comme tout le monde sait, policés et doux. C'est un crime de l'histoire, comme la naissance d'Hitler ou la disparition prématurée du velcro. Le pire, c'est que je soupçonne que nos ancêtres n'étaient même pas des locuteurs francophones. Pensez-y un peu. Des paysans ! Des garçons de ferme normands… Des gourgandines à moustache, égorgeuses de poulets, grosses pondeuses… Moi, j'essaie de m'imaginer comment ça sonnait quand ce monde-là papotait dans les champs en France, les pieds dans la marde, et c'est pas du français que j'entends. Plutôt des patois régionaux épais, tellement éloignés de la grammaire française qu'on est forcés d'admettre qu'on est ailleurs, voyez ? Je dis ça, j'en sais rien, je suis pas un spécialiste. Il faudrait poser la question à un chercheur. Vous avez jamais pensé faire une table ronde là-dessus ? Vous devriez, ça changerait du blé d'Inde d'automne. Et on se ferait peut-être enfin dire, finalement, que le français n'a jamais été notre langue maternelle. Pour nous faire croire qu'on était meilleurs qu'on l'est en réalité, des forces malveillantes – je pense au clergé et aux séparatistes – ont essayé de nous convaincre qu'on était les dépositaires en Amérique de la grandeur française, alors que c'est faux, c'est archifaux. Notre vraie langue historique était probablement faite de trois, quatre syllabes clapantes, glapissantes, clapotantes. Laides. Et d'un lexique de trente-six mots qui tournait autour des juments, du fumier et de la cuisson du lapin. Une parlure à la mesure de nos besoins, avec un seul temps, le présent, qui permettait de bricoler des phrases simples sur les foins, la pluie, les tartes, les accouchements. C'est cet idiome-là que nos ancêtres ont embarqué avec eux quand ils sont montés dans des bateaux à La Rochelle. Mais une fois ici, les curés et, plus tard, les péquistes nous ont emprisonnés dans le français.

Est-ce que je passais pour hystérique? Une partie rationnelle de mon cerveau me criait de baisser le délire d'un ton, au risque de me dissoudre dans mon sarcasme. Mais, comme emporté par une tornade, je n'avais plus davantage de contrôle sur ma tirade que sur l'humeur fulminante qui l'alimentait. La madame était bleue de colère.

— Oui, oui, vous avez bien fait passer votre message. Mais c'est tout le temps qu'on avait. Alors, si vous le permettez, on…

— On est prisonniers de cette maudite langue! Elle exige une capacité de conceptualisation qu'on n'a pas, qu'on n'a jamais eue. C'est pour ça qu'on se tourne maintenant vers l'anglais. Pas juste pour ça, bien sûr. Obama, la NFL, les *chicken wings*, zéro impôt, *Breaking Bad*… Mille raisons de passer à l'anglais, mais aucune plus vraie que celle-ci : l'importance de nous libérer du français, ce système linguistique trop fin pour nos entendements d'australopithèques. L'anglais, c'est la liberté !

J'avais lancé la dernière phrase sur un ton foufou, comme si j'avais dit : « Avec ma nouvelle prothèse Formident, je peux enfin manger des crudités sans crachouiller sur mes invités. » Plus de colère dans les yeux de rongeur de l'animatrice, qu'une haine sifflante.

— Vous savez que c'est excessivement méprisant, ce que vous dites, pour les gens d'ici ?

— Et j'ai envie de répondre : qu'est-ce que vous avez contre les gens sots ? C'est pas aussi abaissant qu'on le croit, d'être inintelligent. Je trouve très injuste d'assujettir les Canadiens français à des normes formulées *a pari* avec les autres peuples de la terre. De l'indulgence, s'il vous plaît, pour des descendants de vachers et de crémières des campagnes fangeuses du Poitou. C'est comme au secondaire : il faut bien qu'il y ait des cerveaux ramollis pour que les talentueux brillent. On a quand même un rôle à jouer. Tous les peuples de la terre n'ont pas vocation à construire des palais, explorer Pluton ou créer du beau. Il en faut aussi de plus humbles pour fabriquer des petits gâteaux, brasser de la bière, chanter bien, danser aux tables et faire des pipes.

— (Coupante :) Ça suffit. Cette entrevue s'arrête ici. Quant à nous, chers auditeurs, on se retrouve de l'autre côté des nouvelles. On aura (coup d'œil sur ses feuilles)… en entrevue… le groupe lesbien néo-brunswickois Gouines babines – ah ! que je les aime, elles ! –, qui interprétera pour nous une pièce de son nouvel album en anglais, *Untouched Buttons*. Mais d'abord, tout ce que vous avez toujours voulu savoir sur le blé d'Inde d'automne. À tout de suite !

J'eus à peine le temps d'enlever mon casque que la réalisatrice, sortie de nulle part, me charriait hors du studio en me serrant le bras. En régie, elle m'incendia. J'ignore pourquoi, mais j'avais envie de dégueuler. Mireille était au téléphone avec des gens d'Elpis, elle pleurait. Le régisseur me fit un clin d'œil, mais nous signifia qu'il valait mieux partir, « Avez-vous besoin qu'on vous raccompagne ? », « Non, merci, Monsieur », je passai mon bras autour des épaules de Mireille et l'entraînai doucement vers l'ascenseur. Quand nous nous fûmes un peu éloignés, je la serrai plus fort et lui glissai à l'oreille : « Tu vas voir. Des livres, on va en vendre en tabarnak. »

● ● ●

Cet après-midi-là, lors d'une rencontre avec des lecteurs dans une librairie de Côte-des-Neiges, un jeune auteur acadien qui avait aimé mon livre m'offrit en cadeau une boîte d'éperlans frais, par lui camionnée la veille de Tracadie-Sheila exprès pour moi. Le soir, à l'appartement, je les cuisinai suivant ses indications et les mangeai en buvant de la Rickard's White. En Chine, le seul produit canadien dont je m'ennuyais était la bière, et pendant mon séjour à Montréal, je ne terminais jamais mes journées sans vider un *pack* de six. Avant d'aller au lit, je descendais la boîte avec les bouteilles et les plaçais dehors, devant l'entrée. Quand je sortais le lendemain, immanquablement, un pion avait ramassé les bouteilles et laissé le carton à traîner.

La Rickard's était délicieuse avec les éperlans, aussi décidai-je d'aller au lit sans me brosser les dents, pour que m'accompagne dans mes rêves le salin citronné du poisson mélangé au goût de caramel expansif de la bière. Avant d'éteindre, je lus quelques pages de *Regret du passé*, et c'est alors seulement que je compris pourquoi ce dîner en solitaire m'avait tant ému : à notre cinquième rendez-vous, deux ans plus tôt, Meng Wu et moi avions partagé une assiette de petits poissons frits préparés exactement comme ceux que je venais de manger. Étaient-ce aussi des éperlans ? Y avait-il des éperlans en Chine ? Je sortis la photo de Meng Wu d'entre les pages du livre.

Nous avions commandé les poissons avec des épinards sautés au wok et des crêpes du printemps dans un restaurant qui servait de la cuisine du Nord-Est, juste à côté de ton université. Nous y retournerions souvent par la suite. Pour nos anniversaires, par exemple. Il deviendrait *notre* restaurant. Mais ce soir-là, nous nous connaissions encore très peu. À la fin du repas, tu avais posé ton sac à main sur tes cuisses en soupirant, comme si tu n'en pouvais plus de quelque chose, et tu en avais extrait à demi un paquet de cigarettes.

— Est-ce que je peux fumer ?

— Bien sûr ! Tu aurais pu me dire avant que tu fumais. Je t'en aurais offert des miennes.

— En Chine, c'est très mal vu pour une femme.

Le dortoir où tu vivais était à deux pas, tu m'y avais emmené pour me présenter à tes copines. Un logement normal dans un quartier résidentiel. Six ou sept pièces, des lits superposés appuyés sur chaque mur – les vieux matelas sentaient fort, ils étaient habillés de couettes Hello Kitty ou F4. Rien d'autre, à l'exception d'une salle de bain et d'une cuisine sommaire. Trente-six étudiantes partageant un espace de vie qu'auraient trouvé exigu six Canadiennes. Tes amies s'étaient prises en photo avec moi. Elles étaient agitées, ce n'était pas souvent qu'elles pouvaient bavarder avec un étranger. Oreilles de lapin. Becs de canard. Gloussements. *Clic!* Ça ne les gênait pas de me tenir la main, de me prendre par la taille. À la fin, tu avais mis quelques affaires dans un sac et nous avions pris un taxi jusque chez moi. Tu n'étais jamais venue dans mon appartement: j'étais terrorisé. Ce soir-là, nous avions fait l'amour pour la première fois. Ta peau sentait le savon pour bébé. Ce n'était pas l'odeur la plus excitante au monde, mais c'était la tienne et je m'y ferais.

Qu'as-tu pensé, alors, de mon odeur à moi?

Au milieu de la nuit, premières confidences. Ton pays natal avait un joli nom: le village de la Pierre sourde. De Pékin, on mettait quatorze heures pour y aller en train, plus trois heures d'autocar. Deux rues en croix dans une vallée (les magasins y proliféraient depuis quelques années, de plus en plus de paysans achetaient des électroménagers). Des cultures en terrasses. «Les montagnes de l'Anhui sont magnifiques.» La mort de ton père. Il était camionneur. Ce jour-là, il transportait du charbon. Capotage. Tu avais dix-neuf ans, tu rentrais du lycée pour le lunch. Ta mère étendue devant la maison, hurlant, battant la poussière de ses poings. Un oncle à toi à côté d'elle, accablé. Est-ce que ton père avait bu? Peut-être. Ce n'était pas un ivrogne, mais il aimait arroser ses fricots de deux ou trois Yanjing, même le midi. Les hommes chinois ont besoin d'un peu d'alcool pour se détendre. La vie est dure, surtout en campagne. Mort. *Mort.* « Un père est mort » : pendant quelques jours, cette phrase avait vrillé dans ta tête, obsédante comme une mauvaise chanson. Elle avait pris le possessif le lendemain des funérailles seulement. « C'est *mon* père qui est mort ! »

« 我的父亲去世了. »

Alors, pour la première fois, tu avais pleuré.

Le *gaokao*, l'examen national d'admission à l'université, avait lieu deux semaines plus tard. Échec. Tu étais bonne élève, pourtant. Mais dans les circonstances… Tu aurais pu attendre et le repasser l'année suivante, mais tu en avais assez de ton village. Tu rêvais de la capitale. Tu avais pris le train et tu t'étais inscrite en anglais à l'Université des langues étrangères, profil privé (et payant) parce que tu n'avais pas le *gaokao*. Tout cela coûtait cher. Un jour, une amie t'avait présenté une connaissance à elle, un quadragénaire racé, fonctionnaire au ministère des Reliques culturelles, père de famille. « Je suis en instance de divorce. » Mentait-il ? Il fumait des Panda et portait une Patek Philippe. Tu étais devenue son « deuxième sein ». Vous vous voyiez deux fois par semaine dans une garçonnière près de la porte de la Victoire. Tu refusais l'argent, mais tu prenais les cadeaux. Des boîtes d'agrumes des Philippines. Des pâtisseries. Des produits fins, des conserves, des vêtements, des crèmes de beauté japonaises. Toute sorte d'objets d'utilité courante. C'est avec lui que tu avais commencé à fumer.

— Ç'a été ton premier ?

— Non.

Tu n'avais rien ajouté, je n'avais pas insisté. Le jour où tu lui avais annoncé que tu le quittais, il t'avait tendu une liasse de cinq mille yuans, sortie de sa poche, comme ça. Cette fois, tu avais pris l'argent.

C'était beaucoup de secrets pour une première nuit. Tu m'avais raconté cette histoire d'une voix neutre, un peu sèchement, sans jamais rougir ni exprimer de remords. Tu avais vingt-quatre ans, mais tu vivais déjà dans le vrai monde. Comme toutes les Chinoises, tu n'étais pas idéaliste. J'avais compris que tu ne serais pas de ces filles-voyages qui me conduisaient ailleurs, dans d'autres dimensions. Au contraire. Toi, tu m'ancrerais dans la réalité, tu me donnerais envie d'y passer du temps, pour peu que je ne m'éloigne pas trop de ton cœur. Ton monde valait mieux que leurs chimères. Comprends-tu, Meng Wu, comment, après cette première nuit, tu couvrais déjà mon existence de ta peau, de ta voix, de ta musique ? Comment ton grand manteau apollinien structurait déjà mes pensées en désordre ? C'était ton envoûtement, ton bel envoûtement, qui commençait à opérer dans ma vie. Avec toi, tout serait bien. Enfin.

Tu celas pourtant une chose : quelques semaines avant de rompre avec le fonctionnaire, tu t'étais fait avorter. Tu attendrais un an avant de me le confier. De cela, tu avais honte. Tu raconterais l'intervention en pleurant. « Ce n'était pas un mauvais type, au fond... Il m'a accompagnée à l'hôpital, il m'a tenu la main. C'est une chose bizarre, l'anesthésie. J'ai eu l'impression de m'assoupir un moment, puis... oups ! j'ai ouvert les yeux, et tout était fini ! » Ta tête contre mon épaule, tes sanglots. J'embrasserais tes cheveux. « Il n'y a rien que tu as pu faire dans le passé qui me fera t'aimer moins. Pourquoi tu ne me l'as pas dit avant ? » Je regrette-rais longtemps cette dernière phrase : elle sonnait comme un reproche.

Ma belle Meng Wu… Comme la vie t'avait cahotée ! Tu aurais pu aller avec quelqu'un qui t'égalait en héroïsme, mais c'est moi que tu avais choisi. Pourquoi ? Je n'en ai jamais été sûr. Peut-être qu'à tes yeux, ma fadeur physique était une garantie de fidélité conjugale. Je savais à quel point tu craignais d'être trahie. Bien sûr, c'était idiot de t'inquié-ter pour ça. J'étais à tes gages, éternellement. Pour cette rai-son, je ne chercherais pas à savoir qui était cette brune mystérieuse que j'avais croisée le matin à la station de radio. Ni elle ni aucune autre fille. Jamais.

3

Bixente. C'est ainsi que mon frère et sa femme avaient prénommé leur bébé, un premier garçon après trois filles. «Ça veut dire "celui qui vainc"», m'avait murmuré ma belle-sœur en berçant doucement l'enfant sur le perron de l'église Saint-Damien. Après la cérémonie de baptême, nous avions fait à pied le chemin qui menait de l'église à la maison de mes parents, à quelques minutes de là. Nous avancions poussivement, le dos rond, sous le halo annelé d'un soleil qui cuisait la chaussée jusqu'à faire réverbérer, nous semblait-il, ses salves thermiques à travers les semelles de nos chaussures pour nous brûler la plante des pieds.

Je ne connaissais pas bien Bedford, cette petite ville où mes parents s'étaient installés après leur retraite pour se rapprocher de mon frère et de sa famille. Un vieux pharmacien ronchon, déclinant et fesse-mathieu leur avait vendu, après des négociations âpres, une propriété ancestrale fort jolie dont lui-même ne pouvait plus s'occuper. C'était une maison canadienne adorable, habillée de planches couleur pervenche et ceinte d'une galerie en «L» se déployant sur toute la largeur de la façade et du mur oriental. Je comprenais ce qu'il pouvait y avoir de sérénité à vieillir dans un tel endroit. Comme un hangar à bateaux sur un littoral, la maison se dressait seule aux abords d'un immense champ de blé tendre. À la brunante, pour peu qu'il vente un peu, le roux changeant de cette mer de froment brasillait et ondoyait comme la robe d'un fauve en course. Mais je n'avais jamais vécu dans cette maison. J'étais en Chine quand mes parents y avaient emménagé. Elle ne m'évoquait rien de familier ni de sentimental. Pas de souvenirs heureux, aucun moment important de ma vie. Pour tout dire, chaque fois que je venais y dormir, j'avais l'impression de squatter chez des inconnus.

Bien sûr, l'herbette et les deux pommiers joufflus qui jouxtaient la demeure prêtaient magnifiquement à un dîner champêtre. Nous étions environ vingt-cinq ce jour-là pour célébrer l'arrivée du petit Bixente. Je souffrais encore du décalage horaire. La fatigue me terrassait à des heures impossibles, en des moments farfelus, comme en plein milieu de cet après-midi pastoral, mais j'étais entouré de cousins que je n'avais pas vus depuis des années et que j'aimais assez pour présenter un front cordial. Vers quinze heures cependant, brisé, je rentrai dans la maison avec l'intention de faire une sieste.

La cuisine sentait le café, le crémage synthétique et les sandwichs aux œufs. Des cellulaires avaient été égarés sur la table, parmi un amoncellement d'assiettes en carton sur lesquelles tiédissaient des rouleaux de baloney et des cubes de fromage. Dans ce fatras, je notai, appuyées contre le four, des boîtes industrielles en pagaille marquées d'un logo qui disait « Royal Snacking Distribution – Saint-Eustache ».

Un, deux, trois… six boîtes. J'ouvris celle du dessus : elle contenait des sachets de maïs à éclater, le genre pour micro-ondes, disposés en rangées. Du pop-corn pour une armée.

— C'est quoi, ça ? lançai-je à ma mère, qui éboutait des carottes au-dessus de l'évier.

— Demandez à monsieur votre père, railla-t-elle en signalant son exaspération par une voix de nez.

— Il est où ?

— Monsieur votre père ? Dans son petit salon intime, pendant que les invités s'amusent dehors.

Je trouvai effectivement mon père dans son boudoir. Quand lui et ma mère avaient emménagé ici, il aurait pu choisir pour son activité intellectuelle une pièce plus spacieuse. La maison en comptait plusieurs, au deuxième, desquelles on avait une vue sur la rivière aux Brochets et sur les bocages et les gagnages qui la sanglaient. C'est pourtant dans cette petite chambre biscornue – on n'aurait pas pu y installer un lit tant la configuration était exiguë et fantaisiste – qu'il avait choisi d'installer sa bibliothèque, son bureau de travail, ses armes de chasse et sa tabletterie de laque. C'est ce hêtre immense et hirsute qu'on apercevait par la fenêtre de l'autre côté de la rue qui, j'en étais presque sûr, avait guidé son choix.

Mon père nous aimait infiniment, mon frère et moi, et il aimait d'un amour tout aussi immesurable ses petits-enfants, à telle enseigne qu'il n'avait pas supporté la perspective de vieillir loin d'eux et avait convaincu ma mère de quitter La Tuque pour déménager à Bedford (mon frère était ingénieur pour Hydro-Québec à Saint-Jean-sur-Richelieu). Dans le même esprit, la grande angoisse de son existence était que Meng Wu et moi fassions en Chine des enfants qu'il ne verrait pas grandir. Or, les choses, immanquablement, se passeraient comme il les appréhendait.

En prévision de cet écartèlement, il avait décidé d'apprendre le mandarin. C'était son grand projet de retraite. Il ne serait pas dit que la barrière des langues empêcherait Jacques Léry de communiquer avec sa petite-fille (j'ignore pourquoi, mon père était incapable d'envisager la possibilité que Meng Wu et moi donnions naissance à un garçon – un effet indirect, sans doute, de la prolifération de petites Chinoises dans les familles adoptives du Québec). Il suivait des cours à l'Université de Montréal. C'était, de sa vie, je crois, le deuxième grand voyage de l'esprit, le deuxième chantier intellectuel en importance. Le premier avait été entrepris à l'époque où mon frère et moi avions quitté la maison pour étudier au cégep. En lisant quelque part que Marguerite Yourcenar, pour préparer la rédaction de *Mémoires d'Hadrien*, avait lu tous les livres étudiés par l'empereur romain au cours de sa vie, mon père, désœuvré depuis le départ de ses fils, avait décidé de faire le même exercice avec Marcel Proust.

Je le surpris à son bureau, crayon à la main, penché sur un cahier d'écolier. J'étais sûr qu'il recopiait des phrases en chinois. Il ne m'entendit pas entrer. Je m'approchai et, à sa hauteur, m'inclinai doctement, une main dans le dos comme un jésuite, l'autre montrant une phrase dans le cahier.

— Les Chinois ne mangent pas de la soupe, lui dis-je en mandarin. Ils *boivent* de la soupe. C'est plus logique.

Il se figea de surprise, puis sourit en tendant vers moi sa tête blanche qui sentait le sapin.

— Comment on dit «boire» en chinois? le testai-je.

— «*He*».

— Sais-tu comment l'écrire?

Il gomma le sinogramme signifiant «manger» et traça lentement celui pour «boire».

— Et là aussi, tu as fait une faute. Je sais bien que tu as voulu écrire «ambassade», mais tu t'es trompé pour le caractère du milieu. «*Dashiguan*», pas «*dabianguan*». «*Dabianguan*», ça voudrait dire… «grand palais de la merde», ou quelque chose comme ça.

— Je ne suis pas capable d'écrire de beaux caractères, dit-il en français. Regarde comme c'est laid. Après deux ans, c'est toujours aussi laid. Pourtant, je pratique tous les jours. Je suis trop vieux.

— Tut tut tut. De toute façon, plus personne n'écrit à la main en Chine. Tout se fait par texto ou par courriel. Pourquoi t'es enfermé ici, papa? On t'espère, dehors. C'est le baptême de ton petit-fils.

Il balaya l'air de la main.

— Un baptême, c'est du niaisage pour les adultes. Mon petit-fils s'en fout. Tu l'as vu? Il roupille dans les bras de sa mère. Tu devrais t'étendre, toi aussi. T'es tellement fatigué que tu pourrais dormir sur la queue d'une vache.

— On est deux, d'abord. T'as pas exactement l'air de péter le feu. As-tu eu ton rendez-vous avec ton cardiologue ce printemps?

— Oui, oui, oui, bougonna-t-il en croisant les bras. Il a dit que j'avais le cœur d'un jeune homme. Seulement, on a eu un été chaud. Ça dort moins bien quand il fait chaud. Est-ce que je t'ai déjà parlé de ce rêve que je fais souvent ?

Il ferma ses cahiers de chinois et tourna son fauteuil vers moi.

— Ça se passe toujours de la même façon. Je suis au volant de mon camion. Mon portable sonne. C'est toi qui m'appelles. T'es à l'étranger, mais pas en Chine. Quelque part en Amérique du Sud… J'arrive jamais à savoir où exactement. Je te le demande, mais tu refuses de me répondre. Ou tu ne peux pas… Tu dis seulement (il montra ses paumes – il souriait à demi, mais je sentais à sa voix qu'il était tendu) que t'es dans un pays d'Amérique du Sud et que t'as besoin d'aide. C'est pour ça que tu m'appelles. Et là, je te demande : « Roé, comment tu veux que je t'aide si tu me dis pas où t'es ? » Je panique, évidemment. Tu m'expliques que t'es en prison, en me servant un micmac incompréhensible. Cette partie-là de la conversation est toujours embrouillée. Tu sais comment sont les rêves. La seule chose que je retiens, c'est que mon fils est pogné quelque part à l'étranger, dans un pays pourri, qu'il est en prison, qu'il a besoin d'aide et que je suis complètement démuni. Je peux rien faire. Rien, rien faire.

Il fit une pause. Quelque chose dans son emballement me disait qu'il racontait ce cauchemar pour la première fois, qu'il ne s'en était jamais même ouvert à ma mère.

— Je me réveille toujours au même moment. J'ai le cœur qui bat… Je me redresse dans mon lit, je me force à me calmer.

— Souvent comment, ce rêve ?

— Quand t'es parti il y a quatorze ans, c'était presque tous les soirs. Ça s'est espacé au fil des années, évidemment, mais encore aujourd'hui… une ou deux fois par mois, peut-être.

Je m'étirai en me grattant la tête. C'est une chose terrible que d'être aimé par ses parents.

— Papa…

— Je sais, je sais.

Grand mouvement du bras. Dossier fermé, on n'en parle plus. Dans le silence qui s'ensuivit et qui devenait gênant, pour me donner une contenance, je me levai en me frottant les cuisses et m'approchai de la bibliothèque dans laquelle mon père rangeait les lectures de Proust. Les tout premiers livres à l'extrémité gauche de la rangée du haut étaient les deux tomes d'une biographie réputée, écrite par un Français. C'est à cet ouvrage, paru au milieu des années 90, que mon père se fiait pour retracer, comme les pierres du Petit Poucet, les lectures de l'écrivain de la *Recherche*. Il était trop intelligent pour s'imaginer qu'on égale un homme en faisant les mêmes lectures que lui, et je savais qu'il n'y avait pas dans cette lubie, aussi fantasque paraisse-t-elle, pareille vanité. Non, ce qu'il avait cherché en se lançant dans ce projet, c'était un programme de lectures, un chemin intellectuel jalonné, dont l'itinéraire avait fait le génie d'au moins une personne. Mon père venait d'un milieu modeste, il n'avait pas fait son cours classique. Pour les hommes comme lui et pour tous ceux qui avaient fait leur scolarité après le rapport Parent, le système d'éducation québécois n'avait plus offert de ces

plongées absolues dans la culture classique, de ces pédago-
gies chercheuses de sens, élongées le temps qu'il faut dans
les années cruciales de l'adolescence pour bricoler des têtes
bien faites. On ne pouvait plus compter sur l'école pour
former des « honnêtes hommes ». Il fallait voir soi-même à
son éducation, et trouver ses modèles dans les biographies
d'hommes illustres, comme s'y était résolu mon père. Dans
l'histoire pathétique de mon peuple, au-delà de toute autre
page – la Conquête, l'Acte d'Union, Duplessis, les référen-
dums perdus –, je maudissais celle, terrible, où des techno-
crates spécieux et bruns avaient jugé que la culture classique
et les exigences du marché du travail n'étaient pas miscibles
dans l'école québécoise.

— Papa, c'est quoi, tout ce pop-corn qui traîne dans la
cuisine ?

— Oh ! Pour notre voyage de chasse (il se rengorgea,
souriant, et fouilla sous un paquet de feuilles). Regarde
bien ça. À la bibliothèque de Bedford, ils manquent d'espace. Une fois par année, ils sont obligés d'organiser une
vente-débarras pour faire de la place. Tout est à moins
d'une piasse. Des vieilleries, c'est sûr, mais en cherchant un
peu, on trouve... Ah !

Il me présentait un petit livre à la couverture surannée,
La chasse à l'ours dans l'Oblast autonome de Gorno-Altaï,
1982, Presses de l'Université d'État de Moscou. Sur la couverture défraîchie, un Slave terriblement ridicule, échalas
gourmé à la moustache Brassens affublé d'une chapka trop
grande, posait avec sa carabine, une botte sur un ours brun
colossal et éteint. Auteur : Papir Asmik, Maître chasseur.
Je pouffai.

— J'ai eu la même réaction que toi en voyant la couverture, dit mon père en me menaçant de l'index. Mais j'ai fait des recherches sur Internet. Ce gars-là est une légende en Europe. De loin considéré comme le meilleur chasseur d'ours au monde – de son vivant, en tout cas. Il est mort. En 96 ou 97. C'était l'autorité suprême dans son domaine. Su-prê-meee. Gorbatchev aurait déjà exigé de l'avoir comme guide pendant un voyage de chasse dans l'Oural.

— Si tu me dis qu'il appâtait avec du pop-corn, je t'avertis, papa, cette conversation s'arrête ici.

— *Bullseye!*

— Cibole.

Je feuilletai le livre en soupirant.

— Il y avait du pop-corn en Union soviétique en 1982? Il utilise vraiment ce mot-là dans le livre? «Pop-corn»?

— Il écrit… «maïs en fleur». Le livre est traduit du russe dans un français écorché. Mais… «maïs en fleur humidifié dans la sauce de cassis». Autrement dit, du pop-corn dans la confiture. Ça rend les ours gagas, il paraît.

Je fermai le livre, *clap!*

— C'est parfaitement mongol.

Mon père ouvrit les bras en feignant de râler. Il s'amusait. Mais j'étais agacé pour vrai.

— Pis si on tombe sur d'autres chasseurs? T'as-tu pensé comment on va avoir l'air fifi avec nos sacs de pop-corn? Admettons, ad-met-tons… que les ours russes soient assez colons pour venir fouiner dans des quarante-cinq gallons de pop-corn aux fraises. Nos ours à nous autres sont pas fous. Pis nous autres, on n'est pas russes, on est latuquois. Pis à La Tuque, personne n'est assez sans dessein pour appâter avec du pop-corn. On utilise la même technique depuis deux cents ans. Sirop de poteau. Miel. Mélasse. On crisse un pain tranché dans le *stu*. *That's it*. Grand-papa Édouard faisait de même. Son père à lui faisait de même. Toi et moi, on a toujours fait de même.

— Pis combien d'ours on a tués dans nos vies ?

La réponse était zéro.

• • •

Une journée où je n'avais aucune obligation, me sentant des frissons de vitalité, je décidai de faire une promenade. Il y avait beaucoup de quartiers de Montréal que je n'avais plus vus depuis ces années où j'étais étudiant. De l'appartement que je louais rue Sherbrooke, je gagnai Saint-Laurent et marchai jusqu'au fleuve. Je voulais me détendre dans le Vieux-Port, mais le quartier puait la merde de cheval à cause des calèches et c'était insupportable. Écœuré par l'odeur et fatigué d'entendre parler anglais, je décidai d'obliquer vers les arrondissements plus pauvres de l'Est. En chemin, je m'arrêtai pour revisiter la chapelle Notre-Dame-de-Bon-Secours où, aux hivers du temps de mes études, quand il faisait trop froid pour les parcs, je venais lire les fins de semaine. Rien n'avait changé. Les petits bateaux suspendus à la voûte par des ficelles, l'étrange demi-jour, différent de celui des autres maisons de Dieu, les dévotes latino-américaines cassées qui trottinaient dans les allées avant de s'affaler, pleines de componction, sur les bancs aux senteurs musquées ; tout cela ramenait à ma mémoire la lecture de l'*Histoire universelle* de Carl

Grimberg. Dans cette église minuscule, Kamosé, prince des Thébains, s'était fait fendre le crâne à coups de hache dans le khamsin du désert égyptien, César avait passé le Rubicon, les Ottomans avaient pris Mocadène, des empires avaient sombré, d'autres jailli. Certes, le Bon Berger disposait d'habitacles autrement grandioses quand il descendait à Montréal, mais la chapelle Notre-Dame-de-Bon-Secours, petite et ramassée sur ses boiseries et ses odeurs d'encaustique, incarnait une humilité plus chrétienne que la magnificence de la basilique Notre-Dame, pour n'en nommer qu'une.

Dehors, je m'engageai sur la rue Berri. Près du square Viger, mon portable vibra : j'avais reçu un courriel de Meng Wu. Je voulus le lire tout de suite, mais la batterie du téléphone me mourut dans les mains. Je tapai du pied. Cela faisait dix jours que j'étais à Montréal. À quatre reprises, j'avais essayé de téléphoner à Meng Wu. Deux fois, j'avais raccroché après quelques sonneries parce qu'il était tard en Chine et que je craignais de la réveiller. Les deux autres fois, j'avais laissé sonner longtemps, mais elle n'avait pas répondu, sans doute parce qu'elle était en classe ou en réunion. Je m'étais excusé par textos, « câlin, je t'aime ». Dix jours. Je n'avais jamais été si longtemps sans entendre sa voix.

Je continuai sur Berri jusque dans le Village. La Sainte-Catherine était ce jour-là le théâtre d'une espèce de grande fête homosexuelle. C'était carnavalesque et drôle, j'étais content d'en être. Essaimant de terrasses bondées, les festivaliers convergeaient vers la place Émilie-Gamelin, où une lesbienne connue sabotait *Dancer in the Dark* sur une scène placardée de publicités pour Molson. Après un moment, je me sentis étouffer à cause de la foule. Je me réfugiai sur la rue De La Gauchetière et montai dans un taxi.

— Oùssque vous allez?

— Je m'en fous. Vous habitez où?

— Moi?

— Oui. Votre maison, c'est où? Je cherche juste un endroit pour marcher un peu. Amenez-moi dans votre quartier. Vous en profiterez pour aller donner un bec à votre chum.

— Chu pas gai.

Le chauffeur vivait dans Hochelaga. Sur Notre-Dame, entre Papineau et Pie-IX, un galeux à chaque intersection. Des hommes jeunes et en santé, costauds, vêtements neufs pris à l'Armée du Salut, baskets griffées, chatoyantes; aux feux rouges, ils s'approchaient et tendaient vers les automobilistes des gobelets Tim Hortons, ils ne se fendaient même plus d'une phrase de politesse, «Vous pouvez-tu m'aider siouplê?», «Un ti-peu de change?», «Ç'pour un café», non, ils comptaient sur la seule force de leur gravité indolente, roublarde, menaçante, pour intimider le quidam. Des chiens vaches, que chasser fatigue et qui préfèrent attendre la curée. Ça rapportait, en tout cas avec certaines petites madames effarouchées. Même dans la mendicité, tristement, le Canadien français réussit à être plus grossier que son pair de Paris ou de Bombay.

Descendu coin Sainte-Catherine et Pie-IX, je flânai dans le quartier et aboutis sur Ontario, où, pour mon plaisir, se tenait une autre fête, une tombola des pauvres, quelque chose du genre, ce n'était pas clair, j'essayais de comprendre en lisant les calicots sponsorisés par des soupes populaires ou des organismes communautaires, mais n'y trouvais rien que des formules masturbatoires blindées de majuscules, « HOMA, terre du fier monde ! », « L'Échelle des valeurs, TON organisme de réinsertion en emploi depuis 1972 », « L'austérité ? NON MONSIEUR », « La Maison Fernande-Gendron. Organisme Populaire Des Droits Sociaux Du Quartier Hochelaga-Maisonneuve »... De tout cela, je retenais surtout une chose : les Montréalais, de quelque quartier qu'ils soient, devaient être tenus occupés avec des festivals, des momeries ou des ventrées, sinon ils s'ennuyaient et, alors, qui sait dans quelle hystérie ils étaient capables de s'absorber ?

Ontario avait été fermée aux automobilistes. C'était une belle fête de quartier, il n'y avait pas à redire. Je renouais avec une conception de la joie très canayenne, qui s'émeut de choses simples. Une rue enguirlandée, le soleil qui chauffe la peau. Une molle deux couleurs. Des cigarettes neuves, pas des roulées ni des indiennes ; si on n'en a pas, on en quête une au *fier monde* qui passe. Des assistées sociales callipyges – elles n'étaient pas toutes laides, à ma surprise – tiraient par la manche des enfants pagailleurs et sales, aux lèvres maculées de galets croûteux. Des *tattoos* partout. Beaucoup de jeunes hommes exhibaient des manchettes intégrales représentant des végétations tropicales si luxuriantes qu'il ne restait plus un centimètre de peau nue, et si, primitivement, j'avais des préjugés sur cette pratique, je devais admettre que sur un avant-bras musculeux, ce n'était pas aussi vulgaire que je m'en étais convaincu, surtout si les couleurs étaient fraîches. Les homos étaient ceux qui avaient les tatouages les plus réussis, et aussi les muscles les mieux développés. On les reconnaissait sans peine : ils avaient des contenances de videurs de boîtes d'extrême droite parisiennes. Mais ici, dans Mercier–Hochelaga-Maisonneuve, ils étaient inoffensifs et doux, ils marchaient par deux en promenant des caniches décorés de rubans pourpres, et je me réjouissais de passer cet après-midi chez eux, je veux dire *parmi* eux, les BS, les homos, leurs chiens, ces Canayens insouciants et humblement consuméristes, cherchant qui des cigarettes, qui des fromages au lait cru ou du piment d'Espelette. Parce qu'il faut dire que le quartier s'était embourgeoisé depuis l'époque où je vivais à Montréal. J'avais lu « renouveau » dans un magazine. C'était vrai. De jeunes diplômés en début de vie professionnelle choisissaient HOMA parce que le Mile-End et le Plateau étaient ruineux. Le renouveau était commercial, pas culturel ni sociopolitique, tant s'en fallait. Cette jeunesse modérément argentée restait, dans son essence, canadienne-française, donc étriquée et sans lettres. Elle voulait des restaurants, des bars et des épiceries fines. Le boire et le manger. Une génération de mâcheurs. Mais c'était déjà quelque chose, n'est-ce pas, dans ce quartier de putains et de pignoufs assistés, qu'on ait pu ouvrir un saucissier, une bonbonnerie d'antan, l'atelier d'un chaisier rustique, un centre de formation des baristas rattaché à un café équitable, une triperie urbaine, un restaurant appelé Les petits caprices de Bernard, tout ça sans qu'il y ait rejet de greffe ? Plus rien ne ressemblait à mon souvenir. Les nouveaux édifices à condo levaient le cœur, mais il en sortait par à-coups de jeunes couples rosés à l'hygiène irréprochable, qui allaient acheter de la viande de wapiti pour la fondue qu'ils organiseraient le soir pour des amis, et du bon vin aussi – la SAQ avait ouvert un comptoir Sélection maintenant qu'il y avait un peu de numéraire dans le quartier –, et peut-être du fromage bleu, de la crème sure et du vinaigre de cidre de pomme pour une sauce, ça va si bien avec une salade de betteraves et de topinambours ; de tout cela, maintenant, on en trouvait dans Mercier–Hochelaga-Maisonneuve, et cette guidoune pas de dents, les boules à terre, qui parlait toute seule à l'arrêt d'autobus, elle ne dérangeait personne, mais nous rappelait que nous sommes privilégiés et qu'il y a encore des démunis dans notre société.

Quel monde étrange ! Où que je tourne la tête, je voyais des choses inédites qui polissaient la compréhension que j'avais de ma race. C'était comme si deux Québec se côtoyaient dans le même quartier, également déficients au plan de l'intelligence, mais éloignés l'un de l'autre par les moyens et les mœurs. Les BS étaient crottés comme des peignes, et je me demandais combien les prostituées demandaient pour les sucer. Les tarifs devaient être ajustés à l'économie du quartier. Vingt-cinq dollars ? Peut-être plus. Cinquante ? Où va-t-on avec cinquante dollars de nos jours ? À peine si on paye l'épicerie. Pauvrettes !

Il était midi. Affamé et de belle humeur, j'entrai dans un établissement appelé La Maison du boudin. Pas d'autres clients que moi et un groupe de pisseuses façon *Sex and the City*, rien de bien intéressant, alors je pris une table qui faisait face à une télé fixée au mur. Je commandai des gode-billaux à la Seppo sans vraiment comprendre de quoi il s'agissait ; poumons de veau, crépine, moutarde… Champignons des Laurentides sur une feuille de chou cabus nappés d'une sauce au poivre. Une vieille recette scandinave. « Avec un verre de Fronton : divin ! » dit le jeune serveur en ouvrant ses doigts devant sa bouche et en claquant des lèvres. Aweille d'abord !

Il se trouva que ç'avait un goût bizarre, une âcreté sanguine avec quelque chose de tourbeux et malpropre, en tout cas je n'aimais pas ça du tout, mais le vin lavait la saveur. La télévision montrait le nouveau maire de Montréal, Colin Madère, en train de prononcer un discours devant une foule dans un parc. Pourquoi était-il habillé comme ça ? Un uniforme en cuir, ça alors ! Le gros Madère, le tout rond, le joufflu… En motard ? Il ressemblait à un bâillon-boule géant. Avec sa peignure de comptable et ses lunettes qu'il n'avait pas voulu retirer, le contraste était bouffon. C'était donc ça, le Machiavel de Montréal ? Il brandissait un petit fanion sur lequel était inscrit un slogan – ah ! mais voilà, bien sûr ! – « *On August 16th, all Montrealers are gays*/Le 16 août, tous les Montréalais sont gais ». Il était sur la place Émilie-Gamelin pour cette fête de la fierté que j'avais vue plus tôt.

— Quel sinistre personnage !

Je me retournai. Le cuisinier était derrière moi, il regardait lui aussi la télévision, les poings sur les hanches. Un quinqua membru, avec juste ce qu'il fallait d'efféminement pour qu'on ne le redoute pas, qu'on ait même envie de le connaître. Il était ici chez lui. Le propriétaire, à n'en point douter.

— Ça vous plaît ? dit-il en montrant mon assiette du menton.

— C'est délicieux, mentis-je.

— Pouvez-vous croire qu'on va avoir ça comme maire pendant les quatre prochaines années ?

Une phonation précieuse, très rue Laurier. Mais la distinction n'y changeait rien : je détestais quand des inconnus m'abordaient pour parler politique.

— Profitez-en, dis-je en fixant mon assiette, c'est probablement le dernier maire francophone dans l'histoire de votre ville.

Cela le choqua.

— Vous pensez ?

Je haussai les épaules.

— Si oui, poursuivis-je, on peut dire que vous vous préparez à céder le pouvoir aux Anglais avec panache. Dites ce que vous voulez de Madère, c'est l'incarnation même du Canadien français moyen. C'est un… je sais pas comment le dire… un Canayen absolu.

J'hésitais à l'admettre, mais j'avais de Colin Madère une opinion favorable. Je me souvenais de lui comme ministre, bien sûr. Et puis, de Pékin, j'avais un peu suivi la campagne électorale qui l'avait porté à la mairie. Sa lourdeur prodigieuse était balancée par la rouerie et une étonnante capacité de séduction des masses. En toutes circonstances, Madère savait identifier une raison d'agir par calcul. À une fête gaie. Aux funérailles d'un homme connu, en cajolant la veuve. Devant une assemblée de hassidim à Outremont (« *Be my friend… Don't divide the vote* », l'avait-on vu dire en caméra cachée pendant la campagne électorale, et il regardait les juifs par en dessous en levant un doigt menaçant). En se présentant sur le site d'un incendie et en tweetant ensuite une photo de lui déguisé en sapeur parmi les sapeurs avec la phrase « *Thanks, guys* – Merci, les gars ». Il concentrait tout ce qu'il y avait d'obscène chez les Canadiens français, mais s'en servait comme d'un tremplin pour sa réussite personnelle, et à défaut d'autre chose, pouvait-on vraiment en faire reproche à un homme aussi commun ? Tout le contraire : il y avait là matière à admiration. Colin Madère nous rappelait que quand ils se forcent, les Canadiens français font de fins carotteurs. Cette sagacité reptilienne dans le mal, c'est leur premier talent, alors mieux vaut en tirer tout le profit possible. Madère était le portrait naïf de ce qu'un Canayen peut devenir s'il se sort les doigts du cul, jette son gobelet Tim Hortons, quitte son coin de rue, se rase, se met du Brut 33 et part fourrer le grand monde plutôt que de faire peur aux Francine et aux Manon au volant de leur Yaris.

— Vous êtes un peu dur avec lui, non ? lançai-je timidement au patron. C'est un homme dynamique. Peut-être que c'est de ça que Montréal a besoin.

— Dynamique ? Mais enfin, regardez-le ! C'est le type qui fait honte à tout le monde au restaurant, la risée de la table ! Celui qui s'en fout plein la bavette, qui pense que ça le rend mignon ! Et la corruption, vous y pensez ? Vous vous imaginez que ce gros tas là est propre, depuis le temps qu'il fait de la politique ? Compte tenu des gens avec qui il fricote ? Il était ministre dans le gouvernement Chrétien à l'époque des commandites ; ça, tout le monde l'oublie. Retenez bien ce que je vous dis : deux mandats, peut-être même un seul, et je vous prédis une deuxième commission Charbonneau. Ce gars-là, c'est le roi de la magouille.

Exaspéré, je posai mes ustensiles.

— Les rois de la magouille, c'est les Italiens. Les Canadiens français sont les rois de rien du tout. Ce sont les instruments de la magouille, c'est très différent. Vous passez à côté de la seule conclusion intéressante de la commission Charbonneau : la pyramide raciale de la corruption. Les entrepreneurs qui faisaient le motton, c'était des Italiens. C'était eux, les cerveaux de la corruption. Ils procédaient en soudoyant des fonctionnaires de chiotte qui, eux, étaient canadiens-français. De son espèce à lui (je pointais Madère à la télévision). Vous avez pas remarqué ça ? Quoi, ça vous choque ? (Il me fixait, outré.) Les Italiens donnaient les enveloppes ; les Canadiens français recevaient les enveloppes. Ça parle, non ? Ça dit que dans la ruse, les Italiens ont une intelligence combinatoire. Les « pure laine », eux, ont pas les mêmes moyens intellectuels. Ils sont juste malhonnêtes, et serviles. Alors, chaque chose à sa place : les corrupteurs, les stipendiés… Les *winners* en haut, les gens de pied en dessous. Madère, c'est pas le roi de la magouille, c'est le roi des gens de pied. Remarquez, juste ça, c'est une amélioration par rapport aux autres zombies qui se promènent dehors.

— Mon ami est Italien, monsieur, dit le patron en faisant frémir son petit bouc gris. C'est un homme bon, qui ne volerait pas un journal abandonné sur un banc public.

— Évidemment, couinai-je en me bouchonnant le visage. Mais vous passez complètement à côté de ce que je viens de dire. Savez-vous s'il y a un café Internet dans le quartier ?

— À deux rues vers l'est. Juste avant le Dairy Queen.

Cette journée était trop belle pour la laisser gâcher par un mauvais dîner, et l'autre blaireau pouvait bien se brosser avec ses opinions politiques. Je réglai l'addition et sortis. Dehors, je m'étirai en souriant. Meng Wu ! D'abord, répondre à son courriel. Ensuite, banana split au Dairy Queen. Après ? Je pourrais marcher jusqu'au stade olympique et aller voir les castors au Biodôme. C'était tout près.

Le café Internet s'appelait Le Monaco. Un rideau de velours bourgogne séparait la salle des terminaux d'un local abritant des machines à poker d'où déferlait une symphonie paniquante de clochettes et de roulements électroniques. J'accédai à mon compte Yahoo. La première chose que je remarquai, avant même de commencer à lire, c'est que ma Meng Wu, d'ordinaire lapidaire, avait tartiné. Des milliers d'idéogrammes, ponctués de formules en anglais. Mon nom en mandarin (« Lou Ye » : la transcription phonétique la plus ressemblante que l'on pouvait faire de mon prénom à partir des phonèmes chinois). Le premier paragraphe était curieux.

Mon cher Lou Ye,

Tu te souviens de ce restaurant coréen où nous sommes allés un jour, dans Haidian ? Dans une ruelle, tout près de l'Hôtel de l'Amitié ? C'était au début de notre relation. Nous n'y sommes jamais retournés par la suite, mais je suis sûre que ça te rappelle quelque chose. Nous avions marché de chez moi. C'était l'hiver, on gelait. En chemin, tu m'avais posé un tas de questions. Je comprenais bien que tu voulais mieux me connaître, mais ça me faisait bizarre parce que nous avions déjà fait l'amour. J'avais l'impression de faire les choses à l'envers. Un tas de questions. Je les ai toutes oubliées, sauf une : tu m'avais demandé si je m'intéressais à l'histoire de la Chine. J'avais dit « Nope ! » en anglais et tu avais éclaté de rire. C'est pour ça que je m'en souviens. Ton rire... On ne l'entend pas souvent, mais quand il sort, il est rafraîchissant comme la pluie en été. Pas beau, mais rafraîchissant. Si tu riais plus souvent, Lou Ye, tu serais quelqu'un de complètement différent.

J'enlevai ma veste et la suspendis au dossier de ma chaise. Il faisait rudement chaud dans ce café.

À la fin du repas, tu m'avais reproché d'avoir été impolie avec la serveuse. Je t'avais répondu qu'en Chine, ce n'est pas comme en Occident, on ne met pas de gants blancs avec les gens qui font le service dans les restaurants. Tu t'étais refermé. Il y avait eu un froid. Le premier entre nous.

Dehors, il faisait noir. Tu avais marché devant un moment. Je t'avais observé en me disant : « Ça ne durera pas deux mois. » Crazy, isn't it ? Je ne t'aurais jamais raconté ça avant, mais je pense que c'est OK aujourd'hui. Je craignais que nous découvrions rapidement que nous n'avions rien en commun. Que la différence d'âge était trop grande. Que, peut-être, il me fallait quelqu'un de plus jeune, avec une vie plus excitante, des intérêts plus proches des miens. Mais les jours ont passé, puis les semaines, les mois, et, petit à petit, j'ai découvert qui tu étais vraiment, et je me suis rendu compte que la vie avec toi était une grande aventure, qui n'avait rien à voir avec ce que je fantasmais dans mes rêveries d'adolescente, mais qui était beaucoup mieux. Et puis, tu n'aimais pas la dispute ; ce côté de toi, si tu savais comme il était précieux à mes yeux ! Tu voulais une vie tranquille, et s'il y avait un désaccord entre nous, tu cherchais toujours un compromis. Je n'étais pas habituée à ce genre de marchandage. Quand j'ai compris ce que ça avait de pacifiant dans une vie sentimentale, alors je suis vraiment tombée amoureuse de toi. Comment une femme pourrait-elle ne pas t'aimer ?

Je garderai de nos années ensemble mille bons souvenirs. Cette nuit où nous avons valsé avec les retraités dans le parc des Lettrés affables (ma copine Liu Shu était avec nous, tu te souviens ?). Le voyage à Shijiazhuang. Celui à Beidaihe. La nuit à l'hôtel, en février, pour ton anniversaire. Quand tu es venu dans ma famille dans l'Anhui. Et, bien sûr, tous ces matins fabuleux où tu m'as réveillée en faisant jouer « Imagine » pendant que tu préparais le petit-déjeuner. L'odeur du café... Je me souviendrai aussi des fois où nous avons fait l'amour dans mon premier appartement, le super crade près du stade national. So many good memories !

Mais le plus beau souvenir, celui que je garderai en moi pour toujours, c'est cette fin d'après-midi où nous sommes allés à la piscine publique de Chedaogou. Je me démanchais pour apprendre à nager dans le bassin des enfants. Je venais de remettre mon travail de maîtrise, c'était comme si on m'avait enlevé un bloc d'une tonne de sur les épaules. Tu restais assis à l'extérieur de la piscine, adossé à la clôture. Tu corrigeais ton roman. À un moment donné, tu as somnolé, je l'ai deviné malgré tes verres fumés parce que tu avais arrêté d'écrire et ton visage s'était tourné vers le ciel. Cet instant précis, avec tout ce qui le constituait – les papiers sur tes jambes, le stylo dans ta main, ton sourire, le ciel et le soleil qui, en percutant le ciment, créait autour de ton corps un halo de chaleur –, il te transfigurait, et il habite en moi avec la netteté d'une photographie. Je me suis arrêtée de barboter pour t'observer. Ce sourire… Pour personne en particulier. Ou peut-être pour quelqu'un ? Pas pour moi, en tout cas. Sinon, tu m'aurais dit après : « J'ai rêvé de toi. » Tu n'étais jamais avare de mots doux. Mais qu'est-ce qu'il pouvait bien y avoir dans ta tête pour te mettre dans cet état ? Je ne t'avais jamais vu aussi apaisé.

Et alors, j'ai compris. Tu avais l'air mort. Tu comprends ? Tu avais la même expression que les vieillards qui viennent de rendre leur dernier souffle, entourés de leur femme et de leur descendance. Une espèce de sérénité retrouvée, faite d'innocence et d'abandon. Tu avais l'air soulagé de ne plus penser, et de ne plus souffrir de penser. Ç'a l'air morbide, sans doute. Pourtant, je ne l'ai pas du tout vécu comme quelque chose de triste. Au contraire. Nous venions de traverser des semaines difficiles, nous nous étions beaucoup disputés (c'était après le mariage de mon ex). Je ne t'avais jamais vu aussi bien, et tu étais beau. C'était l'époque où tu fumais, tu étais mince et sexy, je te le disais souvent, mais tu ne me croyais pas. Tu t'es un peu empâté depuis. C'est une chose à laquelle tu devras faire attention. Je ne serai plus là pour commander pour toi au restaurant…

Le « toi » de ce jour-là, insouciant et libre, heureux, souriant : je ne l'oublierai jamais. Le reste du temps, tu étais juste « pas heureux », et je m'étais habituée à te voir comme ça, mais ces derniers temps, ç'avait recommencé à me peser. J'avais espéré que tu arrêterais de creuser ce fossé entre la *réalité et ton imagination, entre le monde tel qu'il est et le monde tel que tu voudrais qu'il soit. Tu as choisi de continuer à t'isoler.*

Mais voilà que je te fais des reproches... Souviens-toi d'une chose, pourtant : je sais très bien que je n'ai pas été une petite amie à ta hauteur. Mais je t'ai donné le meilleur de moi, comme je ne l'avais jamais fait avec personne. Tu as été mon vrai «premier» amoureux, de toute ma vie. Alors, c'est comme ça que je me souviendrai de toi, et aussi que je parlerai de toi : «Lou Ye, mon premier amoureux.» C'est une chose importante, tu sais ? Parce qu'une fille n'oublie jamais son premier petit ami. Tu m'as changée. Parce que tu étais avenant, que tu disais ce que tu ressentais, que tu n'aimais pas la discorde, que tu préférais régler les problèmes en discutant, tu as fait de moi une personne meilleure, puisque tu m'as donné envie de suivre ton exemple. Et pour ça, je te remercie. Ces changements que tu as provoqués dans ma nature profonde, ils sont définitifs.

Quelques semaines avant ton départ pour le Canada, je revenais du travail. Sur la rue de la Renaissance nationale, il y avait des agences immobilières partout... Je ne croisais que ça. Et je pensais aux interminables rencontres qui nous attendaient dans ce genre d'endroits avec de jeunes agents insistants, qui fument, qui mentent, qui gonflent les frais, qui emploient beaucoup d'énergie à vendre à des couples comme nous des appartements pourris à des prix astronomiques... Alors, j'ai ressenti un désespoir, un dégoût... Tu ne peux pas imaginer. Et en dévidant cette pelote qui m'étouffait, j'ai découvert que le fil menait à toi. Je ne voulais plus de cet appartement, je ne voulais plus de cette vie avec toi, je n'en rêvais plus. Tout d'un coup, la perspective de ce laçage de mon existence avec la tienne m'apparaissait comme une chose terrible qui pouvait me tuer. Comprends-tu?

Bien sûr, ça faisait un bout de temps que ça mijotait. Comment as-tu pu ne pas t'en rendre compte? Tu ne réalisais pas à quel point j'étais froide ces derniers temps, chaque fois que nous discutions de l'appartement et de notre avenir? J'en suis venue à t'en vouloir de ne pas avoir relevé toi-même ma panique, et de ne pas avoir pris l'initiative de la rupture. C'est idiot, je sais. En réalité, c'est moi qui étais lâche.

Ce qui m'émeut dans « Regret du passé », c'est que Lu Xun soit parvenu à fixer le temps de l'amour dans une nouvelle de vingt pages. Nos amours se déploient dans un temps qui leur est propre, séparé de celui dans lequel nous menons le reste de nos vies, et en complet déphasage avec celui-ci. Le temps de nos amours, c'est l'éternité. Pourtant, un matin, on se lève, on file à la salle de bains, on se passe de l'eau sur le visage, on mange une brioche, on se brosse les dents, on court à l'université, tout est exactement comme la veille, mais quelque chose a disparu: c'est cette éternité de l'amour. On ignore pourquoi, mais on le sait, on le sent. C'est une intuition immanquable. Au début, c'est un grattouillement, mais il ne faut pas des jours, pas même des heures, pour que l'on comprenne: on n'aime plus, ou on n'est plus aimé, ce qui n'est pas très différent, au fond, puisque dans les deux cas, on constate, impuissant, la disparition de quelque chose. C'est pire qu'une mort. Après la mort, il reste toujours un corps qu'on peut embrasser, ou sur la poitrine duquel on peut s'arracher les cheveux. De l'amour, il ne reste rien. Rien! Alors, on ne comprend plus, on devient fou. Comment une chose qu'hier encore on croyait indestructible comme un diamant a-t-elle pu éclater ainsi, délicatement, comme une bulle de savon? Plus que l'amour lui-même, c'est la disparition de l'immanence de l'amour qui choque dans la rupture. Si l'amour passe, eh bien c'est qu'il n'y a vraiment plus rien d'atemporel en ce monde. C'est le message que transmet Lu Xun dans sa nouvelle. Voilà pourquoi c'est un texte si triste, et si précieux.

Mon beau, mon bon Lou Ye… Je ne trouve pas de façon moins terrible de te le dire. Je t'aime autant qu'on puisse aimer quelqu'un sans que ce soit de l'amour. Qu'il y ait eu, entre toi et moi, l'éternité de l'amour, même pour deux toutes petites années, ça reste quelque chose d'extraordinaire, un miracle de l'existence, que je chérirai toujours et qui m'aidera à vivre, et toi aussi. Ce n'est sans doute pas une grande consolation à l'instant où tu lis ces lignes. Mais je pense qu'un jour, tu comprendras. Tu méritais certainement que je te dise tout ça en personne, et tu vois bien la petite amie médiocre que j'aurai été jusqu'au bout : je n'aurai même pas su rompre avec élégance. Je ne pouvais simplement pas trouver en moi la force de te le dire en face, de survivre à une telle conversation. Elle m'aurait hantée pendant des semaines, j'aurais été déprimée… Je ne voyais pas de raison de nous infliger ça.

Il vaudrait mieux que nous ne nous voyions pas pendant quelque temps. Je ne souhaite pas vraiment non plus que tu répondes à cette lettre. Prends un peu de temps pour toi. Je t'écris tout ça parce que ça me fait du bien. Je voulais que tu saches ces choses avant que nos chemins se séparent.

Je vais aller habiter chez ma cousine Wang Yang pendant quelques semaines, le temps de me trouver un appartement. J'ai déjà déménagé mes affaires. Je te laisse quelques bricoles :

la brosse à dents électrique du Canada que ta mère m'a offerte, la crème de nuit aux amandes, les photos de nous deux au Palais d'été, le pull bourgogne – il ne me fait plus, donne-le à la femme du préposé à l'ascenseur. Jette ce que tu veux, mais garde au moins une babiole, en souvenir. Pour ma part, je ne te rendrai pas les pantalons de pyjama que tu gardais chez moi. Tu sais combien je les aimais. Tu flottais dedans, tu avais l'air d'avoir douze ans. C'est la seule chose de toi que je garderai, mais elle ne me quittera jamais.

Je te souhaite de trouver une fille qui pourra t'offrir une véritable éternité d'amour.

Merci pour tout. Je t'ai tant aimé !

Adieu, mon Lou Ye !

Ta Meng Wu.

Je fermai le navigateur, payai au comptoir et sortis. Il y avait un Dairy Queen juste à côté du café. J'avais terriblement envie d'un banana split, mais ils faisaient aussi des mélanges de glaces molles qu'ils servaient dans des coupes (ils appelaient ça des *blizzards*), avec du sirop au chocolat et des Smarties, ou d'autres friandises, si on voulait : des biscuits Oreo, des Oreo menthe (je ne savais même pas que ça existait), de la pâte de biscuit aux brisures de chocolat, de la pâte de biscuit au double fondant, de la pâte de biscuit au brownie ou du gâteau d'anniversaire Oreo ou du gâteau au fromage à la fraise. Du beurre d'arachide. Des morceaux de gâteau et des « confettis » (pas d'explications). Des truffes au caramel salé. Des morceaux de Crispy Crunch. De Kit Kat. De Reese. De Skor. De Turtles. De ROLO. Des fruits, sinon. Choco-cerises. *Xtrême* chocolat-bananes. Hawaïens.

Les «parfaits *peanuts* super puissance» avaient l'air super succulent. Trois sortes de cornets: les normaux, les gaufrés et les gaufrés enrobés de chocolat. Si on ne voulait pas de cornet, on pouvait se rabattre sur les coupes glacées, il y en avait au fondant chaud, à la fraise, au chocolat, à l'ananas, au caramel, et même à la banane. Les banana split s'appelaient «banane royale», et la photo de l'affichette laissait penser qu'ils ne lésinaient pas sur les coulis, trois sortes sur chaque banane: chocolat, fraise et un jaune qui devait avoir un goût chimique d'ananas ou d'agrume, c'était difficile à dire juste avec l'image.

Mais il y avait foule... Ici, ce n'était pas comme au centreville: les gens étaient beaucoup moins évolués, ils se massaient comme des cochons aux abords du comptoir (*gros criss de jambons de tabarnak gros criss de raisins mongols*) personne ne faisait la queue pourquoi ça n'avançait pas? J'attendais en examinant les gens devant moi. Des obèses et des voiturettes orthopédiques. La moitié des habitants du quartier se déplaçait en voiturette (*maudits criss de bras cassés de mangeux de marde de pousseux de crotte de câlisse*) il semblait qu'à partir de trente-cinq ans au Québec, on pouvait aller voir un médecin et dire «ch'peux pus m'traîner, doctaeu, vous pouvez-tu me donner un triportaeu, doctaeu, le modèle qui est lò, non, pas cel'lò, le modèle "braises rougeoyantes", c'est çò, merci lò, à' r'voyure», je n'avais jamais vu autant de triporteurs, une flotte, mais une chose que j'avais vue souvent, en Chine, c'était des paysans de soixantedix ou quatre-vingts ans descendre à pied chaque jour les montagnes dans lesquelles ils vivaient pour gagner la ville et vendre à la sauvette des herbes des champignons des œufs des légumes et remonter dans leur perchoir le soir venu, à force de jambes, oui madame, et ça restait noueux et ça restait dur et ça restait digne, même si un peu penché, et c'était un tout autre spectacle que les conformations difformes de ces (*sous-hommes*) paresseux d'Hochelaga, leur gros cul flasque répandu sur le siège de leur coucou (*gang de chiens vaches chiens vaches chiens vaches*) comme un soufflé trop cuit.

Bon. Ça n'allait pas faire pour la banane royale parce que je n'en pouvais plus de ne pas bouger de ne pas marcher je ne me sentais vraiment pas bien j'avais le front et les oreilles chauds pourtant je ne transpirais pas c'est étrange non ? Est-ce que j'étais en train d'attraper quelque chose ? Mes jambes prirent le relais sans que je leur aie dicté où aller, d'ailleurs je perdais le fil, quelle était cette rue ? où était-on exactement ? Mais ces gens que je croisais, à pied ou en triporteur, je les reconnaissais, ils étaient mes frères mes sœurs de sang ils m'auraient dit « tu » si je leur avais adressé la parole je les écoutais parler entre eux et je m'émerveillais de ce nouveau (*race de déchets*) langage qu'ils avaient créé sur les ruines du français, des chaînes parlées gauches qu'articulaient des grognements des soupirs des hoquets un petit-nègre qui ne se transcrivait même plus en alphabet phonétique les « r » en fin de mot systématiquement escamotés, des diphtongues en veux-tu en v'là *moé s'pò compliqué chu'l miroaé d'la personne qu'y é t'en face de moé ; si t'é correk aèc moé j'vò aêt' suuupaé smat aèc toé, mais si t'é chien par 'emp', watch toé pasque ch'peux aêt' bitch en criss,* mais soudain je ne voulais plus comprendre je ne voulais même plus entendre je ne voulais plus être mangé par le bruit ignoble de leur conversation collective je voulais *d'un coup la police arrive toé, y m'accusaient d'awoéy' été l'investigatrice d'la chicane esti ! Le lendemain,*

TVA parké d'vant 'a maison esti! Ch'téléphone à ma sœu'
pour y diy' de v'niy' checher Hayden être seul ne plus croiser
personne surtout ne plus voir ni entendre personne alors je
quittai cette rue passante (la rue quoi?) pour en emprunter
une plus discrète *allô France? Ouin, a m'a pò rappelé... eu'l*
sais pò, mais a m'ò pò rappelé, ça fait deux fois j'assaye...
OK? bye lò, mais même là on croisait des gens, partout il y
avait de *ces gens*!

Des couples. Des hommes, des femmes, en virée à la
banque pour encaisser le chèque de l'assistance sociale ou
au *pawnshop* pour déposer en gage la PlayStation du petit et
s'acheter de la bière des mille-feuilles des billets de loto du
pot des *smokes* du lait 3,25 % des chips du Pepsi il ne vien-
dra évidemment pas à l'idée de ces baleines et de ces tous-
seurs d'acheter du brocoli et des carottes câlisse d'ostie.

Tatoués comme des animaux d'élevage. Pour les femmes,
des sanguines baveuses qui leur coulaient sur les cuisses,
qui commençaient sans doute à ras la noune, pour un peu
elles nous la montraient en se promenant cul nu (*sales*
chiennes sales chiennes sales criss de chiennes) des solé-
noïdes, des chrysanthèmes, des padines délavés sur les
boules (*grosses truies grosses chiennes grosses truies grosses*
sacrament de truies), sur quoi voulaient-elles attirer l'attention? le cuir érubescent et rugueux de leurs gigantesques
seins? plutôt lécher le dos d'un crocodile! et les hommes
aussi avaient des tatouages, des caractères chinois mal cal-
ligraphiés, sauf que moi je pouvais les lire, pas eux, et je les
lisais et je me sentais

家庭

mieux, où est-ce que je m'en allais comme ça ? Ce qu'il faut comprendre et c'est pri mor-dial c'est que les tatouages participent de la façon dont les Montréalais se parlent, se menacent, sans doute aussi s'attirent sexuellement, comme les hommes de ces tribus primitives d'Afrique et d'Océanie, et quand on y pense, que cet ultime symbole de délin-quance qu'a été le tatouage dans les années 70 soit aujour-d'hui singé par ces dort-en-chiant de Canadiens français, c'est très drôle, et je riais

爱国

parce que j'étais ici chez moi et que ces gens étaient mes frères mes sœurs pourtant j'étais aussi quelque chose comme un ethnologue explorant l'île d'une tribu inconnue, et dans cette tribu c'était la saison de l'agnelage, visiblement, parce que les femmes avaient de gros larbins dans le tiroir, d'autres avaient déjà pouliné, certaines promenaient seules des enfan-çons café, je cherchais les pères, mais ne les trouvais pas, je soupçonnais ces types énormes qui passaient dans des 4x4 neufs en faisant jouer *Pay Ya Dues* dans le tapis. J'avais déjà raconté à Meng Wu (*MA Meng Wu ma BELLE Meng Wu*)

女

que les Canadiennes françaises pouvaient avoir jusqu'à quatre enfants de quatre pères différents, ça lui avait scié les jambes, elle ne m'avait pas cru.

En tournant sur une autre rue – l'avenue Valois, je crois –, je me trouvai à marcher derrière un jeune couple promenant un bébé dans une poussette, et alors j'eus une autre fulgurance : on ne dit pas assez souvent comme les femmes et les hommes de cette province sont merveilleusement complémentaires, prenez cette maman iconique qui se traîne (*cibole tu trempes-tu tes barres Mars dans le Crisco grosse esti de guenon ?*) devant moi : tellement canadienne-française par l'énormité de ses fesses et de ses cuisses, le marron mort de ses cheveux roides, par sa morgue, aussi ; elle marche le menton haut, comme si tout lui était dû, d'ailleurs on lui donne tout : de l'argent à ne rien faire, des soins de santé gratuits, de l'électricité, un triporteur à trente-cinq ans, un casino à dix minutes, des roteux abordables chez Valentine, regardez, mais regardez-la, enfin ! Elle est étendue comme une galaxie spirale, elle a cette monstruosité fascinante des carognes cauchemardesques que Gustave Doré fait papillonner autour du berceau de Pantagruel, maintenant regardez-la bien dans les yeux, il y scintille quelque chose, non ? Un tison, une bluette, une escarbille, ce n'est pas de l'intelligence, tant s'en faut, c'est mieux dans un sens, c'est de la *force de vie*, un petit *vouloir incandescent* (une hargne), un reste de cette astuce paysanne qui transformait en mères Courage les maritornes stupides de sa proche ascendance (XIXe siècle, première moitié du XXe, les hommes saouls morts à la taverne ou en train d'entuber la truie, les femmes morigénant seules dix, quinze enfants, chez Céline Dion ils étaient quatorze, Céliiine !). Vous vous demandez peut-être « Mais qui peut bien condescendre à se frotter le lard sur ces ogresses ? », alors tournez la tête et regardez les types qui les accompagnent, examinez tout de suite leur pupille jusqu'au tréfonds et alors vous comprendrez : eux ! eux ! eux ! ce sont eux ! qui mettent le poisson dans le bocal de ces habitantes des humbles quartiers, qui d'autre ? La nature est bien faite, il n'y a qu'eux ! eux ! eux ! pour faire le travail, nos gobe-mouches végétatifs, nos p'tits Canayens (« ils ont l'radis haut ou ben l'radis bas / les p'tits Canayens on les embête pas ») ils étaient morts avant même d'être nés ils sont sans volonté des sacs de peau avec rien dedans des Asiatiques polis diraient qu'ils ont « le yin trop développé » moi je dis que ce sont des hommelettes ils portent les casquettes de clubs de basket américains marchent voûtés comme des primates empestent la roulée leurs pantalons descendent à mi-fesses pour laisser voir la marque de leur slip c'est voulu voyez-vous c'est comme ça qu'on fait dans leur monde eux eux eux s'accouplent avec les lapines boulottes la mode est aux piercings aux t-shirts fuchsia ou bleu canard ou phosphorescents aux longues chaînes en imitation d'argent portées ostensiblement : l'homme canadien-français est attiré par ce qui brille les moufettes aussi sont comme ça et si on l'interroge des yeux on bute sur son regard minéral ces beaux yeux vides de joli cœur d'hôtel fini la bluette fini la flammèche rien que le néant fini l'astuce plutôt une bêtise astrale du jamais vu dans l'histoire de l'humanité des (*charognes*) ruines humaines, voilà c'est dit, le vrai problème de cette

喜喜

province, c'est les hommes : lestée du poids de ces morts-vivants, cette nation ne peut aller nulle part. Quand je

pensais à l'avenir du Québec je ne voyais pas trop de raisons de m'inquiéter du sort des femmes leur surcroît
d'énergie vitale induisait chez elles une libido

hors du commun qui s'était muée depuis la Révolution
tranquille en un véritable savoir-faire du sexe, une praxis
qui s'épanouissait encore davantage à notre époque grâce
à ces « centres jeunesses » où les filles passaient la moitié
de leur adolescence et acquéraient, à ce qu'on disait, une
formidable expertise, le PIB en ferait son miel si le légis-
lateur fédéral décidait de décriminaliser les bordels, ne
serait-ce que dans une seule province, le fédéralisme asy-
métrique il faut bien que ça serve à quelque chose, mais ces
hommes ? Désarmés, attardés, vulnérables, paresseux
comme des couleuvres ? Il était trois heures de l'après-midi
et des souillons scrofuleux de vingt-cinq ans roupillaient
dans des sacs de couchage à même le ciment des entrées
de boutique, Calcutta P.Q., la sébile et la seringue, qu'est-ce
que le monde de demain pouvait bien réserver à une pareille race de culs de plomb ? Des emplois de cuisiniers,
peut-être. Je découvrais depuis mon retour au pays que les
hommes québécois se passionnaient pour la gastronomie.
Leur langue, misérable le reste du temps, bourgeonnait un
peu quand ils parlaient de manger, et on vendait des livres
de cuisine partout. Ils pourraient aussi, comme leur femme,
se vendre le cul à des touristes chinois ou américains, on
raconte qu'il existe une clientèle pour les gros lards qui
puent la bière, je parle sérieusement, Tennessee Williams
aimait se faire enviander par des marins beurrés dans des

ruelles la nuit, et puis, le sacrifice de sa dignité en échange de l'argent et du paternalisme d'un plus puissant, c'est la définition même du Canadien français, et le métier de travailleur du sexe aurait ceci de bien qu'il réconcilierait l'économie provinciale avec la nature profonde des gens qui habitent le territoire.

Tiens! L'usine de biscuits Christie! Comment étais-je arrivé ici? Ainsi perdu dans mes pensées, avais-je marché tout cela? Je pensai: «Je vais longer les garages vers l'est, gagner l'Assomption et aller jeter un coup d'œil aux entrepôts de Coca-Cola où j'ai travaillé pendant mes études, ça me rappellera des souvenirs.» Or, l'air, à mesure qu'on approchait de la biscuiterie, se chargeait d'une senteur capiteuse de pâte et de sucre. Toute la rue embaumait. Et pas seulement la rue: tout le quartier. Je le sais parce que je fis quatre fois le tour de l'usine, tant étaient enchanteresses ces exhalaisons de beurre et de cassonade qui combustionnent, et mon esprit de nouveau s'en fut à tire-d'aile, cette fois vers nos belles maisons ancestrales du chemin du Roy, mémère Mescouilles tout enfarinée avec son rouleau qui appelle ses petits-fils – «Paul, Germain, Léo, Fulgence, Louis, Alphonse, Firmin, venez manger les bons biscuits à grand-maman!» –, la Beauce en temps de paix, comme il sent bon, mon Canada français! et je croisais des boîtes à lunch qui sortaient d'la *shop*, des gagne-petit, des Réal et des Roger et des Raynald et des Robert, des onze dollars de l'heure qui me faisaient de drôles d'yeux, eux eux eux ne goûtaient plus ce parfum parce qu'ils travaillaient ici et qu'ils l'avaient dans le nez tous les jours, mais moi! comme il me plaisait, et encore un tour! je n'avais jamais été aussi bien dans cette ville que maintenant, *je vais revenir ici c'est sûr*, allez! un cinquième tour, et en avant comme en avant! mais soudain je me pliai presque malgré moi, *trop sucré trop sucré trop sucré trop sucré mon Canada français*, et je me mis à vomir et à vomir et à vomir et à vomir et à vomir et à vomir et ça n'arrêtait plus je ne voyais pas où il y avait de place dans mon estomac pour cette quantité de matière qui me sortait maintenant par la bouche à gros bouillons beiges **tabarnak!** quand est-ce que j'avais avalé tout ça? Et même quand je n'eus plus rien à renvoyer mon œsophage hoquetait toujours je ne contrôlais plus rien et j'avais mal aux côtes – maaal aux côtes! – et je me tenaaais les côtes –

« **Tabarnak!**

taaa-baaar-naaak!»

À la fin je m'agenouillai, les yeux embués, et cherchai à tâtons sur l'herbe de la rosée, de l'eau, du liquide, quelque chose pour me mouiller le front parce que j'avais chaud pourtant je ne transpirais pas c'est étrange non? Finalement des larmes vinrent, et comme je ne pouvais pas les arrêter, je les laissai glisser jusqu'à ma bouche pour les boire, puis je m'étendis par terre, la moitié gauche du corps sur l'herbe, la droite sur le trottoir, et je fermai les yeux.

DEUXIÈME PARTIE

LA SÉPA

On a raison de dire NON

RATION ?

1

Les semaines qui suivirent furent les plus difficiles de ma vie. Les chagrins d'amour sont des deuils, dit-on, et les deux chemins sont jalonnés des mêmes étapes. Mais j'avais lu l'article sur le deuil dans Wikipédia et ça ne correspondait pas du tout à ce que je vivais. Choc, déni, marchandage, colère… Tout cela était très élaboré. En comparaison, mon affliction m'apparaissait unidimensionnelle, rien qu'une grande tristesse qui, comme une visière mentale, obscurcissait tout ce qui entrait dans le champ de ma conscience.

Dès le lendemain du jour où je reçus le courriel de Meng Wu et pendant deux semaines, je ne sortis plus de l'appartement. Ça ne dérangeait personne : ma prestation à *Montréalissime!* avait fait tomber dans le lac toutes les entrevues et tables rondes inscrites à mon agenda. Pour les médias montréalais, j'étais officiellement *pas fin*. Au Québec, ça ne pardonne pas, ce n'est pas comme en France, où on vénère la mordacité. En revanche, les invitations à des événements mondains champignonnèrent. Au début, je les déclinai toutes. Je me figurais que j'avais plus de chance de passer ma peine en me ceignant les reins, comme si le chagrin était une humeur que l'âme devait exsuder et que la réclusion tenait lieu de calorifère. Je restais enfermé chez moi, encalminé dans ma douleur, faisant les cent pas du salon à la cuisine, de la cuisine au salon, en parlant tout seul. Je n'agissais pas autrement que ce tigre de Sibérie que j'avais déjà vu dans un zoo de Benxi plusieurs années plus tôt; rendu monomaniaque par l'exiguïté de sa cage, il tournait en rond et butait du museau sur chaque mur en feulant, mais c'est son regard qui m'avait bouleversé, cette gelée pellucide que zébraient des éclairs de folie, et un ami qui m'aurait visité pendant cette période m'aurait sans doute trouvé dans un pareil égarement.

La nuit, je faisais des rêves terribles, des cauchemars qui me transportaient dans des mondes moisis, à la cartographie par moi connue, plantés d'immeubles caca d'oie dont les fenêtres opaques mussaient d'occultes volières orientales. Autant je pus chercher à me faire inviter dans ces chambres closes, on ne m'y recevait jamais : je ne trouvais nulle part l'intermédiaire idoine.

J'avais bu beaucoup de scotch au début de ma peine, puis, après m'être réveillé dans mon renvoyât à deux reprises, j'avais remplacé l'alcool par de l'eau citronnée.

Tantôt je brûlais d'entendre Meng Wu s'adresser à moi, tantôt j'espérais traverser ce qu'il me restait de vie sans plus jamais revoir son visage. De toutes les pensées qui me lancinaient, l'idée qu'elle ait pu tomber amoureuse d'un autre était celle qui me faisait le plus mal. Je m'arrêtais de marcher, me prenais la tête. Forcément. Elle ne pouvait pas avoir cassé comme ça, sans personne pour l'attendre de l'autre côté de la rupture. Pourquoi aurait-elle préféré la solitude à la vie avec moi ? Nous étions heureux ensemble.

Assurément, un homme l'avait séduite. Charlie, à l'université ? Elle parlait souvent de lui. Ou un de ses étudiants ? Je repensais à notre dernière conversation, à l'aéroport. Il n'y avait pas grand-chose à en tirer, elle n'avait presque pas ouvert la bouche. Ma seule certitude, c'est qu'elle avait déjà décidé de rompre. Tout était dans cette phrase qu'elle m'avait dite avant que je passe le cordon de sécurité, « Ton cœur est solide, arrête de te plaindre, tu t'en sortiras », une grognerie de cette eau, et son ton, détaché, presque agacé. Je n'aurais pas pu deviner alors, bien sûr. Mais maintenant que j'y repensais… Et cette remarque, « J'ai rêvé que tu me trompais avec une Canadienne », déchargée de toute aigreur comminatoire, presque comme une invitation à passer à l'acte. Ça aussi, c'était un signe. Comment n'avais-je rien vu ?

Aujourd'hui, j'éprouvais de la stupéfaction, mais pas de colère. Je ne lui en voulais pas. Ultérieurement non plus, je ne lui en voudrais pas. En deux ans, qu'est-ce que Meng Wu avait obtenu de moi qui ait quelque valeur ? Dans la moralité, dans l'esprit ou dans la beauté, je n'avais rien à offrir qu'elle n'avait déjà en quantité beaucoup plus grande. Ça n'avait rien à voir avec mon estime de moi. J'étais honnête et fidèle, ferme dans mes arçons en certaines matières, certes, mais jamais catégorique avec les gens que j'aimais. Je ne rougissais pas de l'homme que j'étais devenu. Cependant, je savais la valeur du doute et de l'humilité dans la vie, je reconnaissais qu'il y avait en ce monde des individus d'une essence plus claire, plus scintillante que la mienne, et Meng Wu était de cette race-là : la race des héros. C'était à la fois la raison de mon amour et de ma perdition. J'adorais

Meng Wu comme une idole, et il tenait de la peine du dam que je ne puisse plus jamais la revoir ni coller ma joue contre sa joue, mais c'était une peine méritée.

J'aurais pu lui écrire et lui demander des explications. Après tout, elle avait rompu par courriel ; ce n'était pas très chic. Mais la grandeur de Meng Wu appelait de la dignité dans la souffrance. Ainsi, malgré les questions qui m'empêchaient de dormir et ce calice d'amertume dans lequel je me noyais, je ne lui écrivis pas ni ne l'appelai, comme, au demeurant, elle l'avait demandé. C'était faire assaut d'orgueil, il va sans dire. En vérité, j'espérais que mon silence l'inquiéterait au point de reprendre contact avec moi. Cela n'arriva pas. Mais j'attendais. Chaque jour sans nouveau message d'elle était un jour mort, aussi dépourvu du pétillant de l'existence qu'une tête plantée sur un pieu, et ces pieux se succédant formèrent bientôt autour de mes jours une palissade qui ne laissait plus passer le moindre rayon de lumière.

La tristesse se mua en abattement, l'abattement en désespoir, et je réalisai que je visitais des pluies noires et inquiétantes. Alors, je recourus aux richesses de mon imagination pour émerger. Je me forçai à sortir de chez moi. J'allai me chercher des livres à la Grande Bibliothèque. Il y avait longtemps que j'ambitionnais de lire la *Critique de la raison pure* et un ami – avec qui je m'étais brouillé depuis – m'avait conseillé de commencer par les *Prolégomènes à toute métaphysique future*. J'en lisais quelques pages chaque après-midi, et me rendais compte que je comprenais assez bien si je me concentrais, ce qui provoquait chez moi des accès de fierté exagérés. Mais après une heure de Kant,

j'étais épuisé, et je prenais des livres d'art ou
de Gao Xingjian, que j'avais lu cent fois. De
musique grégorienne achetés sur iTunes penda
saoul contribuèrent aussi à ramener en moi l'
d'avant. D'avant que Meng Wu cesse de m'aimer, j'entends.
Il y avait des chants singuliers qui, de manière assez inha-
bituelle pour la musique de cette époque, commençaient
avec un soliste (le « chantre »), qui enchaînait les notes pendant un temps très long sans respirer. Mais quand, en des
moments choisis, il inspirait enfin – avec les techniques
d'enregistrement modernes, on avait l'impression d'être
avalé en même temps que l'air –, c'était quelque chose de
merveilleux, comme si la vie humaine, dans sa vulnérabi-
lité, pulsait fugitivement dans l'anfractuosité d'un chant
céleste. Puis, le chœur entrait en scène, et c'était quatre
hommes, huit hommes qui chantaient ensemble, et en de
vitales échappées inspiraient à l'unisson. Il me semblait
alors que ces mélodies sublimes, composées mille ans plus
tôt, n'étaient au fond que des écrins pour ces instants très
rares de chaque pièce où la musique s'effaçait derrière la
supplication du souffle de la vie mammifère.

Il fallut du temps, mais je recommençai à sortir. Pendant
deux semaines, j'avais lanterné les gens d'Elpis, mais ils
avaient fini par s'impatienter, jusqu'à finalement menacer
de me battre avec le bâton du pèlerin si je ne le reprenais
pas vite. À défaut d'être invité par les médias, on voulait
que je participe à des cinq à sept, à des cocktails dînatoires
et à des salons (ça redevenait à la mode dans certains quartiers anglophones). Je retournai sans plaisir dans le monde.

. . .

n soir dans une fête, une Canadienne française, apprenant que je vivais en Chine, me lança :

— Il paraît qu'on mange vraiment pas bien là-bas. Mon
oncle pis sa blonde sont allés il y a deux ans, pis ils ont été
ben déçus par la bouffe.

— C'est tout ce qu'ils ont retenu de leur voyage ? La
cuisine est mauvaise ?

— Ah ! ne-non ! se défendit la femme avec un recul,
ils ont fait un vrai beau voyage. Les sites historiques, pis
toute… c'est à couper le souffle, qu'ils disent. C'est hallu-
cinant, là (yeux écarquillés, hochements de tête feignant
l'incrédulité). Y ca-po-taient. Maaaiiis… Ils ont trouvé que
la cuisine était moyenne, tsé ? Pis, veux, veux pas, la cuisine,
c'est une partie importante d'un voyage, faque…

Mets-en que c'est une partie importante d'un voyage,
risible singesse. C'est même une partie importante de ta vie
en général, si je me fie au gras de bras qui dansotte chaque
fois que tu portes ta bière à tes lèvres. Tu excuseras les
Chinois de ne pas avoir correctement gorgé les dégénérés
de ta famille : ils sont occupés à travailler fort pour éduquer
leurs enfants, sortir leur pays de la pauvreté et envoyer des
hommes sur la Lune.

Tu es une vraie Canadienne française, une blonde livide
avec un tronc d'haltérophile, fessue, tatouée, quelconque :
une jument percheronne. « Je vous remercie de m'avoir
invité », c'est la première phrase que je t'ai dite en entrant
et en te tendant mon cadeau d'hôtesse, un crachoir en onyx
gros comme une vache trouvé dans le quartier chinois,
« Tu peux me dire "tu" », c'est la première phrase que tu
m'as dite, avec une grimace énervée. La fête, c'est toi qui

l'organises. Chef de pupitre dans un quotidien montréalais, tu inaugures ton nouveau condominium flanquée de deux Canadiens français interchangeables, barbus, chemises à carreaux, casquettes de camionneur, lunettes à monture noire, tatoués des épaules jusqu'aux poignets, de gros cordons sanguinolents pour l'un, des crustacés cognac pour l'autre, est-ce qu'ils t'embrochent tous les deux ? En même temps ou à tour de rôle ? Mais où est Mireille, enfin ? Nous sommes venus ensemble (c'est elle qui m'a introduit auprès de ces gens), mais elle m'a abandonné presque tout de suite pour rejoindre des amies. Qu'est-ce qu'elle fout ? Je veux déjà m'en aller. L'appartement est rempli de journalistes et de chroniqueurs, de jeunes propriétaires de restaurants, de sommeliers, de serveurs à la mode (ténébreux adonis), de cuisiniers – la pâtissière du Pied de cochon est là, des caudataires la ceinturent, on boit ses paroles, mais elle parle peu, apparemment elle fait aussi de la télé. D'ailleurs, je reconnais quelques vedettes du petit écran, et un chanteur avec une chevelure touffue (il lui manquait pourtant des plumes avant que je parte vivre en Chine), et une fille qui ressemble à Cœur de pirate, est-ce que c'est elle ? si oui, elle est encore plus belle en vrai.

— Moi avec, annonça un des Canadiens français (celui avec des boyaux sur les bras), j'ai un de mes chums qui est allé en Chine y a deux ans avec sa blonde pis y peuvent *relater* à ça. Y ont pas super aimé leur voyage. Apparemment, les Chinois sont ultraracistes. Genre, sa blonde à lui – ben, sa blonde dans le temps, là –, c'était une Noire, pis y se sont fait refuser d'entrer dans un bar à cause de ça. Y haïssent les Noires, là-bas…

— Non, l'interrompis-je en tiquant. C'est pas ma perception.

— Pis, genre, y avait *fuck all* taxi qui voulait les prendre parce qu'y étaient étrangers…

— Mais moi, je n'ai jamais eu de difficulté à trouver un taxi à Pékin.

— Faque ça leur prenait *way* trop longtemps pour aller d'une place à une autre, pis dans les places où on vendait des affaires, genre les marchés pis toute, les vendeurs essayaient *full* d'les crosser parce qu'y étaient étrangers.

— Écoutez, dis-je en levant la main en signe d'apaisement. Ils vivent dans un monde très différent du nôtre. Les Chinois, ils respectent la puissance. On peut-tu vraiment le leur reprocher ? Au fond, ils ont une appréhension de la réalité qui est assez juste. Les rapports entre humains, c'est toujours une affaire de puissance. Comme entre pays. On teste la puissance de l'autre, on exerce la sienne…

— Ouin, dit l'hôtesse, mais il y a des valeurs universelles. L'égalité des races, je m'excuse, mais si t'as pas compris ça, c'est parce que t'es en retard.

— Ils sont pas plus racistes que nous, ripostai-je, ils sont juste plus candides. Ils ont une façon plus frontale de nommer les chocs, les dissonances.

— Quels chocs ? s'écria la fille. Je m'excuse, mais si y a une Noire qui veut rentrer dans ton bar, tu la laisses rentrer pis c'est tout.

— C'est le portier qui décide, lâchai-je en haussant les épaules.

Ils béaient de stupeur, comme s'ils m'avaient surpris en train de me crosser au-dessus de la cuisinière bicombustible Viking battant neuve qui irradiait dans l'espace *art de vivre* (la cuisine).

— La personne qui garde la porte laisse passer qui elle veut pour les raisons qu'elle veut, insistai-je. Le monde marche comme ça, qu'est-ce que vous voulez que je fasse ? Prenez vous, par exemple (je pointais l'hôtesse), vous êtes la gardienne de cette porte-là, dis-je en montrant la porte d'entrée de l'appartement. Vous avez le pouvoir de laisser entrer qui vous voulez, et vous exercez ce pouvoir-là, mais pas forcément dans le respect des exigences de la rectitude politique.

— Qu'est-ce t'es en train d'dire ?

— Ben, vous avez laissé entrer lui, par exemple, et je tournai le menton vers un homme d'une cinquantaine d'années qui grimpait une jeune blonde très jolie dans le couloir.

C'était le directeur d'un important festival de musique qui, amoureux des cent mille vierges, avait été reconnu coupable d'agression sexuelle sur une employée d'hôtel quinze ans plus tôt. Aujourd'hui, on le voyait à la télé toutes les semaines, il faisait le pitre dans des émissions de variétés, donnait son opinion sur tout. Riche et influent. En campagne électorale, il incitait les gens à voter pour le Parti libéral du Québec. Tout ça n'avait l'air de gêner personne.

Démontée, l'hôtesse joua l'innocente.

Qu'est ce qu'y a ? Lui, là, c'est mon ami.

— Fâchez-vous pas. Mais peloter des filles à gauche pis à droite, au point de se prendre un verdict d'agression sexuelle sur la gueule, c'est, au minimum, de la grosse misogynie. Si ça vous gêne pas d'avoir un vieux misogyne dans votre condo, condescendez, je vous prie, à tolérer aussi un raciste approximatif.

Et j'esquissai une petite révérence pour rire, mais elle se fâcha noir et s'en alla rejoindre des amies qui se passaient un joint sous une reproduction de tournesols de Van Gogh. Je les vis me dévisager toutes, l'air offusqué. Je me demandai si l'hôtesse irait jusqu'à me mettre à la porte et, si oui, comment elle s'y prendrait.

— *Maaan…*, dit un des deux Canadiens français en levant sa bière, elle est vraiment en criss, là!

— Mets-en! dit l'autre en allumant une pipe à eau. Sérieux, *dude*, t'es pas raciste pour vrai, han?

Il m'invitait à répondre «non» avec des yeux de vache qui vêle. *Fuck you, man.*

— Qu'est-ce que vous faites dans la vie, messieurs?

— Cuisinier.

— Moi avec.

— *Attaboy*. Dans le même restaurant?

— Non. Moi, je suis au Fils de Cythère, sur Saint-Denis, juste avant Marianne.

— Moi, au Brumes crépusculaires.

— Ah! c'est des maudits beaux noms. J'ai remarqué que le français à Montréal est bien mis en valeur dans les noms de restaurants. Il est en ruines dans tous les autres aspects de la vie collective, mais au moins, sur les enseignes, il fleurit. Vous voyez ce que je veux dire?

— Han?

Je les complimentai sur leurs tatouages, ils se détendirent et devinrent très loquaces. Nous discutâmes encore dix minutes, puis j'inventai une excuse et m'éloignai. Je passai une demi-heure à frôler les invités qui, réunis en petits cercles, discutaient riaient flirtaient. Tout le monde était sur le point d'aller voir un concert de Leonard Cohen; moi, je pensais qu'il était mort, apparemment non, il était particulièrement populaire auprès des jeunes Montréalais mâles, qui s'imaginaient que le fait d'écouter *Famous Blue Raincoat* en boucle faisait rejaillir sur leur masculinité handicapée de valets de pisse *french canadian* un peu de la virilité douce du vieux Juif. À un moment donné, on remplaça Cohen par les chansons d'une Acadienne dépressive qui avait fait un album complet avec douze mots de vocabulaire, dont « Kraft Dinner », « papier de toilette » et « marde », et quand elle chantait « c'est d'la maaarde », tous les invités hurlaient « maaarde » avant d'éclater de joie. En sortant des toilettes, je me cognai sur Mireille, qui tenait un *drink* jaune pipi avec des glaçons et ne sembla pas saisir comme j'étais cafardeux.

— Pis, t'as-tu du fun?

En tout cas, elle avait l'air de s'amuser beaucoup.

— Oui, merci.

Viens, je veux te présenter une amie.

Du papier crépon et des lanternes Yogi l'ours décoraient la terrasse. L'amie de Mireille s'appelait Isabelle, elle m'attendait à une petite table pour une espèce de quart d'heure américain nouveau genre, il y avait même un fauteuil cabriolet réservé pour moi sous le dais d'un grand chêne rouge. C'était une fille de mon âge, mais déjà des fils d'argent rayaient son épaisse chevelure châtain. Ses yeux émeraude à la liqueur trop diluée lui donnaient l'air malade, mais il y avait beaucoup de monde au balcon, façon apprentie boulangère. Elle entreprit de me draguer obligeamment. Elle sentait drôle, comme ça sent quand on rentre dans un restaurant vietnamien, un mélange d'ombellifères et d'agrumes.

— J'ai pas encore lu ton livre, mais mon amie Loulou l'a lu pis elle a ca-po-té.

— Loulou…, murmurai-je. Me semble que toutes les filles au Québec ont une amie qui s'appelle Loulou. Mais on la voit jamais, Loulou. On entend juste parler d'elle.

— Eille, c'est vrai! s'esclaffa Mireille. Moi aussi, j'ai une amie qui s'appelle Loulou!

— Je gage qu'il y a juste *une* Loulou dans toute la province, et que toutes les filles sont amies avec. Aucun gars l'a jamais vue.

Et, toute plaisanterie à part, je laissai mon esprit s'envoler jusque chez Loulou, qui n'avait pas été invitée à la fête parce qu'elle était trop grosse. Pauvre Loulou! qui mangeait du chocolat toute seule un vendredi soir en enchaînant les épisodes de *How I Met Your Mother* pendant que ses amies plus minces se faisaient draguer dans des pendaisons de crémaillère. Loulou qui faisait une trompette de son cul chaque fois qu'elle en avait envie – «Bah! c'est pas comme si je dérangeais quelqu'un...» Et pourtant, pourtant! Tout le monde aimait Loulou! Brillante, volubile, follette. Très en phase avec ses organes génitaux. Elle parlait librement de sa chatte, c'est-à-dire de ce qui en sortait, moins de ce qui y entrait parce qu'on ne lui faisait jamais l'amour, rapport qu'elle approchait les deux cent soixante livres et, surtout, surtout, que de sa convivialité, de sa générosité, de sa câlinerie transsudait un écœurant appétit de maternité. Parce que Loulou était, dans sa génétique même, une pondeuse, une nourrice, une maman vache, sans personne pour la féconder, pauvre, pauvre Loulou! qui remplissait son profil Facebook de photos de son visage cadré de très près, ses joues unies et lactées magnifiques, une peau de reine, et chaque fois, trente, cinquante de ses mille deux cent cinquante-trois amis commentaient (*Euh... allô, pétard????* — *Trop belle, ma Loulou!!!* — *Wow!* — *J'ai juste le goût de croquer tes belles grosses pommes!* — *Ben là!*), mais c'était toujours juste des filles. Pour un homme, une femme tout en tétines, c'est répugnant.

— Est-ce que je peux aller vous chercher à boire? demanda Mireille, qui voulait, de toute évidence, nous laisser seuls.

— Un Old Fashion, dit Isabelle.

— Une bière.

Mireille s'éloigna.

— Enfin un gars qui boit autre chose que des *drinks fancy*. Pour moi, un homme, ça boit de-la-bié-reuhhh!

Et elle cogna la table de son poing anormalement gros.

Isabelle était pleine de nounounerie et elle ne s'arrêtait jamais de parler. C'était moi devant elle, mais ç'aurait pu être un mur, peu lui importait. Il n'était pas exclu qu'il se soit agi d'un cas de trouble du déficit de l'attention avec hyperactivité, le TDAH, cette nouvelle maladie mentale à la mode dont la moitié des Québécois se disaient atteints. Mais en y pensant bien, qu'était donc le TDAH, sinon un terme cryptoscientifique pour désigner le caquètement sans fin des Canadiens français, leur phénoménal manque d'écoute? On disait «TDAH», j'entendais «gérant d'estrade». On disait «TDAH», j'entendais «prophète de comptoir de dépanneur», j'entendais «ti-coune qui écrit au son et qui a une opinion sur tout», j'entendais «Canayen français». Était-il possible qu'on puisse assimiler tout un peuple à un trouble pédopsychiatrique? Je n'avais jamais entendu parler de ce problème en Chine, et j'aurais parié mes économies qu'on n'avait, à ce jour, recensé aucun cas de TDAH au Japon. Les gens là-bas, bien élevés, savaient écouter.

— Y a pus de vrais hommes, affirma Isabelle. L'autre jour, j'étais dans le métro pis j'étais debout, tsé, accotée dans le fond du wagon. Je *spotte* un gars à côté de moi, accoté lui avec. Y était en train de lire pis je le trouvais pas pire *cute*. Pas, genre, «je capote, attachez-moi», mais *cute*. Mon genre. Ben, déjà, moi, un gars qui lit dans le métro… Chu assez *into* les intellos, mettons. Faque c'est ça. On se zyeute à chaque arrêt. Je le vois lever le nez de son livre de temps en temps pour tourner la tête vers moi. C'est *cute*. Pis là, à un moment donné, y a un *dude* vraiment *deranged* qui rentre dans le métro.

— *Deranged* comment?

— Schizo, je pense. Y parlait à quelqu'un qui était pas là. C'est de la schizophrénie, ça, non ? Y devait avoir vingt ans, genre. Grand, maigre, crâne rasé. C'était peut-être un *bad trip* d'héro, aussi. Je le sais pas. Pis la conversation entre lui pis lui-même était *fucking* intense. Genre, y criait, là. Le métro était plein, personne parlait, tout le monde baissait les yeux. Sauf que là, à un moment donné, le gars a enlevé sa veste, de même, tsé ? de façon *fucking* intense, pis y l'a sacrée par terre, genre, aux pieds d'un ennemi imaginaire, pis là, y a commencé... C'était même pus crier, tsé ? C'était... Y as-tu un mot plus fort que « crier » ?

— « Hurler » ?

— Oui ! Y hurlait. Y était vrrraiment pompé. C'était comme si... Je sais pas comment le dire. Il s'autopompait. C'est-tu clair ?

— Comme de l'eau de roche. Il se pompait lui-même.

— Exact !

— Remarque, les gars font souvent ça.

— Ben c'est sûr ! Sauf que lui, c'était plus dans le spectre de la maladie, comme qu'on pourrait dire. Y faisait vraiment peur. Pis dans le wagon, la panique avait *steppé up* d'une coche. Parce qu'y devenait méga violent. Y faisait ça avec ses poings (elle simulait des directs), les gens autour de lui ont commencé à se tasser. Là, y se met à marcher vers le fond du métro. Vers où on était. *Maaan !* Je ca-po-tais.

Avec ma vision périphérique, j'aperçus à ma droite l'hôtesse de la soirée qui montrait mon crachoir à des invités en me pointant, « *Checkez* ça, *guyz* », les visages étaient consternés.

— Le métro était plein, continua Isabelle. Je me suis dit si jamais, si jaaa-mais le *dude* devient menaçant, avec moi ou avec n'importe qui, les gens vont intervenir, tsé ? Y vont se mettre à dix ou je sais pas quoi, pour l'arrêter. Pis si jaaa-mais personne fait rien, mais que le *dude* m'attaque moi, c'est *safe* d'assumer que le bel intello, lui, y va *stander up*. Tsé ? Faque je l'ai regardé comme faut, genre, droit dans les yeux. L'intello, je veux dire. Y était pas super grand, cinq pieds neuf, genre, mais y était bâti. Y tenait son livre avec son bras replié, de même, pis je voyais son biceps, pis ç'avait l'air dur. Y avait des *tattoos*, toute. C'était un intello, mais… un intello musclé, tsé ?

Où était donc Mireille avec ma bière ? J'étouffais.

— Ça fait que là, le *sicko* continue d'approcher, je commence à avoir vrrraiment la chienne, là, pis c'est *fucking weird* parce que les gens font semblant qu'y se passe rien ! Y continuent à lire leur journal, à regarder leur iPhone… Moi, je *flip up* ! Faque je me tasse vers le beau gars, pis je m'approche quasiment au point de le coller. Là, le métro s'arrête à Pie-IX… pis tu devineras jamais qu'est-ce qui s'est passé.

Dans ma tête, je dormais.

— Le beau gars est sorti ! Y a fait *sweet fuck all* pis y est sorti ! Mais tsé, c'était évident que c'était pas sa station ! Y a juste débarqué là sur un coup de panique, parce que l'autre *dude* lui faisait peur ! (En levant les mains :) Paeuh-reuh ! Pis y a pas juste lui, han ! Y a plein d'autre monde qui sont sortis.

— Hé ben. Quelle histoire.

— J'étais tellement *pissed off* ! C'est pour ça que je dis qu'y a pus de vrais hommes.

— Qu'est-ce qu'y est arrivé avec le fou ?

— Ben c'est ça qui est le plus drôle, dit Isabelle sans rire. Quand le métro s'est arrêté, y s'est mis juste derrière le beau gars, pis y est sorti en même temps, en laissant sa veste traîner par terre en plein milieu du wagon. Quand le métro est reparti, j'ai regardé par la fenêtre pis j'ai vu que le *dude* parlait au beau gars. Je pense pas qu'y le menaçait, par exemple. Y avait plus l'air de lui quêter du *change* ou une *smoke*. Mais quand même, c'est ironique, quand on y pense.

— Il y a quand même beaucoup de déséquilibrés à Montréal, constatai-je.

— Oooh que oui ! acquiesça Isabelle.

— Traverser Montréal d'est en ouest, sur n'importe quelle rue au sud de Jean-Talon, c'est faire un looong voyage au pays de la maladie mentale.

— *True that !*

— Un zinzin attend pas l'autre. Pis c'est sans compter les toxicos.

— *Yup.*

— Je vais te dire une affaire, Isabelle. Si c'est moi qui étais maire, j'organiserais des rafles.

— Des rafles ?

Ce n'était pas un glapissement offusqué. C'est parce qu'elle ne comprenait pas le mot « rafle ».

— Des rafles, des... *round-up.* Je passerais avec un camion, je crisserais tous ces porcs-là dedans : les ti-gars avec leur chien, les touche-piqûre, les toc-toc, tout le monde. Après, je te *packterais* ça dans un avion-cargo qui irait domper toute cette belle souillure dans le Grand Nord.

Une fois sevrés, ça donnerait des grands garçons solides, qui construiraient des barrages pis qui creuseraient des mines, pour l'élévation du Canada français. Pis ici, dans nos rues pis nos métros, ben y en aurait pus, des osties de wâbos désaxés pour faire peur au monde. Qu'est-ce que t'en penses?

Elle resta étonnamment stoïque malgré la commotion.

— Mmm... Je pense qu'être un vrai homme, c'est aussi avoir de la compassion.

— T'as sûrement raison, Isabelle.

«Isabelle»: je répétai lentement son nom en la fixant, mais ma vision périphérique fourchait vers ses seins. J'avais envie de coucher avec elle, mais comment aurait-elle accepté de se faire chatouiller le nombril après le chapelet d'hérésies que je venais de débiter?

— Bâooooon..., souffla-t-elle en détournant le regard. Je vais aller *mingler* un peu. *Have fun.*

Je la regardai s'éloigner en me désolant de cette fâcherie sur laquelle nous nous laissions. Contrairement à ce que je pouvais penser moi-même, j'étais un homme de paix.

Seul sous mon arbre, je me sentis soudain tout chose. L'hôtesse faisait le tour de la terrasse avec mon crachoir. Dans la dernière heure, j'étais devenu le mariole de la soirée. Une fille en boubou m'accosta avec un plateau de bâtonnets de viande fumée, «du damalisque, ça vient de la Namibie, c'est super bon», en réalité elle voulait juste voir de près le moineau qui donnait des spitounes chinoises quand on l'invitait à une crémaillère sur le Plateau.

Je traversai l'appartement, marchant au rebours de beaux jeunes Canadiens français qui, par grappes rieuses, migraient vers la terrasse. Très peu de gens laids. L'horloge marquait vingt-trois heures quinze, tout le monde était saoul et s'abîmait dans des approches sexuelles variablement fécondes. De plus excités faisaient des bonds de cabri sur une chanson de Stromae. J'allais à contresens de tout le monde, vers la sortie, comme si un muscle abducteur invisible m'écartait à dessein de ce tout organique à la motilité gloutonne et avachie.

Le condominium occupait le deuxième étage d'un immeuble qui en comptait trois. Avantageusement situé devant le parc Baldwin. Briques terre d'ombre, escaliers en spirale, le Plateau des cartes postales. Je déambulai un moment dans le parc. Je ne m'étais pas tiré indemne de ces deux semaines de claustration. Je m'étais rendu compte avec étonnement que je parlais souvent tout seul, parfois même en public. Mon esprit s'était disloqué en un certain nombre de continents psychiques qui parlementaient, vociférateurs bilieux aux voix multiples. À vrai dire, cela ne me dérangeait pas tellement, comme de toute façon j'arrivais à les assourdir si je voulais. Il existait dans mon esprit un bel abat-voix de jade noir sous lequel je me juchais quand j'en avais assez. De là, je faisais taire tout bruit et soliloquais longtemps pour créer avec le Verbe une musique qui me plaise. Mais quand, enfin, je sortais de moi, la spirale de l'isolement m'inquiétait ; je craignais qu'elle mène à la folie.

Meng Wu m'avait rejeté parce que, d'une certaine façon, j'étais indigne d'elle. Mais pour moi, c'était toute la Chine qui me rejetait et me disait : «Tu peux vivre ici si tu veux, si tu acceptes de travailler dur et de respecter nos lois et nos traditions, mais tu n'es pas des nôtres, tu ne seras jamais des nôtres. Un jour, il faudra bien que tu retrouves les tiens, que cela te plaise ou non. » Mais les miens étaient à l'intérieur de ce logement, à boire du vin et à commenter les hors-d'œuvre, et je me sentais comme un étranger parmi eux.

Je suivis une tortille jusqu'à un banc et me laissai choir en soupirant, la gorge nouée. Je songeais à la vie qui m'attendait. C'était la vie sans Meng Wu, qui avait été la mienne déjà avant de la connaître, un univers dépeuplé dont la trame noire était tissée de bâillements, de jeux vidéo, d'un peu de lecture, de niaiseries et d'une solitude sans fin. Je m'ennuierais en attendant la mort, en l'anticipant, en la visualisant sans cesse, comme c'était ma seule revanche sur elle de toute façon. Tout autour, la nature opaque du parc palpitait sous le vent. Malgré moi, je levais souvent la tête vers l'appartement. La baie vitrée, encadrant une lumière crue et les silhouettes de jeunes gens qui discutaient, se découpait dans la nuit comme un écran de cinéma. Des rires et de la musique, étouffés. En croisant les jambes, je constatai que mon caleçon était trempé de liquide préséminal.

Les seins d'Isabelle.

J'appelai un taxi. Dans la voiture, je demandai au chauffeur de m'amener au centre-ville. J'y avais repéré quelques salons de massage très décomplexés, annoncés par de grands néons rouges génériques et pareils (« MASSAGES », sans autre raison sociale). Isabelle avait éveillé en moi un violent appétit sexuel, mais le dragage en bonne et due forme d'une fille dans une soirée, qui impliquait une conversation de plusieurs heures et la consommation ininterrompue de boisson alcoolisée jusqu'au moment du coït (six secondes chères payées), m'apparaissait bien au-delà de mes forces.

À mesure que le taxi descendait Saint-Urbain, ma bouche s'asséchait, ma langue et l'intérieur de mes joues prenaient la texture du papier à cigarette. La nervosité faisait ça. La honte peut-être aussi.

Le chauffeur me laissa descendre devant le Musée des beaux-arts. Je marchai une demi-heure dans le centre-ville, à la recherche d'un endroit discret. Mon choix s'arrêta sur un établissement de la rue Crescent, au deuxième étage d'un immeuble anonyme et tapi, encaissé par deux chantiers. Trottoirs déserts. Un verrou électronique bloquait la porte, il fallait sonner. Heureusement, on n'attendait pas longtemps.

À l'intérieur, un escalier menait à un vestibule moite et obscur, bercé par le ronron d'un spa caché derrière. Ma nervosité se dissipa légèrement. Le Rubicon était franchi, qui séparait ma société sermonneuse et hypocrite de cette civilisation rassurante du sexe rémunéré, où les bordels du monde entier menaient invariablement, comme des portails. Derrière un comptoir, une quadragénaire de belle allure, douce, aux traits européens et maternels, accueillait les clients. Son français était doucement roulant – «Bienvénoue». Roumaine, si j'avais eu à parier.

— Vous avez le lendez-vous?

— Non. C'est un problème?

— Paaas dou tout. Paaas de ploblème. Maintenant, on a quatle filles: oune qui est occupée, mais tlois qui peuvent vous accompagner.

— Je voudrais une fille qui ne parle pas français du tout.

— Ah bon ? s'exclama-t-elle, perplexe. Oune qui palle anglais ?

— N'importe quelle langue, mais pas français.

— Mmm…

Une empathie inattendue lui fit contracter son visage. Qu'elle fasse ainsi sienne mon affliction me toucha beaucoup, jusque dans mes parties génitales, en vérité, et je me demandai si elle-même figurait au menu, mais non, sûrement pas, à chacune son métier. Elle était probablement la mère des enfants du propriétaire, qui lui-même devait être un génocidaire serbe recherché par la Cour pénale internationale, ou un ancien passeur tchétchène, ou un revendeur italien lié à la mafia. « C'est cinquante-cinq poul oune demi-hol, cent poul oune hol. Ça n'inclout pas le poulboil poul la fille. Il faut discouter avec elle. »

J'achetai oune hol.

— Je vous montle les filles. Y en a tlois, mais une c'est flançais, alol… Poul vous, il en est deux.

Le parloir où elle me conduisit était conçu pour déstresser. L'éclairage rendait les visages enluminés et flous. Le plancher, un assortiment de rosaces mauresques en zelliges, sentait l'argent et le bon goût. Douche, lavabo. Des flacons d'huile et d'onguent. Une odeur de Jean Coutu, en plus lourde et humide. La sous-maîtresse m'invita à attendre la présentation des dames dans un élégant fauteuil Louis quelque chose recouvert de damas doré. Un moment passa, puis une grande Noire poussa la porte, rien sur le dos que des sous-vêtements délicats et des talons hauts, « *I'm Kate* », en lui faisant la bise je frôlai sa cuisse du plat de la main et sentis une pilosité assez drue pour râper du parmesan, «*Nice to meet you, Kate*», t'aurais pu te raser les jambes avant de venir crosser des hommes ostie, elle et la patronne ressortirent de suite en refermant la porte, la fille avait rempli la pièce d'une odeur de cigarette.

Je me rassis dans le fauteuil, dégoûté. Tout bien considéré, je ne croyais plus que je serais capable de bander dans un pareil endroit. Puis, la porte se rouvrit de nouveau. La patronne, accompagnée d'une deuxième fille.

Je la reconnus tout de suite.

Tout-de-suite.

C'était la brunette cabalistique que j'avais croisée à Radio-Canada trois semaines plus tôt. Celle qui m'avait souri dans la régie.

— Ça, c'est Eudoxia, dit la patronne. Elle est lusse.

2

— Alol?

La sous-maîtresse passait la tête dans l'encadrement, m'examinait en souriant. Eudoxia s'en était retournée dans l'arrière-boutique.

Le cœur me battait. Alol, madame, ai-je vraiment le choix? Choisir la grande Noire ne reviendrait-il pas à rabrouer cette force organisatrice occulte qui, pour la deuxième fois en quelques semaines, a croisé dans l'espace et le temps nos trajectoires respectives, à moi et cette nébuleuse putain radio-canadienne? Et si je vous disais, madame, que ma flamme, éteinte au contact de la fleur de tunnel et de sa pilosité carnivore, s'était rallumée avec une violence telle que j'aurais pu abaisser une pâte à tarte avec ma queue, cela vous convaincrait-il de l'impérieuse nécessité de retourner vite dans le magasin pour y chercher la tsarine de mes envies?

— J'vas prendre la Russe, je pense.

— La Lusse? C'est bien. Elle est bonne, Eudoxia. Plenez la douche, elle sela là bientôt.

Dans la douche, pas de savon, plutôt un distributeur qui morvait une lotion au parfum cacaoté et pétrolifère. Je tremblais. Tout à coup, je regrettais d'avoir choisi la sylphide cosmique, je me sentais transpirer même sous le jet d'eau. Désir, honte et incrédulité se confondaient en un lingot funeste qui verrouillait mon abdomen et pesait sur mes intestins, ma vessie, mes reins. Je me bornais à astiquer lentement ma bite, indécis : qu'est-ce que j'allais faire ? Était-ce bel et bien la fille qui m'avait souri en sortant du studio 34 de Radio-Canada trois semaines plus tôt ? Mais pourquoi une masseuse russe qui ne parlait pas français se serait-elle retrouvée dans les couloirs du diffuseur public un mardi matin ? *Montréalissime !* avait peut-être fait un sujet sur la prostitution. C'était leur genre. Peut-être que la fille parlait mieux français que la maquerelle l'avait laissé entendre.

Plus vraisemblablement, peut-être que c'était une tout autre personne. Peut-être que je confondais deux filles qui se ressemblaient.

Je lâchai mon sexe, collai mon front contre la céramique de la douche et me forçai à prendre de grandes respirations pour au moins perdre mon érection.

À son retour dans la pièce, Eudoxia me trouva nu comme un ver, assis sur un coin de la table de massage. Je pouvais la dévisager tout mon saoul, sans doute très impoliment de sa perspective à elle, mais j'avais acheté ce privilège. Comment pouvait-il s'agir d'une autre personne ? Les mêmes yeux superbes, silhouettés en feuilles de cerisier. Les mêmes joues saumonées, dont la chute, arrondie et soudaine au niveau du menton, rappelait les vallées de Mars. Et comme il y avait de morbidesse martienne dans cette fille ! Dans sa fixité, dans son éloignement, son mystère, son immanence ! Sa tournure gracieuse obombrait toutes les Caucasiennes que j'avais vues dans ma vie, obombrait aussi cc lieu, ce parloir enténébré d'un salon de massage érotique de la rue Crescent. Comment ne pas céder devant l'immense suavité de cette sensation ? Je cherchais des répliques spirituelles, mais ne pouvais rien faire d'autre que la manger des yeux. Une idéalité. Mon idéalité, en rien dissemblable à l'image que j'avais fixée dans mon esprit quelques semaines plus tôt, à cela près que les lignes du visage de la femme devant moi étaient doucement plus busquées, et les yeux, noirs comme les ailes d'un corbeau dans mon souvenir, étaient ici vert olive.

— *Do you remember me ?* demandai-je.

— *Mmm ?*

— *We met a few weeks ago. In Radio-Canada. I was waiting for my turn, and then you came out of the studio… We stared at each other for, like, two seconds.*

Son visage exprimait une perplexité sincère.

— *No, sorry. Mistake.*

— *No, no mistake. A morning show…* Montréalissime !? *You wore a beige skirt, a white shirt… I don't know what you were doing there, but it was you. Radio-Canada ? CBC ?*

Elle se retourna pour retirer sa culotte et son soutien-gorge.

— *My English very few*, expliqua-t-elle compendieusement en me faisant face à nouveau.

Son corps était fuselé comme une pièce d'artillerie, ses seins petits, parfaits, ses hanches fines et galbées. Je m'empressai de m'étendre sur le ventre.

— *Sooo… It is 70 dollars, or 90 dollars and you can touch.*

— *Touch where?*

— *Everywhere, but no down here*, spécifia-t-elle en pointant son pubis, que rayait une fine bande de poils noirs.

Elle exécuta un massage traditionnel sur mes cuisses et mes jambes avec une huile chaude. Dur de la toucher dans la position où j'étais ; mes bras remuaient à tâtons comme des branches au vent de chaque côté de la table. Je parvenais au mieux à lui agripper une fesse ou une cuisse de temps en temps. Elle se laissait faire sans sourciller, se concentrant sur son travail. Il y avait de l'acquis dans ses mains, une technique, pas un savoir-faire spécialisé, mais tout de même, quelque chose d'appliqué et de téléologique, « voilà un établissement sérieux, pensai-je, pour une clientèle tracassière et sélective ». Je me déboîtais le cou pour la regarder, tout mon plaisir était là, ses seins et ses lèvres surtout, je voulais toucher ses seins, je voulais sentir ses lèvres autour de mon gland, je ne savais pas très bien encore comment les massages se terminaient au Canada – pipe ou branlette ? –, c'était ma première fois ici, c'est un passe-temps que j'avais contracté en Asie avant de rencontrer Meng Wu, à une époque où je faisais la fête tous les soirs avec des expatriés français.

Comme elle était belle ! Sa mine rêveuse amplifiait mon désir. Elle pensait à autre chose, quelque chose de doux, en ne laissant pourtant aucun de ses gestes exprimer de lassitude ou de distraction.

Après une demi-heure d'une embrocation somme toute papa-maman, elle me grimpa sur le corps et promena ses seins sur mes jambes et mon dos. Puis je me retournai, et lui léchai la nuque et les mamelons sans qu'elle s'arrête de louvoyer. À la fin, me tournant le dos, à croupetons sur ma poitrine, elle me masturba consciencieusement. Bien sûr, ce n'était pas du tout ce que je voulais. J'étais capable de me masturber tout seul. J'entretenais de tout autres attentes avec une professionnelle que je payais cent quatre-vingts dollars. Mais comment demander une fellation sans m'enfoncer davantage dans ce lit d'abjection d'où je me présentais à elle, seul et à poil dans un salon de massage du centre-ville un vendredi soir?

Pour donner un peu de tonus à ce décevant onanisme, je caressai ses cuisses dures et lisses comme des bancs d'église, puis ses fesses; à un moment, j'approchai mes doigts trop près de ses lèvres, et elle bougea les fesses en signe de désapprobation. Cela prit du temps, mais en fin de compte, grâce à l'huile et à sa façon habile de reproduire avec ses mains l'onctueux de la vulve, elle parvint à me faire jouir. Je m'ébrouai une minute en regardant le plafond, puis dressai le torse pendant qu'elle se lavait les mains.

— *Do you do other things? Do you have other services?*

— *What services?*

— *Do you use this?* fis-je en montrant ma bouche.

Oh no! rétorqua-t-elle en faisant papillonner ses mains pour les sécher. *You suck my breasts is enough, yes, OK?*

— *I'm sure we've met before.*

— *No met before*, soupira-t-elle dans un sourire fatigué. *Really no met. You shower, now. Yes. OK?*

— *You shower first. I'll just lie here for a bit.*

Elle prit le temps de se laver, puis me céda la douche et nettoya la pièce pendant que j'étais sous l'eau. Je la regardais faire par la vitre. Il fallait changer le papier qui protégeait la table des éjaculations des clients et nettoyer les coulisses de sperme et d'huile qui glissaient sur les pattes du meuble. Mettre les serviettes trempées dans un coin et jeter les lingettes qu'elle avait utilisées pendant le massage pour faire sa toilette intime et essuyer ses mains. Éponger l'eau qui s'étalait en flaques sur le plancher à cause des douches successives. Une serviette autour des reins, je me dépêchai de lui filer le fric pour qu'elle sorte et me laisse me rhabiller tranquille – au salon de massage, on paye aussi pour profiter en paix de la langueur postéjaculatoire, il me semble. Pourtant, elle restait là, à bouffer des yeux ma noircissure, mon fric dans la main.

— *What now?*

— *I must wait for you. Is the rule. Then, I must go with you until the door, until you leave the office, you go outside. You understand? Is the rule.*

— *But… why? You're afraid I'm gonna steal shampoo or something?*

— *Is the rule*, répéta-t-elle en haussant les épaules.

Je remis mes vêtements en soupirant. Elle me raccompagna jusque dans le vestibule. Au moment des adieux, elle m'embrassa sur les deux joues en souriant. Je la sentis à la fois soulagée et nauséeuse.

• • •

Le lendemain matin, je trouvai sans peine sur le site de Radio-Canada la page de l'édition de *Montréalissime!* à laquelle j'avais participé. Chaque entrevue était disponible en fichier audio individuel, avec des photos des invités (sur la mienne, j'ouvrais la bouche près du microphone, qui incidemment avait la taille d'une grosse zoune, j'avais l'air d'un petit servant de messe à qui on s'apprête à enfoncer un braquemart dans la gueule, merci pour le choix de photo, sûrement qu'ils avaient fait exprès à cause de l'entrevue). Je ne m'intéressai pas du tout à mon segment. Par contre, l'identité de l'invitée qui était passée avant moi me plongea dans la plus brumeuse perplexité.

La fille sur cette photo était-elle la palpeuse chagrine du salon de massage? Je n'aurais pas su le dire même avec un canon sur la tempe. Le plan de visage était très rapproché, plus que pour moi, si bien qu'on ne voyait pas la chevelure, qu'une mèche marron retombant sur son front. Cette bouche ourlée et la façon dont les incisives se laissaient voir derrière les lèvres entrouvertes correspondaient. En revanche, la fille de la photo avait dans l'œil une profondeur effrayante, qu'on discernait mieux encore en zoomant sur l'image : cette oubliette rougeoyante, éclairée par une flammerole de curiosité, m'avait fasciné quand nous nous étions vus ce jour-là dans la régie, et si la veille, dans le parloir, je l'avais cherchée dans les yeux de la masseuse, je n'avais pour autant rien trouvé qu'un regard terne. La netteté de la photo révélait aussi des taches de son autour du nez de l'interviewée, graines de pain minuscules sous une merveilleuse glace d'heulandite que je ne me souvenais pas d'avoir remarquées chez cette femme qui m'avait branlé la veille.

Puis, il y avait la fiche identificatrice. Péremptoire. Imparable.

« Catherine Tremblay, doctorante en histoire à l'UQAM »

Catherine.

Tremblay.

Et ce titre qui surmontait la photo : « Patrimoine : une jeune historienne à la rescousse de Jeanne Mance ».

Suivaient deux paragraphes de présentation, que je reproduis textuellement :

« Catherine Tremblay demande à la Ville de Montréal d'exhumer la sépulture de Jeanne Mance et de lui trouver une demeure nouvelle, sûre, pérenne et, surtout, ouverte aux visites pour un public choisi. La jeune femme est tellement fascinée par la figure de la cofondatrice de Montréal qu'elle en a fait le sujet de sa thèse de doctorat. Aujourd'hui, elle s'inquiète pour son héroïne.

C'est que la dépouille de Jeanne Mance repose actuellement dans le caveau des Sœurs hospitalières, dont le couvent est rattaché à l'Hôtel-Dieu. Or, la construction du nouveau CHUM signe la fermeture très prochaine de l'antique hôpital. On ne sait toujours pas ce que deviendra ce terrain situé en plein cœur de Montréal, mais des observateurs craignent qu'il soit laissé à l'abandon et devienne, à plus ou moins brève échéance, un squat à ciel ouvert. Dans cette éventualité, qu'adviendrait-il du tombeau de Jeanne Mance ? "Il n'y a pas une grande volonté de la part des autorités de protéger la sépulture ni de la mettre en valeur", déplore Catherine Tremblay. »

J'activai le lien audio, écoutai l'entrevue deux fois en entier.

Jeanne Mance était laïque, mais elle avait obtenu le droit d'être inhumée dans le caveau des religieuses hospitalières. En effet, de l'avis unanime, la brave femme s'était comportée mieux qu'une sainte, à passer sa vie à décrotter de petites Amérindiennes, et à soigner et évangéliser des Sauvages. À rester chaste. À frôler le viol, une fois : une bande d'Iroquois tapis dans les herbes, qui avaient attendu qu'elle sorte pisser pour lui sauter dessus. Non, à sa mort en 1673, la question ne s'était même pas posée. Les hospitalières, auprès desquelles Jeanne Mance avait vécu pendant toute sa vie en Nouvelle-France, l'avaient inhumée avec les leurs, dans le caveau de la communauté.

« À l'époque, explique Catherine Tremblay à l'animatrice, l'hôpital était situé dans le Vieux-Montréal, là où il y a aujourd'hui le Cours Le Royer, près du palais de justice. Les sœurs ont commencé par prélever le cœur de Jeanne Mance. On faisait ça avec les personnes importantes. On l'a fait plus tard avec le cœur du frère André. Celui de Jeanne Mance a été placé dans la chapelle de l'hôpital, comme une relique. Les gens pouvaient venir le voir. Mais en 1695, un incendie a détruit la chapelle et le cœur a brûlé. »

Catherine Tremblay avait prononcé ces mots d'une voix lestée d'une indéfinissable tristesse, que je me demandais si j'avais été le seul à relever. La néantisation du cœur de Jeanne Mance semblait la navrer.

« Deux cents ans plus tard, l'hôpital et la chapelle ont déménagé à l'endroit où ils sont maintenant, près du mont Royal. Les os de Jeanne Mance ont été transférés dans la nouvelle crypte, avec dix-sept autres religieuses mortes depuis l'établissement de la congrégation en Nouvelle-France. Et Jeanne Mance est toujours là. Si vous allez prier dans la chapelle du couvent des Hospitalières – ce que je vous encourage à faire, c'est une belle petite église –, gardez en tête que Jeanne Mance est à quelques mètres sous vos pieds. C'est pas rien ! Et donc, moi, la question que je pose, c'est : Qu'est-ce qui va arriver avec Jeanne Mance quand l'Hôtel-Dieu va avoir déménagé ses activités dans le nouveau CHUM ? »

Ce sont les propos qui s'échangèrent ensuite qui m'intéressèrent le plus.

— Est-ce que c'est vrai, demanda l'animatrice, que vous vous êtes fait arrêter dans le couvent ? Par la police, je veux dire. Pour entrée par effraction.

Catherine Tremblay accusa la question avec légèreté, comme si elle l'attendait.

— Je passe en cour le 8 décembre.

— Mais, ma foi… qu'est-ce que vous êtes allée faire là ?

— Je voulais voir Jeanne Mance. Les Hospitalières ont toujours refusé d'ouvrir leur crypte au public. C'est normal. C'est un cimetière. C'est le dernier repos d'une cinquantaine de religieuses. Elles ne veulent pas transformer l'endroit en cirque. C'est une question de dignité. Je comprends ça. Mais moi, moi, je veux voir le tombeau de Jeanne Mance. Je considère que j'ai le droit.

— À ce point-là ! s'esclaffa l'animatrice. Pourquoi ça ?

— D'abord, il faut savoir que mon ancêtre français venait de Langres, comme Jeanne Mance. Agnan Baudile.

Arrivé à Rivière-aux-Rochers en 1701. Marchand d'oignons. Donc, on pourrait dire que Jeanne est ma compatriote. Elle est mon aïeule dans le temps, mais ma sœur dans quelque chose de plus grand. Dans l'histoire. Dans le sang. Dans l'éternité (je l'imaginais, ce disant, agiter son poing, comme si elle menaçait l'animatrice). On est en dehors de la chronologie. C'est difficile à expliquer. Je veux me recueillir sur la tombe de ma sœur langroise. Ça fait longtemps que j'attends. C'est un droit sacré. Et je trouve bizarre que les Hospitalières – je veux dire, des religieuses –, parmi les dernières dépositaires du sacré dans notre civilisation, ne comprennent pas ça.

Ces choses intelligentes et vertigineuses, Catherine Tremblay les disait avec un accent que j'essayais en vain d'épingler à une région du Québec, et avec une voix délicieuse, je dirais une voix « bistre », comme un dérivé légèrement renforci de sa chevelure ; c'était un autre effet de ma synesthésie que de me faire associer des timbres à des couleurs, et en toute vérité, je ne saurais pas décrire la voix de Catherine Tremblay autrement que par ce nom : « bistre », comme la matière. C'était une voix ruisselant de noirceurs et de vides, balancée pour chanter de sépulcrales berceuses devant les portes d'une église en Pologne, le soir.

— Mais avouez que c'est un drôle de modèle, lança l'animatrice, pour une jeune femme d'aujourd'hui. Parce que, quand même : Jeanne Mance ! C'était d'abord une dévote, Jeanne Mance. On est loin des grandes figures féministes. Et puis… ça fait très vieille France, tout ça, non ?

— Qu'est-ce que vous avez contre la vieille France ?

L'animatrice encaissa en silence. Catherine Tremblay s'emballa.

— Jeanne Mance, madame, elle avait trente-cinq ans quand elle s'est embarquée dans un bateau pourri à La Rochelle pour venir fonder la ville dans laquelle on fait cette entrevue ce matin. Savez-vous à quoi ça ressemblait, la Nouvelle-France, en 1641 ? À un nuage de mouches gros comme un continent, avec une forêt dedans. Et derrière chaque arbre de la forêt, un Iroquois prêt à scalper, torturer, violer la première venue. Juste la traversée de l'océan, c'était jouer à la roulette russe. Sur les cinquante passagers qui montaient dans les bateaux à La Rochelle, le tiers crevait pendant le voyage. Et ceux qui survivaient attrapaient le scorbut dès qu'ils débarquaient à Tadoussac. C'est quoi, le voyage le plus *heavy* que vous avez fait dans votre vie, madame ? Compostelle gourmand ? Venise en babouches ?

— Vous le prenez personnel, on dirait !

— Jeanne Mance était, d'abord, une aventurière. À Paris, quand elle accepte le financement pour la construction d'un hôpital à Ville-Marie, elle met de l'avant ses convictions religieuses, le saint nom de la France en Amérique et toute le kit, et sûrement qu'elle croit à tout ça pour de vrai, mais elle aurait bien pu travailler à la gloire de l'Église en restant chez elle ; il y a des pauvres à soigner en France aussi. Même à Langres ! La Champagne de l'époque, c'est pas exactement Westmount. Si elle part comme ça, c'est parce qu'au fond, elle a l'âme d'une aventurière. Peut-être qu'elle a honte de cette inclination et préfère laisser croire qu'elle est animée par la religion. Mais c'est surtout une voyageuse. Il lui a fallu beaucoup de courage, mais elle s'est fabriqué un destin. Je trouve ça beau, et grand. Qu'est-ce que vous avez de mieux à offrir comme modèle à la jeune femme moderne? Monique Jérôme-Forget?

— On va laisser Monique Jérôme-Forget en dehors de ça si vous le voulez bien.

— Sophie Grégoire?

— Et qu'est-ce qui s'est passé finalement chez les Sœurs hospitalières? Avez-vous vu Jeanne Mance, au moins?

— Non. J'ai jamais trouvé l'entrée de la crypte. Dans la cafétéria, je suis tombée sur une sœur, qui s'est dépêchée d'appeler la police.

C'est seulement à la fin de la deuxième écoute que je cessai de me colleter avec cette histoire d'accent. Cette fille ne venait ni de Dolbeau, ni de Rouyn, ni de Beauceville ou de Saint-Tite. Elle venait de l'est de Montréal. En fin de compte, ce sont les « a » fermés et interminables qui la trahirent, et plus généralement cette exécution paresseuse de la bouche dans les voyelles, caractéristique des tire-au-cul de l'Est. C'était l'accent des travailleuses sociales et des intervenantes communautaires, des candidates à moustache de Québec solidaire, des mamans BS, des serveuses de Ti-Coq rôti. L'accent des gradins d'aréna à six heures du matin. Des Molson Dry 11 % décapsulées à dix heures, en regardant *Denis Lévesque*. Le parler patois des pauvres. Catherine Tremblay venait d'une famille pauvre, j'en étais sûr. J'avais assez côtoyé de cette engeance à La Tuque. C'était une fille de basse extraction, qui, résolue à prendre l'ascenseur social, s'était endettée pour étudier quelque science molle à l'UQAM. J'avais une cousine comme ça, qui s'était élevée toute seule parce que sa mère était schizophrène, et qui avait fait une maîtrise en psychoéducation à l'UQTR tout en travaillant vingt-cinq heures par semaine comme aide-serveuse dans une brochetterie grecque à Saint-Narcisse. Indispensablement têtes de pioche, exaltés et travailleurs, ces curseurs montants n'étaient pas légion, mais en fouillant dans les couloirs des cégeps et universités publics, on en trouvait parfois. Chacun de ces rescapés des puants faubourgs avait une histoire à lui, et couvait une flamme héroïque qu'il fallait admirer.

Dans le portrait de ma princesse lointaine qui se précisait, la situation de masseuse érotique s'enchâssait bien, comme une pièce de puzzle. On imaginait sans peine qu'une fille comme Catherine Tremblay, dont, suivant mon hypothèse, l'éducation morale s'était faite dans les ruelles désenchantées à l'est de Pie-IX, n'hésite pas à faire des secouettes pour rembourser ses prêts étudiants, louer un appartement convenable dans Rosemont–Petite-Patrie et se payer le câble. Je sortais de cette découverte conforté dans mon idée que Catherine Tremblay et Eudoxia la branleuse russe ne faisaient qu'une. Conforté, mais pas convaincu.

Pour en avoir le cœur net, je retirai deux cents dollars au guichet et retournai au salon de massage, non sans avoir préalablement téléphoné pour réserver. Eudoxia se présenta comme la première fois, c'est-à-dire avec des sourires et une apaisante économie de mots. Je lui demandai si elle se souvenait de moi, elle répondit que non. Elle me refaisait le coup de la fille qui ne se souvenait de rien. J'ignore pourquoi, cela me mit en colère.

La dernière fois, je n'avais pas dit un mot pendant le massage. Aujourd'hui, j'entendais l'assommer avec un placotage indigeste en français jusqu'à ce qu'elle craque. Je débitai toutes les sornettes qui me passaient par la tête. Je me demandai tout haut si les chiens pouvaient souffrir de trisomie 21. Je pris vingt minutes pour narrer au long le scénario d'un film que j'avais vu la veille (*L'argent de poche*). Je révélai que mon plus grand fantasme consistait à éjaculer dans la bouche d'une fille pendant que je réussissais un niveau à Tetris sur ma DS. Je racontai comment, dans mes heures d'ennui, je faisais passer des auditions à des personnages imaginaires pour choisir ceux qui deviendraient mes amis. Je me vantai d'avoir trouvé le surnom « Rigor Mortis » pour désigner Marie-Julie Lefebvre, qui faisait la planche au lit. J'évoquai ce chamane que j'avais rencontré dans le Liaoning, qui jurait que l'urine lui donnait des indications sur la santé de ses patients par le bruit qu'elle faisait quand elle était pissée dans un bol en porcelaine de Jingdezhen. Bref, j'en fis des kilos, tentant, chaque fois, de déceler sur le visage de Catherine-Eudoxia de l'agacement ou de la répulsion. Mais rien. Que de faibles refoulements, presque enterrés par le froufroutement des mains sur la peau glissante, « *Really no speak French, sorry, OK?* », « *I sorry, no French, OK?* », « *I don't know, very don't know what you speak of.* » Jamais une trace d'irritation dans son murmure.

Elle parvint à me faire taire au bout de trente-cinq minutes en se juchant sur la table et en faisant coulisser ses seins sur mon corps, le temps d'un irrépressible *crescendo* du désir. Pendant de longues minutes, je me laissai submerger par cette succession de vagues toujours plus hautes, plus velouteuses, plus affolantes. Il est deux petits méplats sur le cou des jeunes femmes, juste au-dessus des clavicules, qui sont les choses les plus douces au monde. Catherine-Eudoxia, contrainte, j'imagine, par son contrat professionnel, exposait de bonne grâce ces surfaces à mes lèvres, et à mesure que j'y promenais ma langue, mon sexe devenait dur comme du bois de cœur. Elle se retourna enfin pour me masturber, mais un amok imprévu me fit trembler sur la table comme un épileptique.

— *No, no, no*, éructai-je. *Not the hands again. Use your mouth, for God's sake.*

Elle tourna à demi la tête vers moi.

— *No sucking. Just the hand. Is the rule.*

— *I don't need your hands to come. I have hands. Use your mouth. I can't stand it, really. I'll give you extra money. A hundred more.*

— *No sucking.*

— *200.*

— *Nooo-succckkking!*

— *300… Ah! Screw you!*

Et dans un geste de frustration, je poussai ses fesses, qui étaient appuyées sur mon abdomen. Je ne sais pas bien moi-même ce que je voulais : sans doute, dans mon courroux, rapprocher ses parties génitales des miennes.

D'instinct, elle se piéta et, en conformité de ce qui devait être une technique d'autodéfense de masseuse, s'appesantit brutalement, comme si d'un coup elle avait gagné cent livres, palanquée magique qu'elle laissa choir sur mon ventre pour m'immobiliser. D'où sortait-elle ce poids nouveau ?

— *I say no touching down there! You have touched down there just now!*

Elle criait.

— *Fuck you and your crappy massage*, grognai-je, et je lui fis signe de dégager.

— Tabarnak !

Le mot était sorti dans un souffle, comme un automatisme. Elle descendit brusquement de la table, sans se soucier de me cogner les flancs de ses pieds et de ses genoux. Je la dévisageai, stupéfait. En rage, elle vaquait au nettoyage de sa salle, comme si cette mascarade lui était désormais égale. Sauf que moi, je me payais toujours un perchoir de rapace, et il fallait que je décharge à tout prix, c'était comme si ma vie en dépendait. Je m'agenouillai sur la table. Allez ! À cinq contre un.

— Faut absolument que vous la rentriez quelque part, constata-t-elle dédaigneusement en prenant soin de ne pas me regarder me branler. Un trou. La bouche, l'anus… On m'a déjà demandé de me la mettre dans l'oreille, ostie ! L'important, c'est que vous envahissiez quelque chose avec votre queue. Le territoire d'une autre personne, plus faible. C'est de même que vous êtes. Toute la gang.

Elle cueillait les lingettes humides qui traînaient autour de la table, jetant chacune dans une corbeille en forme de Mickette coincée dans un coin, je continuais de me balancer le chinois en rotant des bruits de turbosoufflante, de plus en plus vite, quasiment hors d'haleine : un macaque sur une table de dissection. Mais cet accent de l'Est était prodigieusement débandant et je commençais à virer vif.

— À la rigueur, il y aurait de la noblesse si vous essayiez de fourrer des trous qui se conquièrent. Tsé. Comme… réussir à rentrer par la porte de service d'un gars plus gros, plus fort… Là, je dis « oui ». Tu comprends-tu ? Bestial de même, ça me choquerait pas. Un viol de même me choquerait pas. Y aurait quelque chose de valeureux là-dedans. C'est cette sexualité-là qui devrait dominer chez les hommes. Les Grecs avaient compris ça. Courageux jusque dans la pénétration.

(*Reuh… reuh…reuh… reuh…fff…fff…fff… gniiiiii!…*)

— C'est pas une question d'hétérosexualité ou d'homosexualité. C'est sûr que l'hétérosexualité, c'est mieux, pour la survie de la race pis toute. Il faut des accouplements hétérosexuels, le plus possible. Mais… c'est la pulsion mâle qui me dérange. La façon dont vous la gérez. La façon dont vous finissez toujours par l'imposer à un faible. Une femme. Un enfant. Ostie que vous êtes lâches! Y a pas toujours nécessairement de la violence, mais de la lâcheté, oui, toujours. Quand tu viens te faire crosser dans un salon de massage, t'es lâche en criss! Pis quand t'essayes de me la rentrer dans yeule, même sans violence, en m'offrant du *cash*, tu…

— Oh.

Je lâchai ma bite, dégoûté.

3

Je me rendis une troisième fois au salon de massage de la rue Crescent, deux jours après mon rendez-vous précédent. Dans l'intervalle, je n'avais pas chômé.

Cette fois, on m'attribua un boudoir avec un spa, même si je n'avais rien demandé. Le bassin menait le diable. Dès son entrée dans le parloir, me découvrant affalé dans un fauteuil, Catherine Tremblay se carapata. « Attendez! » m'écriai-je, mais elle avait déjà claqué la porte. Une minute passa, puis la sous-maîtresse roumaine, contrariée, vint m'expliquer qu'« Eudoxia » refusait de s'occuper de moi parce que je n'avais pas été « collect avec elle le delnier fois ». Je n'aimais pas le pli que prenait ma visite.

— S'il vous plaît, l'adjurai-je, retournez la voir et dites-lui que j'ai des informations importantes à propos de Jeanne Mance.

Je lui fis répéter « Jeanne Mance » en fourrant un billet de vingt dans sa main. Elle hésita. « Je vous dis bien : il y a pas de violence ici. Sinon c'est… (elle mima un combiné de téléphone porté à son oreille) la séculité. On a souvent les gens comme vous, et toujouls on dit non, non, non. » Elle s'en fut tout de même, et si, pendant un moment sans fin, je craignis qu'elle ait abandonné ma mission pour téléphoner plutôt à un videur macédonien râblé comme un lutteur olympique, c'est finalement Catherine Tremblay qui finit par rentrer. Elle voulait paraître farouche, mais ne parvenait pas à cacher sa curiosité.

— C'est quoi, l'affaire avec Jeanne Mance ?

— Vous vous souvenez de moi ? lui demandai-je tout de go pour la prendre au débotté. Soyez honnête. Vous m'avez souri il y a un mois à Radio-Canada. J'étais assis sur le bord de la console avec une fille. Vous êtes sortie du studio, vous veniez juste de donner une entrevue. Vous m'avez regardé et vous avez souri.

Elle fit non de la tête en plissant les lèvres. « J'étais à Rad-Can, oui, mais… » Elle ne mentait pas, elle ne me replaçait pas du tout, et la frustration sourde qu'elle lisait sur mon visage l'emplissait de fierté. Je l'aurais frappée.

— Pas grave, mentis-je en faisant la moue.

Des coïncidences et des menées qui m'avaient conduit à elle, je ne tus presque rien. Je ne lui cachai pas que sa beauté m'avait marqué ce jour de notre première rencontre, et que j'avais eu un choc en tombant sur elle au salon de massage. Curieux, j'étais allé écouter son entrevue sur le site de *Montréalissime !*. Ainsi avais-je appris qu'elle était étudiante au doctorat, qu'elle travaillait sur Jeanne Mance, et qu'elle nourrissait ce projet baroque de contempler de ses yeux le tombeau de la fondatrice de l'Hôtel-Dieu.

— Regardez, dis-je finalement en lui tendant une feuille. C'est pour me faire pardonner ma conduite de la dernière fois.

— C'est quoi?

— Regardez bien.

— Un plan, murmura-t-elle finalement. Du monastère des Hospitalières.

— D'une grande simplicité. Avec des flèches pour se rendre à Jeanne Mance.

— N'importe quoi, s'étrangla-t-elle.

Mais ce qui rayonnait de ce corps idéalement conformé, bouillonnant comme un pulsar, bandé sur cette feuille format Legal, c'était une onde immense, modulée de mille nuances de surprise, de joie et de gratitude. Dès le moment où Catherine Tremblay avait posé les yeux sur le document, il s'était opéré en elle une déconnexion grave ; les lignes en angles, les hachures et les rentrants, les damiers, les pattes de mouche, les bavures du plan qu'elle avait sous les yeux avaient absorbé ses capacités cérébrales tout entières, privant sa volonté des lumières du discernement. Si brûlant était son désir de rencontrer Jeanne Mance qu'il consumait son amour-propre. Ces phénomènes surviennent quand on convoite une satisfaction intellectuelle avec un appétit démesuré. Pour la première et dernière fois, dans cette pièce où nous nous trouvions, j'étais en situation de pouvoir. De cela, je me délectais.

— Là, c'est la chapelle, indiquai-je du bout du doigt. Voyez ici, à droite de l'autel… Il y a un passage qui mène à la cafétéria du monastère. Au pif, il doit faire quinze, vingt mètres. Et làààà (je montrais un endroit précis sur un mur de la cafétéria)… il y a une porte, qui ouvre sur un placard à balais, d'où part un escalier en colimaçon qui mène à l'ossuaire. C'est tout bête. Jeanne Mance est là-dedans.

— Où est-ce que t'as trouvé ça ?

Ça n'avait pas été bien compliqué. Une fille avec qui j'étais sortie au cégep travaillait aux Archives nationales du Québec. À ma demande, elle avait fait des recherches, et exhumé d'un dépôt de la rue Berri deux plans anciens de l'ensemble conventuel des Hospitalières, représentant le monastère, la chapelle et l'hôpital Hôtel-Dieu. L'un datait de 1859 et était signé de la main même de Victor Bourgeau, le célèbre architecte. Utilisé pour la construction de la chapelle, il demeurait indéchiffrable pour des profanes. L'autre, épuré, portait le sceau de la Ville de Montréal et datait de 1874. J'ignorais à quelle fin on l'avait établi, mais il ne figurait pas l'hôpital, laissant toute la place au couvent et à la chapelle. Il en résultait une vue de sol limpide des deux bâtiments et de l'articulation qui les joignait.

Le problème, c'est que le caveau où on inhumait les religieuses et où Jeanne Mance avait le privilège exceptionnel de reposer n'était indiqué nulle part. Un escalier devait s'ouvrir vers les profondeurs, mais où ? Ce n'était pas comme une carte au trésor, marquée d'un « X » rouge, avec les mots « Pour la momie de Jeanne Mance, c'est par ici ».

Il fallut, pour l'apprendre, que j'aille m'enquérir directement chez les sœurs, en finassant. Pour ma chance, les Hospitalières tenaient un petit musée à côté du couvent, où de vieilles bénévoles sursautaient et s'épivardaient dans ces occurrences rares où un client poussait la porte. Je me présentai à elles comme un journaliste, je dis que j'avais entendu une étudiante à la radio parler du déménagement imminent des activités de l'Hôtel-Dieu vers le nouveau CHUM, et de l'incertitude que cela faisait planer sur le monastère et le caveau. Il se peut que j'aie laissé échapper le nom du *Devoir*... Les vieilles dames s'émurent que l'on s'intéresse ainsi à Jeanne Mance. «Vous savez, les gens font pas exactement la file le matin quand on vient ouvrir», me confia une toute petite chose de cent quatre-vingt-dix ans qui sentait les pivoines et Baie-Saint-Paul. Elle promit de me recommander auprès de la supérieure générale des Hospitalières pour une entrevue et une visite guidée. Victoire.

Sauf que la magie n'opéra pas avec la supérieure générale, sœur Onoflète Beaulieu, qui se révéla sèche et insensible à mes coups de charme. Singulièrement, le rendez-vous avec elle avait été fixé en début de soirée, dans la chapelle. Déguisé en journaliste (carnet, crayon, appareil photo), j'avais pris soin d'arriver vingt minutes plus tôt, pour faire du repérage. Enserrée par une muraille austère, la chapelle jouxtait le musée, qui faisait lui-même corps, par quelque dissonante connexion bâtie, avec l'Hôtel-Dieu. En traversant la cour froide et nue de l'église minuscule, je m'étais souvenu de la description que fait Victor Hugo du couvent du Petit-Picpus dans *Les Misérables*. Mais l'intérieur me déçut. On l'avait visiblement rénové dans le dernier demi-siècle, peut-être dans les années 70, et on avait opté pour des lignes dures, du bois et un badigeon blanc. Rien ne l'enjolivait qu'une empoutrerie céladon très peu céleste, qui aurait eu sa place sous le plafond cathédrale de la maison d'un comptable italien à Rosemère. La lumière, en revanche, était remarquable. Des lumignons disposés sans ordre faisaient des rayons mourants du jour réfractés par les fenêtres un miel diffus, dont ils abricotaient la nef et le chœur.

« Les ténèbres », lança froidement sœur Beaulieu quand je lui demandai si on savait ce qui allait advenir de l'ensemble conventuel quand l'Hôtel-Dieu serait fermé. Elle m'avait rejoint sur le banc où je l'avais attendue, gardant un bras de distance. « On nous parle de projets de revitalisation pour le terrain. C'est très confus. Pour le moment, on lit entre les lignes : il n'y a pas d'acheteur, point. Ça pourrait prendre du temps, qu'on nous dit. Mais alors, pensez-y. Un hôpital gigantesque qui reste vide pendant des années, en plein cœur de la ville… Avec toute cette misère humaine qui souffre dehors… »

C'est vrai qu'il y avait de la belle gueusaille dans le quartier. Je l'avais vue en venant.

— Vous avez peur que ça devienne un squat ?

Sœur Beaulieu haussa les épaules.

— Les religieuses ici sont de vieilles personnes. La plus jeune a quarante-deux ans, et après elle… sœur Brugnon, cinquante-cinq… Vous voyez ? La plus vieille a cent quatre ans. Plusieurs sont très malades. (Dans un sursaut d'indignation :) Ces femmes-là méritent de finir leur vie chez elles, dans un environnement paisible. On parle de nous déménager si la situation devient… si ce n'est plus tenable. Mais ce n'est pas à nous de partir ! On est ici depuis cent cinquante ans. Nos mortes sont enterrées ici !

— Voilà. Jeanne Mance…

— Pas seulement Jeanne Mance. Toutes nos mortes. À commencer par Judith de Brésoles, Catherine Macé et Marie Maillet, les premières hospitalières arrivées au Canada, en 1659.

Quand je lui demandai si elle pouvait m'accompagner dans un tour guidé des lieux, sœur Beaulieu se renfrogna. «On ne va pas plus loin que le réfectoire. C'est déjà beaucoup. Les visiteurs ne sont généralement pas admis au-delà de la chapelle.» Elle ne le précisa pas, mais je présumai que mon sexe était rédhibitoire. Elle me signifia d'aller à sa suite dans un passage qui s'ouvrait à côté de l'autel. C'était un corridor ancestral, étouffant et long, sans angles, cuirassé de pierres à bâtir saillantes. L'humidité rendait la respiration désagréable. Mentalement, je prenais des notes. «Ici, c'est le réfectoire, dit sœur Beaulieu quand nous débouchâmes. On déjeune à sept heures trente, après les laudes. C'est une existence très réglée. En tout chaque jour, il faut...»

— Dites-moi, l'interrompis-je, c'est vrai que vous avez arrêté quelqu'un qui était entré par effraction il y a quelques mois?

En expirant bruyamment, sœur Beaulieu posa la main sur son cœur pour simuler un malaise.

— Ah! Saint nom de Dieu! La frayeur. La frayeur, monsieur! Et une femme, en plus! Alors... La police nous a dit que c'était une jeune personne qui faisait son doctorat. Qui aurait pensé ça? Il faudra qu'on nous explique un jour ce qui arrive avec les étudiants. Les carrés rouges. Les manifestations. La débauche. Ces guenons qui vont hurler, seins nus, dans les églises. Quelle époque! Alors, oui. Elle cherchait le tombeau de Jeanne Mance. Qu'est-ce qu'elle voulait aller faire là, il faudra le lui demander à elle. Figurez-vous qu'on l'a... interceptée... ici, dans le réfectoire. Là! Sous le portrait de sainte Boulbène. C'est sœur Charron, qui s'en allait chercher les journaux du matin à la porte de la réception. Elle ne dort presque plus depuis, vous pensez bien.

— Elle était proche du but ? Cette étudiante…

Mutine comme une étrangleuse de poules, remâchant l'intérieur de ses joues pour se contraindre au silence, sœur Beaulieu montra avec ses yeux ce que sa bouche refusait de nommer : une porte toute bête, du type placard industriel, s'ouvrant dans un mur à notre droite.

— Derrière cette porte ? m'exclamai-je.

— C'est l'antichambre. L'escalier vers la crypte part de là. Au fil des ans, l'antichambre a été transformée en armoire à balais. Il y a des sœurs qui trouvent que ça manque de respect, mais il n'y a pas autant de rangement qu'on voudrait dans ces vieilles bâtisses. Il faut bien entreposer les produits de nettoyage quelque part.

Et c'est ainsi que j'appris où se terrait la vénérable pucelle champenoise.

Je racontai tout ça à Catherine Tremblay en forçant sur les détails pittoresques, et plus j'approchais de la fin, plus je la sentais tendue, haletante. Ses petits seins frémissaient.

— Et… elle t'a laissé voir Jeanne Mance ? demanda-t-elle.

— Non. J'ai demandé, mais la politique est la même pour tout le monde. Touristes, journalistes, doctorantes… Personne a le droit de mettre les pieds là. C'est un endroit intime. Mais vous et moi, on peut y aller en douce. C'est pas si difficile. Juste avant l'aube, quand ils débarrent les portes de la chapelle. Je sais comment me rendre au tombeau. Je peux vous aider.

Elle se braqua, l'œil en dessous.

— Pourquoi tu ferais ça ?

Orgueilleux, je levai l'index et contractai les lèvres.

— Pas pour vos beaux yeux. Parce que je m'ennuie. Ça file pas en ce moment. C'est personnel. J'ai besoin de distraction.

— Les salons de massage te suffisent pas ?

— Les masseuses de Montréal sont moins fines que ce qu'on m'avait fait croire.

— Tu viens pas de Montréal ? Tu viens d'où, d'abord ?

Elle regretta tout de suite sa question, gênée d'avoir laissé paraître sa curiosité. Elle se crispa dans une grimace et agita la main pour me couper avant que je puisse répondre.

— Imagine-toi pas que je vais te faire un massage gratis parce que tu m'aides. Encore moins une pipe. T'auras rien pantoute.

— C'est beau.

— Pas un bécot. Pas un câlin. Pas une ostie de cenne. Rien.

— Mmm.

Elle se figea subitement, et je vis dans ses yeux le reflet d'un film-surprise qu'elle se jouait maintenant dans sa tête – pas folle, la petite : une femme seule dans une crypte ténébreuse, à ses côtés un inconnu rencontré dans un salon de massage érotique, elle ignore tout de lui mais sait qu'il peut se montrer agressif, il dit « vous » mais c'est un pandour ; les pierres suintantes leur renvoient l'écho de leurs pas, de lourds portails se referment derrière eux à mesure qu'ils s'enfoncent, tout à coup un élan sauvage, prédateur! La femme hurle, mais il n'y a personne pour entendre sa supplique dans cet abîme constricteur, rien autour d'eux que les ossements friables de religieuses mortes depuis des lunes. D'autres religieuses, bien vivantes, dorment à la surface comme de petites poules dans des nids de paille, mais elles sont vieilles, sourdes, pesantes, confuses. Et le viol consommé, qui, au commissariat, croira la version d'une masseuse? Pire: pourquoi la masseuse émergerait-elle jamais de la crypte? *Gngngngn… Étouffe, câlisse, étouffe, étouffe, étouffe, étouuuuuffe, tieeens, ma criss!* Bye bye, Catherine Tremblay. Tu voulais voir Jeanne Mance? Repose avec elle. Pour l'éternité.

— Bon (je me levai trèèès lentement). Je sais à quoi vous pensez. (Je sortis de mon portefeuille ma carte de membre du barreau du Québec et la lui montrai – quel geste idiot!) Je m'appelle Roé Léry. Je suis avocat. Il y a un an, j'ai publié un roman complètement con qui s'intitule *Putrescence Street*. Il y a ma photo sur Google. Je sais (je montrai mes paumes) que ça veut pas dire que je suis une bonne personne. Mais je suis pas un violeur. Et je m'intéresse à l'histoire, sincèrement. J'aime les ruines. J'aime les vieilles églises. J'aime les sépultures. Vous et moi, on a quelque chose en commun: l'esprit romantique. Je vous laisse mon adresse électronique (je lui remis ma carte de visite). Réfléchissez. Vous avez le plan, vous pouvez essayer de vous rendre jusqu'à Jeanne Mance toute seule. Mais franchement, un gros gars de deux cents livres pour une aventure comme celle-là, vous pourriez trouver ça utile. Je peux faire diversion si on tombe sur un gardien. Je peux écraser les rats avec mes pieds (elle hoqueta en portant la main à sa bouche – elle n'avait pas pensé aux rats). Forcer des portes. Des affaires de même. Bon. Là, je m'en vais. Si vous ne m'appelez pas, je vous promets que vous n'entendrez plus jamais parler de moi. Au revoir.

Je fis quelques pas en direction de la porte.

— Attends! Attends… (je me retournai). Tu peux pas partir de même.

— Pourquoi?

— Parce que t'as payé pour une heure. Si tu t'en vas là, madame Gisela va me faire du trouble. Il reste… trente-cinq minutes. Je peux te donner un *back rub*, si tu veux.

Je déclinai aimablement son offre et lui demandai si elle me permettait de m'étendre sur la table de massage et de dormir. «Je suis tellement fatigué.» Elle hocha la tête et s'assit précautionneusement dans le fauteuil que j'occupais jusqu'alors. Nous passâmes une demi-heure dans de quiètes méditations, troublées uniquement par les gargouillements d'ogre du spa. À un seul moment, Catherine Tremblay rompit le silence, me tirant d'un début d'endormissement. «C'est quoi, ça?», je tournai la tête et m'avisai qu'elle examinait le côté de ma carte de visite où les informations étaient écrites en sinogrammes, «J'habite en Chine», «Oh…», elle gonfla les joues et fit «pfff» comme une adolescente à la nonchalance affectée.

TROISIÈME PARTIE

MAÎTRES CHEZ NOUS

1

Comment honore-t-on la mémoire d'un mort? C'est une question à laquelle je réfléchissais en route vers La Tuque. Pour le voyage, j'avais loué un Toyota RAV4 de l'année, vert forêt. Une gaine en vachette recouvrait le volant (du cuir de cordonnier, pas du dessous de queue). Je ne me serais pas imaginé que le contact prolongé d'une roue en peau animale pouvait être aussi agréable. C'était vraiment tout autre chose que le toucher de la résine vinylique.

Comment honore-t-on la mémoire un mort? Plus particulièrement, celle d'un mort qu'on ne connaissait, somme toute, qu'assez superficiellement? J'entends bien que c'est un rituel auquel on procède pour son propre bénéfice, pas pour celui de la personne décédée. Le mort est mort. Il fait partie du «passé absolu» des astrophysiciens (ou de l'Ailleurs?), mais pas du maintenant et, vraisemblablement, pas du futur non plus. Pareille cérémonie n'a pas à voir avec le mort, mais avec les vivants qui y participent.

Je ressentais la nécessité un peu scénique de dire merci à un garçon qui m'avait rendu un service important quand nous étions adolescents, mais qui s'était suicidé un an plus tôt. Calcul mental... Vingt-deux ans. J'avais raté une fenêtre de vingt-deux ans pour lui rendre grâce de vive voix. Ceci posé, j'escomptais qu'il vivrait beaucoup plus vieux que trente-sept ans. Ce n'était pas ma faute s'il s'était enlevé la vie. Je n'allais quand même pas culpabiliser à m'en rendre malade.

Comme je suis sensible à la poésie des rites, je trouvai que c'était un compromis acceptable de souligner le premier anniversaire de sa mort en posant un petit geste. Aller à la messe commémorative, c'était une chose, mais je tenais aussi à avoir mon petit moment loin des autres, mon tête-à-tête occulte. Et quelle forme cela pouvait-il prendre ? J'essayai de réunir en une gerbe mentale les souvenirs qu'il me restait de Daniel Boileau. Le hockey. Les pétards à mèche pendant les cours de religion. La musculation. Un intérêt irrationnel pour les mœurs des carcajous. La chasse au collet. Les jeux vidéo. Tout cela était très juvénile. Nous avions seize ans lors de notre dernière conversation.

Finalement, je m'arrêtai à Trois-Rivières et passai une heure à chercher une boutique de jeux vidéo. J'en trouvai une, finalement, où pour soixante-cinq dollars, on me laissa partir avec une cassette *vintage* de Super Mario Bros. 2.

Cadeau pour toi, Boileau.

J'arrivai à La Tuque pile pour souper. À quand remontait mon dernier séjour ? Cinq ans ? Six ans ? Au motel Le Voyageur, une merdouille avec la réservation me valut un « surclassement » en suite présidentielle (« La chambre est plus grande et il y a un bain-tourbillon. »). Je garai le RAV4 devant l'entrée et transférai mes bagages. Après un moment d'hésitation, je choisis de prendre une douche. Puis, les cheveux encore humides, je marchai jusqu'au centre-ville. Chez Scarpino, un restaurant où j'avais fait de la plonge à quinze ans, j'avalai dix-huit ailes de poulet, plus une portion de frites, un grand Pepsi frappé et un morceau de pouding chômeur. Je passai le temps qui restait en flânant en ville. Puis, à vingt-deux heures, je rejoignis Ito au Dalot, le bar du salon de quilles.

— Tu sais qu'y ferment la place, han?

— Le salon de quilles? C'est pas vrai!

— Mmm mmm.

— Le bar avec?

— *Yes, man*. En janvier. C'est vieux pis ça coûterait trop cher à rénover, apparemment. Ça fait qu'y vont défaire les lattes – Ito pointait vers les allées, qu'occupaient par pariades pétulantes les membres du club de bowling «Les boules à Nancy», reconnaissables à leur t-shirt – pis y vont les vendre à un restaurant *fancy* de Montréal, qui va en faire des tables. Le *deal* est déjà signé. J'me rappelle pus quel restaurant. Un nom avec le mot «titine» dedans. Les gens savent pas, mais les lattes de bowling, c'est du criss de beau bois, ça fait des belles tables à manger.

Ito, lui, savait : il était journalier dans un moulin à scie à Rivière-aux-Rats.

— *Fuck*, soufflai-je. Ça me fait de quoi, sérieux. J'ai tellement de souvenirs, ici. Gascon, Déziel, Perras… Y a vingt ans, on buvait dans ces pichets-là. Je veux dire, les mêmes ostie de pichets : y a probablement mon ADN sur les anses, si tu cherches. Y a une place dans les toilettes où Perras avait gravé «Le rectum du recteur respire la rectocolite» avec son canif, juste à ras le calorifère, pis je l'ai retrouvé tantôt en allant pisser. J'ai quasiment braillé.

— C'est cool que tu sois venu, dit Ito. J'aurais voulu souper avec toi, mais Michèle est à Shawi pour un congrès pis j'étais tu-seul pour faire manger les filles après l'école. Sont chez ma mère, là. (Après un moment d'hésitation :) C'est vraiment cool que tu sois venu ! C'est plate, les Loups jousent pas à soir. On aurait pu aller au Colisée. Y a du midget 3A à La Tuque astheure. Tu le savais-tu ? Non ? Y avait pas ça quand t'es parti en Chine, han ?

— C'est cool qu'ils aient gardé le nom « Les Loups ».

— Mais c'est pas des gars de La Tuque. Sauf un : Jean-Baptiste Coocoo, un Indien de Weymon. Les autres viennent d'un peu partout… Y sont bons, c'est juste qu'y sont trop petits pour jouer dans le junior majeur. Y font leur cégep ici. J'sais pas trop ce qu'y attendent de la vie. Au hockey, quand t'es trop petit, t'es trop petit. Ça pardonne pas.

— Tes *kids* à toi, y ont quel âge ?

— Quatorze ma plus vieille. Sept, cinq et demi.

— Même mère ?

— *Yes, man.* Michèle Gosselin. La fille à Toitures Gosselin, à la Terrasse. T'a connais pas ? Elle est plus jeune que nous autres. De trois ans. C'est son frère qui avait kidnappé la chèvre à Mongrain en secondaire 4, en échange d'une bouteille de tequila.

— Ah ! oui.

— Bon, ben, c'est eux autres, ça. Toitures Gosselin, c'est leur père.

Quand Ito portait son verre à ses lèvres, ses biceps gonflaient, les muscles roulaient sous sa peau comme des fèves qu'on pince hors de leur cosse, c'était très impressionnant.

Des poignets aux épaules, ses bras étaient couverts d'em-
pennages de lierre et d'oiseaux exotiques. La dernière fois
qu'on s'était vus (il y avait plus de vingt ans), il n'avait ni les
muscles ni les couleurs. Pour tout dire, ces mêmes années
qui m'avaient laissé boursouflé et gris avaient emmieuté
Ito. Sa peau était gorgée d'eau, de sucs, de sève, d'énergie.
Sur le plan de la puissance physique pure, il était sûrement
plus fort qu'à dix-sept ans. Le comble ! J'aurais dû jalouser
cette eau de jouvence qui lui coulait dans les veines, mais en
y regardant de plus près, c'est dans ses yeux que je décelai
l'empâtement, le renoncement, la fatigue dont le temps
avait alourdi mon corps, et je me pris à espérer que, par un
effet d'inversion, mes yeux à moi claironnent la jeunesse
que mes membres n'affichaient plus.

À ma surprise, Ito avait acheté *Putrescence Street*, il
assurait même que ça lui avait plu, et à la façon dont il en
parlait, je dus me rendre à l'évidence : il l'avait vraiment lu.
« Ton livre est toujours en rupture de stock à la librairie
ABC. Sont obligés d'en commander des nouveaux tout
le temps. » Il avait amené sa copie pour que je la dédicace.
« À un vieux chum », je ne trouvai rien de mieux. C'était
banal, et surtout inexact. Ito (Yvan Thomas) et moi nous
connaissions depuis l'enfance (tout le monde connaissait
tout le monde depuis tout le temps à La Tuque ; onze mille
habitants, on a vite fait le tour), nous avions été dans les
mêmes classes, avions joué au hockey dans la même
équipe, avions fréquenté les mêmes bars, mais nous
n'avions jamais été amis.

— *Check* ça, dis-je en sortant mon portable, je suis
tombé là-dessus sur Facebook.

Une photo. Des petits gars formant trois rangées sur une patinoire après une *game*, le *goaler* effoiré au centre. Tombés, les casques. Les cheveux en épis, les visages rouges, des risettes de champions. «Les Loups, saison 86-87», disait une banderole entre les mains de l'entraîneur.

— Esti! Lebel... Boutet... Petiquay... (le doigt d'Ito glissait sur l'écran) Pitcher... Miller... toé... St-Onge... Pompon... Duff... On avait quel âge?

— Neuf ans. Novice, dernière année. C'est Marco Lefebvre qui a mis ça sur sa page.

— ... Laforest... Awashish... moé! Ha! ha! Basile... (son index s'arrêta sur un visage) Boileau.

Nous nous tûmes.

Quand Boileau était mort, j'étais en Chine, et ma mère avait omis de me l'annoncer. Le suicide, lui semblait-il, était un virus qui se transmettait par le commérage, et pour garder son garçon (dont elle connaissait par trop la nature spleenétique) de toute idée suicidaire, elle avait choisi de lui cacher la mort d'un ancien camarade de classe. C'était ridicule: je filais le parfait bonheur avec Meng Wu, et ici même, au Québec, on célébrait mon nom à cause de ce livre débile. J'étais heureux. Mais une maman, c'est une maman. Plus tard, quand je lui ferais affectueusement reproche de son silence, elle confesserait tout, «mais j'pensais pas que tu le connaissais beaucoup», et elle aurait raison, nous n'étions pas intimes, Boileau et moi. Je n'étais pas particulièrement proche d'Ito non plus. Mais je savais qu'Ito et Boileau étaient comme cul et chemise. Voisins dans leur enfance: tout juste si les gouttières de leur bungalow du quartier Bel-Air ne se frôlaient pas. À l'adolescence, ils avaient tout fait ensemble. Hockey l'hiver, soccer l'été. Les premières brosses en deuxième secondaire. Ils formaient avec d'autres une gang de gosseux sportifs à la conduite badine, pas très populaires auprès des filles, pas trop studieux, mais aimés des professeurs parce qu'ils étaient facétieux sans être impolis. D'ailleurs, c'est le souvenir que je gardais de Daniel Boileau : un farceur gentil et plutôt intelligent. Un musclé, surtout. Physique de discobole. Je n'avais pas oublié qu'Ito et lui étaient comme deux fesses, alors quand j'avais su qu'il avait mis fin à ses jours (je ne me rappelle plus bien par qui, sans doute un ami du secondaire, deux lignes à la fin d'un courriel, « Hey, tu c tu pour Boileau ? Criss j'ai pogné de quoi »), c'est à Ito que j'avais écrit pour avoir la date des funérailles, et c'est par lui que j'avais appris qu'elles étaient déjà passées.

— J'peux-tu te poser une question ? demanda Ito en me rendant mon portable. L'année passée, pourquoi tu m'as demandé pour les funérailles ? T'aurais-tu venu de la Chine jusqu'à La Tuque rien que pour ça ?

— Oui. Si j'avais su à temps.

— Pis là, demain, la messe ? J'comprends pas pourquoi tu viens. Je veux dire, chu content pis toute, mais… Dan aussi serait content, là. C'est sûr. Maaais… tu le connaissais pas tant que ça.

— J'ai une dette envers lui. C'est niaiseux, tu vas rire. Tu jouais-tu bantam avec nous autres en secondaire 3 ?

Ito fouilla dans sa mémoire pendant que je remplissais nos verres.

— Non. C'est l'année de mon accident de trois-roues. J'avais eu la patte dans le plâtre quasiment toute la saison.

— Un moment donné pendant une *game* cette année-là, le gros Champoux…

— Champoux! Ostie de mental!

— … s'approche de moi pour me chier dans les bottes. Juste avant une mise au jeu. Y est enflé, ostie… Y est en ta-bar-nak. Tu peux pas imaginer. Pompé. Là, y m'annonce qu'y va me *poker* avant la fin du match. J'essaye de savoir pourquoi, mais tsé…Tu te souviens de Champoux: une coche au-dessus de la trisomie. Je comprends rien à ce qu'y dit. La *game* vient juste de commencer, ça peut pas être quelque chose que j'ai fait. J'y ai pas touché, criss! Évidemment que j'y ai pas touché: y fait quatre fois mon poids! En plus, y joue en défense, moi aussi… De toute façon, personne touchait jamais à Champoux, y était ben trop violent.

— Gros sacrament de taupin.

— Finalement, j'comprends que c'est à cause de quelque chose que j'ai dit à l'abreuvoir juste avant la *game*… J'me rappelle même pus quoi. Une niaiserie qu'y a interprétée tout croche. Mais y me promet une affaire: y va me tuer à la première occasion. Pis j'commence à avoir la chienne parce que j'sais que si y me tombe dessus, y va me dévisser la tête. J'veux dire: broyer chaque os de mon visage pour en faire du gruau sec. Champoux, y est de même.

— Y est rendu qu'y chauffe des *graders* entre La Tuque pis Windigo.

— Pendant le reste de la période, j'm'arrange pour jamais embarquer sur la glace quand y est là. C'était vraiment pas juste, j'étais pas un batailleur, tout le monde le savait. La première période finit. On rentre au vestiaire.

J'passe proche de dégueuler sur le banc tellement j'ai peur, pis c'est Boileau qui vient me voir pour me demander si j'suis correct. J'lui explique la situation. Tu te rappelles, y était déjà *shapé* dans le temps. C'était pas le plus grand, mais c'était le plus sec. Des abdos, des *tubes*, toute.

— Des osties de dorsaux. C'est parce que son père avait un banc de muscu dans le sous-sol chez eux.

— Faque Boileau me dit : « Arrête de t'inquiéter. J'm'en occupe. » Tu sais-tu ce qu'y a fait ? Y est sorti du vestiaire, y est rentré – rentré ! – dans celui des Noirs, y est allé direct à Champoux pis lui a dit : « Le problème que t'as avec Léry, c'est avec moi que tu l'as astheure. Ça fait que quand tu voudras te battre, viens me voir direct. »

Ito riait comme un bossu.

— Apparemment, Champoux est devenu fou raide, y a voulu régler ça drette-là dans le vestiaire, ses coéquipiers se sont mis à cinq pour le retenir. Boileau est sorti, Champoux a câlissé un coup de poing dans une cloison en bois, paf !, y l'a toute déconcrissée.

Je calai la moitié de mon verre de bière.

— Pis ?

— Pis pendant la deuxième, tu-suite quand y a eu une chance, Champoux s'est garroché sur Boileau. Ç'a été un beau combat, mais on va se le dire : même pour Boileau, c'était trop. Champoux l'a couché assez vite, y a eu le temps d'y câlisser trois, quatre directs dans la face avant que les arbitres les décollent. Boileau s'en est tiré avec des poques rouges dans le front pis sur la mâchoire. Mais y est rentré au vestiaire en patinant drette. Je veux dire… y se tenait debout. Parce qu'y s'était comporté… y s'était comporté comme un homme.

Sanglot violent et fortuit, que je réprimai en vidant mon verre. Ito essuyait ses larmes.

— J'ai trouvé ça tellement… chevaleresque. Y était pas obligé de faire ça. On n'était pas tant chums que ça. Mais on jouait dans la même équipe, pis ça, ça voulait dire quelque chose pour Boileau. Y savait qu'y avait plus de chance que moi contre Champoux, faque y a pas hésité, y a pris ma place. Y m'a évité un esti de traumatisme. Parce que si Champoux m'était passé dessus, j'serais pas sorti sur mes patins, on s'entend. C'est pas souvent dans ma vie que j'ai assisté à des comportements héroïques, encore moins profité d'un comportement héroïque. J'me suis toujours dit que j'revaudrais ça à Boileau un jour, même si j'savais pas comment. Ça m'aurait aidé si y s'était pas pendu si jeune, évidemment. Mais bon… J'ai fait le voyage depuis Pékin pour lui dire « bye-bye ». Un an en retard, mais quand même. C'est tout ce que j'pouvais faire. Câlisse.

L'ivresse naissante nous rendait sentimentaux, mais nous étions terrorisés à l'idée de pleurer devant les autres clients. Nous payâmes, mais sortîmes comme des voleurs. Sur le trottoir, Ito sautilla à la manière d'un boxeur.

— Si Champoux te voyait aujourd'hui, il y penserait à deux fois avant de te sauter dessus. T'es plus grand que dans mon souvenir ! Plus… jumbo, aussi.

— Du côté de ma mère, c'est de même. Les hommes débourrent autour de dix-huit, vingt ans. Mais c'est du suif. J'suis inoffensif.

— Qu'est-ce tu dirais si on passerait chez Gauvin pour s'acheter une douze pis qu'on irait boire ça sur le terrain de foot ?

— *Yes, sir.*

Au Québec, des cerveaux dérangés du ministère de l'Éducation construisent depuis soixante-dix ans des écoles secondaires qui ressemblent en tous points à des pénitenciers (encore que je connaisse au moins une prison – Bordeaux – qui les surpasse toutes en cachet), et je ne sais pas ce qui m'écœure le plus, de ce dévoiement architectural de l'idée d'éducation ou de l'indifférence de ces sous-merdes de Canadiens français, qui ne se formalisent pas d'envoyer chaque matin leurs enfants dans des bunkers. En Chine, une école est un jardin. Au Canada français, c'est une centrale nucléaire moldave, et personne ne s'en offusque.

Mais il y avait au moins une exception à ce parti pris pour la hideur, c'était l'école secondaire Champagnat de La Tuque, qu'Ito et moi avions fréquentée. Comme tout ce qui avait été bâti dans les années 60 et 70 au Québec, elle souffrait d'un fenestrage convenu et d'un excès de briques et d'angles droits. Mais il y avait des arbres, et il se dégageait de l'ensemble une rassurante injonction d'apaisement, de coolitude. Si l'école avait pu se mettre debout et parler, elle aurait chanté *Un musicien parmi tant d'autres*, elle aurait crié «j'ai coûté des clopinettes!», elle aurait fait *POP!*, elle aurait fait *POP CITROUILLE, YEAAAH!*, elle aurait porté des pattes d'éléphant, une barbe, un t-shirt bleu poudre moulant avec le logo «Demain un pays», elle aurait senti la cannelle, elle aurait eu une blague de tabac Drum fourrée sous sa manche. Elle s'étalait en quelques pavillons rectangulaires et bas au pied des montagnes, tout joignant un centre de ski, et on prenait soin de la repeindre au moins une fois par décennie – la dernière fois, on avait choisi une couleur cinabre pas du tout désagréable, et un vert pomme pour les panneaux de métal rectangulaires qui encadraient les fenêtres. De presque toutes les classes, on avait vue sur les montagnes ou sur la ville. Elle avait son côté pénitentiaire aussi, ne le taisons pas, on ne gagne rien à cacher les choses. Dans les couloirs, les savoirs qui se transmettaient (vendre de la coke, *buster* un scooter, défigurer quelqu'un qui a *busté* son scooter, taxer des Doc sans se fatiguer, sucer sans râper) correspondaient, en gros, à ce qu'on enseignait dans les autres écoles de la province et dans les centres de détention. Elle restait, malgré tout, une petite polyvalente familiale, chaleureuse et attachante.

« C'est Corbin qui a décroché Boileau. » À califourchon sur une planche composant l'estrade du terrain de football, Ito tétait sa bière et faisait exprès de ne pas se tourner vers moi, deux degrés au-dessus. « Samuel Corbin. »

— Je le connais, répondis-je. Y se tenait avec ma cousine, Mireille Auger. Le roux, là.

La nuit, immense, était niellée d'étoiles. Les ciels des petites villes rendent humble, en ne laissant jamais de provoquer des saisissements de beauté, de peur ou d'incompréhension chaque fois qu'on lève la tête. Ceux des grandes villes n'ont rien à offrir, d'ailleurs les gens marchent la tête basse.

— Dans ma jeunesse, racontai-je, chaque fois que j'ai pensé à choisir police comme métier – ça m'est arrivé une couple de fois –, c'est toujours cette partie-là de la job qui m'a dissuadé. Être celui qui décroche les pendus. Tsé…

Je plaçai mes bras devant moi, comme si j'enlaçais les jambes d'un pendu pour le soulever, et constatai que c'était exactement le même mouvement que celui des ballerines quand elles font des pointes. Ito aussi s'en rendit compte : nous éclatâmes de rire en même temps.

— Pourquoi y a fait ça, Boileau ? demandai-je.

— Sa blonde l'a crissé là pis y a fait une dépression.

— C'était qui, sa blonde ?

— Lisanne Simard. (Puis, me voyant hocher la tête :) Était plus jeune que nous autres, d'une couple d'années. Son père est électricien à l'usine, mais y est sur la CSST depuis, genre, quinze ans. Est partie avec une police, justement. Bruno… quelque chose, j'ai oublié son nom. Pas un gars d'icitte.

— Pis y s'est pendu. Boileau.

— Mmm, marmonna Ito en haussant les épaules. Deux *kids*, esti. La plus vieille a douze ans. À' fin, y était en congé maladie. Y faisait pus rien, y venait pus jouer à' balle, y sortait jamais. Y avait acheté la maison de ses parents dans le quartier Bertrand. On allait chez lui même sans invitation, pour essayer d'y remonter le moral. On regardait le golf à' tévé, on se baignait, on jouait à Diablo. On savait qu'y filait pas, mais tsé… Y était quand même normal. La plupart du temps, en tout cas. C'est juste qu'y buvait beaucoup, pis y avait commencé à fumer du *pot*. Ben du *pot*. Mais on pouvait pas deviner. Y disait rien. Y a jamais demandé de l'aide, criss. Pis y avait jamais parlé de se tuer avant, ça fait que.

Ito lança sa bouteille à bout de bras ; elle atterrit trente mètres plus loin avec un bruit d'éternuement qu'on retient.

— Tsé quoi ? Pendant des mois après, j'm'en ai voulu. J'y en ai voulu à lui de s'avoir pendu, mais j'm'en ai voulu encore plus. De pas avoir vu. D'avoir rien fait. J'ai piqué une esti de plonge, moi itou. Avec Michèle, on s'est payé un voyage à Cuba, pis j'pensais que ça me reniperait, mais quand j'ai revenu icitte, j'étais aussi *down* qu'avant. Pire, même. Pis un moment donné, j'ai compris. Fallait que j'lâche prise. C'était sa décision de se tuer. Y a rien que j'aurais pu faire pour le faire changer d'idée.

« Fallait que j'lâche prise. » Pauvre Ito. C'était de la philosophie de torchon à laitue, mais on accouche rarement de mieux quand on a un DEP en abattage manuel et débardage forestier. Niaiserie pour niaiserie, j'en avais une à dire aussi, la voici :

— J'comprends pas comment on peut se suicider quand on vit à La Tuque.

Ito me dévisagea, interloqué.

— C'est vrai ! insistai-je en riant. C'est une belle petite ville, symétrique, verte… On voit les montagnes de partout. Pour cent mille piasses, tu t'achètes un château dans le Quatre Milles. Sais-tu ce que t'as à Montréal pour cent mille ? Un *parking* pour ton condo. Les Latuquois sont honnêtes, travailleurs. Du bon monde. Pas des faiseux comme à Montréal. C'est inspirant de vivre entouré de gens de même. Pis y a encore des criss de belles filles. Y a des Indiennes qui ont de l'allure. J'regardais ça au centre-ville, cet après-midi. Sont pas toutes grosses. Comprends-tu ? En anglais, y disent : « *It's about as good as it gets.* » C'est le meilleur *deal* que tu peux trouver dans le monde dans lequel on vit. Notre monde, à ce moment précis de l'histoire. En tout cas, pour quelqu'un qui aspire à une vie tranquille. Y a de l'ouvrage. Des restos, une épicerie fine. Des petites plages le long de la rivière Croche. Une super bibliothèque, quasiment trop bien pour la ville. La plus belle forêt boréale au monde. De la perdrix, de l'orignal, de l'ours. Veux-tu que j'te dise une affaire ? Si on m'obligeait à quitter Pékin pour revenir vivre au Québec, la seule place où j'me sentirais bien, c'est à La Tuque.

— On est ben, on est ben. Fille ! C'est pas moi qui est parti vivre en Chine !

Il riait comme un cul.

— Ben pourquoi ça fait quatre chums du secondaire qu'on enterre depuis vingt ans d'abord ? demandai-je. Toutes des suicides ? Toutes des pendaisons ?

— Cinq, corrigea Ito, qui ne riait plus.

— Han ?

— Meunier, au cégep…

— Cossette.

— Fred Guay.

— Boileau.

— … Pis le frère à Stéphane Marquis. L'automne passé.

— *Fuck !*

— Grosses dettes de dope. Les Hells étaient après. Y vivait sur du temps emprunté.

Je m'étendis sur ma planche et me laissai étourdir par le scintillement du ciel. On s'en étonne, mais les pivelures célestes visibles à l'œil nu, que l'on pourrait croire aussi nombreuses que les grains de sable dans un désert, sont en réalité facilement dénombrables : six mille. Un nombre tout plat, tout bête. Six mille. Le remboursement d'impôt de quelqu'un qui a bien travaillé. La population de Sainte-Brigitte-de-Laval. La distance en kilomètres entre Pont-Rouge et Barcelone. Qui plus est, ces étoiles font toutes partie de notre galaxie – autant dire notre quartier cosmique. Certaines sont situées à des milliers d'années-lumière, néanmoins je les voyais distinctement dans cette nuit de septembre, étalé de mon long sur une estrade, une Bleue Dry entre les cuisses, pressée contre mon scrotum. Toutes mes pensées allaient pourtant vers Proxima du Centaure, notre voisine (quatre virgule vingt-deux années-lumière : la porte d'en face), qui ne figurait nulle part dans cette nuit latuquoise. On ne peut l'observer qu'à partir de l'hémisphère Sud, et encore, seulement avec un télescope bien équipé : naine rouge, Proxima se dérobe à notre regard à cause de son rayonnement trop faible. Quelle différence y a-t-il, au fond, entre une galaxie et un immeuble à logements ? De la fenêtre de son appartement, on rêve de conquérir les filles superbes qui passent dans la rue ou se déshabillent, insouciantes, dans les appartements de l'autre côté du boulevard. Cette beauté exhibée fait tourner la tête, donne des envies. Existe pourtant sur le palier, derrière la porte d'en face, une fille seulette, que personne ne va jamais voir parce qu'elle est courte sur pattes, rougeaude, timide. Une Loulou stellaire. Qui sait les humeurs qu'elle couve ? Les angoisses qui lui transissent la gorge, en certains moments de la journée ? Cette frayeur soudaine de mourir sans avoir compris, sans avoir été reconnue, touchée, sans jamais plus avoir joui… Cela avait peut-être été la vie de Jeanne Mance avant qu'elle ne décide de tordre son karma et de traverser l'Atlantique. Après tout, elle avait trente-quatre ans quand elle était partie ; à défaut d'un portrait historique de sa personne, mon imagination tendait à me la servir comme une villageoise courtaude et vilaine, ennuyeuse, dont aucun homme ne voulait et qui choisissait d'anesthésier la sécheresse de son corps en se laissant aspirer dans un mystère : l'inconnu d'un voyage au bout du monde. Se suicider sans mourir. Je communiais parfois à un tel sentiment. Dans ma vie, il y avait eu des solitudes où j'aurais consenti à mourir si ç'avait été dans la contemplation d'un astre nouveau et grandiose. Ces soirs-là, je m'endormais en rêvant qu'on m'enfermait dans un sarcophage de verre et qu'une force nucléaire me propulsait jusque dans les interstices de Jupiter, où, comme cette sonde météorologique larguée par Galileo en 1995, je finissais broyé par la pression.

— Combien tu *benchpress* ? grognai-je en me relevant.

— J'peux lever trois fois trois cent cinq livres, répondit Ito.

Je descendis et m'assis à côté de lui.

— Tu t'entraînes chaque jour ?

— Congé le dimanche.

En examinant sans gêne les bras de mon camarade, je discernai de longues lacérations rectilignes, mal cicatrisées, que les tatouages cherchaient à masquer, mais que la clarté brumeuse d'un lampadaire au-dessus de nos têtes révélait, comme un réactif une encre sympathique. Je ne lui posai pas de question. Un autre mystère. La vie en était pleine. Qu'est-ce qui avait poussé Jeanne Mance à quitter sa Champagne pour l'enfer sapin du Nouveau Monde ? Y avait-il une planète habitable dans l'orbite de Proxima ? Pourquoi de jeunes pères de famille choisissaient-ils de se pendre dans leur bungalow ?

● ● ●

« A penche », me dit le marguillier en parlant de l'église Saint-Zéphirin, « c'est comme que si a s'affaisserait de ce bord-là. C'pour ça qu'y a des fissures dans le mur. »

Ce n'était certainement pas le poids de mon chagrin qui la faisait vaciller puisque je n'en ressentais aucun. Je ne pouvais pas me garder d'une sorte de bonheur dilué, celui, mélangé à la nostalgie, de retrouver ces immenses colonnes de marbre caramélisées qui m'avaient tant impressionné dans mon enfance. C'était l'église de mon baptême, celle, aussi, de ma confirmation. Pour la première communion, je n'en étais plus bien sûr. Elle avait peut-être eu lieu à Marie-Médiatrice, la seule autre église de la ville.

Beaucoup de vieux chums du secondaire s'étaient déplacés pour la messe commémorative, certains avaient fait le voyage de l'extérieur. Je renouais, amusé, avec des camarades que je n'avais plus vus depuis vingt ans. L'âge ne les avait pas tous également dotés en urbanité – Vincent Chagnon, Babines Marrien, Yan Langevin et un autre gars que je ne connaissais pas s'étaient gelés avec une pipe à kif sur le perron de l'église avant d'entrer –, mais les corps tenaient le coup, personne n'avait trop vieilli. Abelin Maheux et Maude quoi-déjà ? insistèrent pour que je m'assoie entre eux. Ito était deux rangées devant, avec des amis. Il pleurait.

Ce ne furent pas les quarante-cinq minutes les plus agréables de mon existence. À ma gauche, une tante de Boileau – Jocelyne St-Hilaire, infirmière auxiliaire à l'hôpital, ma mère la connaissait – ne cessa pas une seconde de renifler, et c'était chaque fois comme si elle m'imposait une visite guidée de ses sinus. Et puis, pour tout dire, je restai stupéfait de la charge de tristesse qui s'abattit sur l'assemblée dès le début de la messe (un ami de Boileau joua *Nothing Else Matters* à la guitare sèche en ouverture). Pourquoi tant de douleur? Il y avait un an déjà qu'il était mort. N'était-il pas temps de penser à lui en des termes plus apaisés? «Il nous aura quand même bien fait rire» et tout ça? Les bons souvenirs, quoi, comme un sédiment remonté à la surface après une décantation de douze mois.

Pour la mère de Boileau, bien sûr, je comprenais: la chair de sa chair, son p'tit gars, l'idée qu'il pourrisse aujourd'hui sous une dalle du cimetière Saint-Joseph, et la grande question: pourquoi? Et sans doute, aussi, la culpabilité de n'avoir rien fait, de ne pas avoir vu venir. Je l'apercevais de dos, première rangée, secouée de sanglots, les mains sur le visage. Des amies la consolaient. Sa détresse me ramenait à mon insensibilité. Était-il normal que je ne ressente rien? Que la douleur des autres m'indiffère à ce point?

J'avais toujours anticipé l'épuisement de mes réserves de pitié comme l'ultime stade de déchéance, puisqu'on est ravalé au rang des bêtes si on n'est plus capable de commisération. Mais je n'en étais pas là. Mon manque de charité était géographique. En Chine, je ressentais beaucoup de compatissance, et souvent. Pour une ménagère inconsciente, étendue à côté de son vélo après avoir été frappée par une benne à ordure qui reculait. Pour un enfant en haillons, hagard, traînant à côté de sa mère qui mendiait. Pour cette étudiante pauvre qui achetait des livres à la librairie Xinhua et s'apercevait au comptoir que le prix total dépassait ce qu'elle avait en poche. Pour les travailleurs migrants. Pour mes collègues chinois à l'université qui faisaient le double de mes heures et qu'on payait deux fois moins. Mais cette part d'humanité qui palpitait en moi, perméable et algique comme une plaie vive, se refermait quand je revenais au Québec.

Simplement posé : on souffre avec ceux qu'on aime, et, corollaire à cet axiome, on reste en général imperméable à la détresse de ceux qu'on n'aime pas, et si on affiche de la pitié, c'est en général une pitié de circonstance, dictée surtout par les convenances.

À un point donné de la cérémonie, la fille de Boileau monta en chaire pour lire un texte qu'elle avait composé (« À l'école, j'étais la seule élève qui avait des sauterelles à la dynamite dans son lunch. Tu faisais les meilleurs sandwichs westerns au monde. C'est normal parce que tu étais le meilleur papa au monde. Pourquoi tu as fait ça, papa ? Pourquoi ? »). Je l'écoutai d'abord avec attendrissement. Puis, après quelques minutes, je me demandai ce que j'aurais à dire à Boileau si on m'obligeait à monter en chaire. *Mon cher Daniel... Je t'ai acheté un cadeau. Super Mario 2 pour la NES. Il m'a coûté soixante-cinq dollars dans une boutique spécialisée à Trois-Rivières. C'était ton jeu préféré. En secondaire 1, tu avais été le premier à le finir à l'école. Tu avais aussi établi le record absolu dans la catégorie des* speedrun *: le tour de la cassette en onze minutes quarante-cinq, une performance*

ébouriffante qui t'avait valu l'admiration de tous les gars.
On t'admirait déjà pour tes pecs, remarque. Je vais me sou-
venir de toi pour ces deux choses-là. Trois, pardon. Super
Mario 2. Tes pecs. Et la fois où tu m'as sauvé la vie au hockey.
Bye, man.

• • •

La messe se termina vers midi. Je me rendis au cimetière
en pensant qu'il y aurait peut-être une cérémonie autour
de la pierre tombale. Mais non. Il fallut que je m'informe à
l'accueil pour savoir où était la tombe. Un fossoyeur avenant proposa de m'y conduire. Devant la sépulture, j'at-
tendis qu'il se soit éloigné pour enterrer la cassette dans un
trou creusé avec mes mains.

Avant de retourner à Montréal, je stationnai le RAV4
près de l'école des Indiens et baguenaudai une demi-heure
dans le quartier Saint-Michel, où j'avais grandi. On disait
aussi « l'autre bord du lac », à cause de la situation du secteur par rapport au lac Saint-Louis, mais la personnalité du
quartier, sa « charpente », pour parler en termes œnolo-
giques, tenait dans la contiguïté de la dantesque usine à
papier, au pied de laquelle les maisons descendaient sur les
parois d'un entonnoir jusqu'au lac, comme si elles débou-
laient. Quand j'étais petit, c'était un quartier ouvrier encore
assez vivant, où piaillaient les enfants. Mais les travailleurs
avaient déserté le secteur à mesure que l'usine avait réduit
ses effectifs, et aujourd'hui, plus de quatre-vingts pour cent
des habitants étaient des Attikameks. Traditionnellement,
les Indiens avaient beaucoup d'enfants, mais je trouvai que
les familles sortaient peu de leur maison ; une léthargie

ennuyeuse appesantissait les rues. C'était pourtant un dimanche extraordinairement beau, sans doute une des dernières journées chaudes avant l'hiver.

Je fis le tour du lac et, avant de retrouver mon camion, grimpai l'entonnoir de l'autre côté jusqu'à l'avenue Brown, un segment linéaire et bref qu'un rectangle gazonné de la taille d'un terrain de football séparait d'une voie ferrée. De l'autre côté, il y avait le garage municipal et le Colisée. Concert de cigales. Huit maisons. J'avais grandi dans la quatrième, un bungalow en « L », briques lie-de-vin, trois mètres carrés d'une herbe jaunissante, la boucane de l'usine charbonnait les lattes de vinyle qui recouvraient les murs latéraux. Je restai longtemps planté devant, je devais avoir l'air idiot. Un petit garçon surgit de derrière la maison, courut jusqu'à moi en remontant l'entrée de garage. Il portait un costume de super héros jaune moutarde, des griffes en plastique à une main. Est-ce qu'on était déjà l'Halloween ? Non… pas avant le mois prochain. Il ralentit à mon abord, la main sans griffes tenait un pogo.

— C'est-tu ta maison, ti-gars ?

— Oui.

— Mais tu sais qu'ici, avant, c'était ma maison.

— Non.

— Oui, oui. Quand j'étais petit comme toi, je restais ici.

— Non… C'était ma maison tout le temps.

— Comment tu t'appelles ?

— Vulverine.

— Han ? Non, mais ton vrai nom, je veux dire.

— Vulverine. Regarde, z'ai des griffes.

« Antoine ! » Une maman inquiète fit irruption dans la véranda ; pieds nus, elle hésitait à descendre sur l'allée gravillonnée. Elle se contenta de me dévisager sans aménité. Elle devait avoir mon âge, son visage m'était nébuleusement familier, je cherchais son nom dans ma mémoire, mais non. Rien. Je lui envoyai un signe de tête rassurant, mais soutins son regard pendant tout le temps que prit l'enfant pour courir jusqu'à elle. Je ne ressentais aucune gêne à la fixer ainsi. Entre nous, l'air statique s'était mis à vibrer par lignes, comme un écran de télé qui défaille. J'avais l'impression de la voir de l'autre côté d'une gaze.

Sur le chemin du retour, j'eus beau mettre mes souvenirs sens dessus dessous, je ne réussis pas à replacer cette fille. La poly, sûrement. Cela faisait vingt ans. Nous avions tous tellement changé.

On ne pouvait pas rêver d'une plus belle journée pour rouler sur la 155 Sud. Sur une centaine de kilomètres, le lacet de la route épousait organiquement celui du Saint-Maurice ; même dans l'enjambement des montagnes, quand le relief forçait une séparation verticale d'avec la rivière, on suivait ses courbes, seulement d'un peu plus haut, avec, à la clé, le bonheur de contempler les sommets de l'autre rive indenter le ciel transparent, semé ici et là de nuages défaits, réticulés comme du sucre filé. Cette route, pour peu qu'on aime conduire, on pouvait la faire dix mille fois sans s'en lasser. À l'époque où j'habitais à Montréal, il m'arrivait d'aller à La Tuque pour le seul plaisir du voyage. Aujourd'hui pourtant, l'image de cette fille et de sa réprobation contenue contrariait mon plaisir, comme l'aurait fait un cliquetis sous le capot du RAV4. J'étais hanté par la dureté de son visage. Des reproches plein les yeux. Pourquoi ? À travers elle, il me semblait que c'était ma jeunesse qui dardait vers moi un doigt rageur, qui me reprochait quelque chose d'imprécis. D'avoir quitté La Tuque. D'avoir fui. D'avoir abandonné mon cœur quelque part dans le vomitoire qui mène de l'adolescence à l'âge adulte.

2

Pendant une pause-pipi à Shawinigan, mon iPhone me signala que j'avais reçu un courriel. Catherine Tremblay. « Est-ce qu'on peut parler ? Téléphone-moi au 514-259-4038 s'il te plaît. » Je l'appelai sur-le-champ. « C'est à propos de ton offre. Peux-tu passer au salon ? Demain ? Entre dix heures et midi, ça m'arrangerait. Il y a moins de clients. »

Le jour suivant, je m'étonnai de la trouver dans la chaise de madame Gisela, à la réception. Peut-être qu'elle avait eu une promotion ? En m'approchant cependant, je constatai qu'elle avait le bras droit en écharpe. Sa main libre tenait un roman. Mon roman. « On va jaser dans une salle, on sera plus tranquilles. » Elle posa le livre ouvert sur le bureau pour ne pas perdre sa page, coinça le combiné d'un téléphone entre son épaule et son oreille et composa un numéro de trois chiffres. « *Viv ? Can you take over at the desk ?... Half an hour or so... Thanks.* »

— Je me souviens quand ton livre est sorti l'année passée, lança-t-elle, une fois dans un boudoir. Quand tu m'as dit que t'avais publié un roman, j'ai pas percuté tout de suite. Ça m'est venu plus tard. *Putrescence Street*, aaah...

T'as eu ton gros quinze minutes de gloire. Les critiques étaient bonnes. Mais je ne l'avais pas lu. Je ne lis pas beaucoup de romans. Entre mon doctorat et mon travail ici… Et pis, c'est pas pour faire ma fraîche-pet, mais quand j'ai du temps, je lis pas tellement québécois. Sauf Patrick Senécal. J'adore Patrick Senécal. J'ai lu tous ses romans. Le tien… Le tien est pas pire aussi.

« Pas pire aussi… » Elle avait soufflé ces trois mots avec une indicible insolence, avec le dédain amusé d'une femme qui dit à une autre : « C'est vrai que t'as grossi, mais ça te va bien. »

— C'était pour acheter un appartement et une voiture, me justifiai-je niaisement.

— Ah oui ? Et puis ?

Je haussai les épaules. Elle était confiante, railleuse, déstabilisante. La rencontre ne se déroulait pas du tout comme je l'avais anticipé.

— Bon. Il faut qu'on parle. Veux-tu t'étendre ? Tout est gratuit aujourd'hui : la salle, la demi-heure avec moi… Évidemment, dans mon état, il n'y aura pas de massage ni de frotte-pipi. C'est pour ça que je suis au comptoir. Vas-y, étends-toi. Mais enlève tes souliers… Cool. Même blessée, il faut bien que je gagne des sous. Ça fait que la patronne me met à l'accueil pis elle prend sa semaine. À la réception, c'est relax, mais je reçois pas de *tips*. La différence dans le portefeuille… ayoye. Je vais finir le mois en mangeant de la soupe en sachet, je pense.

— Qu'est-ce qu'il vous est arrivé ?

— On se dit « tu », OK ? On s'est vus tout nus pis je t'ai fait juter l'os à moelle, ça fait que. Ce qui m'est arrivé, Roé Léry, c'est que je suis descendue dans le tombeau de Jeanne Mance avant-hier, pis j'ai frappé un mur. Une porte, en fait. Luxation de l'épaule.

Bien sûr, elle avait tenté l'expédition sans moi. Cette fille avait du ressort et l'orgueil d'une boxeuse. Elle me raconta son aventure. Au milieu de la nuit, elle s'était cachée devant la chapelle close. Autour de quatre heures trente, une religieuse avait déverrouillé les vantaux énormes pour donner carrière à l'air piquant de la fin de l'été. Catherine l'avait reconnue : c'était sœur Charron, celle qui l'avait prise en flagrant délit lors de sa première intrusion. Elle savait qu'elle ne pouvait s'en prendre qu'à elle-même. Cette idée de s'introduire par l'entrée du bâtiment administratif… Des couloirs étroits, des bureaux fermés à gauche et à droite, nulle part où se cacher : dans les circonstances, c'est un miracle qu'elle se soit rendue jusqu'au réfectoire. De là, elle n'avait plus bien su quel chemin prendre pour trouver l'entrée de l'ossuaire, et de trop longues secondes d'hésitation sous l'effrayant portrait d'une nonne à la lippe baveuse lui avaient été fatales : sœur Charron, vieille taupe permanentée et poudrée comme une morte, avait fait irruption dans la salle et frôlé la crise cardiaque en la voyant.

Cette fois, tout baigna dans l'huile. Catherine avait en main le plan que je lui avais donné. Une fois les portes déverrouillées, elle avait attendu une vingtaine de minutes puis, en tapinois, avait pénétré dans l'enceinte de la chapelle. La petite église était vide. Les laudes n'auraient lieu que deux heures et demie plus tard. Elle trouva facilement le couloir qui menait au réfectoire puis, après avoir sinué entre les longues tables de banquet, la porte du fourre-tout qui cachait l'abîme sacré.

— Le truc, rendu dans la cafétéria, c'est d'être silencieux, mais de rester toujours en mouvement. Et d'être chanceux. Et de savoir où on va. J'ai trouvé tout de suite le placard. Une fois dedans, j'ai refermé la porte derrière moi. J'avais l'impression d'avoir fait le plus gros de la job. L'escalier plonge dans un trou caverneux, on dirait un puits abandonné. C'est tellement anonyme ; il faut vraiment le savoir. On s'attendrait à une plaque en bronze, quelque chose. Une annonce ? « Plaise au ciel que le marcheur, ici séant, ralentisse le pas ; il est sur le point de fouler la crypte mortuaire des religieuses hospitalières de Saint-Joseph… » Ben non. Rien qu'un escalier en colimaçon qui s'ouvre dans un placard, entre trois mopes et des bidons de produits dégraissants.

Dépouillée de la taciturnité de nos premières rencontres, sa voix reconquérait cette tonalité studieuse qui m'avait tant plu à la radio, une intonation professorale, trahissant juste ce qu'il fallait de sécheresse de cœur, plutôt dans les graves, mais catégoriquement féminine. Vrai, Catherine Tremblay m'avait humilié plus tôt. Mais je pardonnais tout cela. Je lui pardonnais aussi son accent de préposée de vestiaire de bingo à Tétreaultville. Ma vanité cassait devant sa voix.

— Ça fait que… je me garroche dans l'escalier avec ma ferveur de doctorante sur le point de rencontrer, enfin !, son sujet de thèse. Le problème, c'est qu'à mi-chemin, sur un palier, il y a une porte. Vieille en ostie ! Et massive. Et *jammée.*

— Barrée?

Non, assurait Catherine. Il n'y avait pas de verrou. Pas de pêne, pas de gâche, rien. Deux arceaux, seulement. Un sur la porte, l'autre sur le chambranle. Mais d'une chaîne et d'un cadenas, nulle trace. Par ailleurs, il était inenvisageable que la porte soit bâclée de l'autre côté, puisque c'était l'ossuaire et qu'il était sans issue. Ainsi, Catherine tenait pour certain que la porte était simplement coincée.

— Oui, mais les sœurs, elles continuent d'inhumer leurs mortes là-dedans, fis-je remarquer.

Catherine haussa les épaules.

— En théorie, oui.

— Faut bien qu'elles l'ouvrent, la porte, quand c'est le temps d'en mettre une au frais.

— Je sais pas quoi te dire. Peut-être que la crypte est condamnée et que les sœurs empilent leurs mortes ailleurs?

— Je pense pas, répliquai-je. Quand je suis allé faire mon enquête au Musée, les bénévoles m'ont assuré que les hospitalières continuaient d'être inhumées dans la crypte. L'affaire, c'est qu'à l'âge qu'elles ont, il doit bien en mourir une tous les deux jours. À ce rythme-là, normalement, elles ne devraient même plus se badrer de fermer la porte. C'est vraiment bizarre.

— Oui, reconnut Catherine. Au début, je pensais que la porte avait fini par faire bloc avec l'ensemble. C'est humide, là-dedans. Le cadre en bois, peut-être, avait gonflé? J'étais découragée, j'avais l'impression qu'il faudrait un bulldozer.

Mais en sacrant des coups de pied, j'ai senti que ça décoinçait. Pas beaucoup, mais ça bougeait. Ça fait que j'ai décidé de me lancer avec l'épaule…

Elle agita son bras en écharpe en faisant la moue. Soldate blessée, elle était parvenue à évacuer le territoire ennemi comme elle était entrée : en catimini.

— Ça fait que… j'ai une proposition à te faire, m'annonça-t-elle finalement. On retourne ensemble chez les Hospitalières et tu mets à mon service ta grosse constitution de dur de dur pour m'ouvrir la porte qui mène vers Jeanne Mance. En échange, je t'offre une visite gratuite au salon, toutes dépenses payées. Une heure. Salle *VIP*. La masseuse que tu veux – peut-être un quatre mains, si j'ai assez de filles dans le *backstore*. C'est sur mon bras (elle fit quelques « ha ha » muets en remuant son écharpe). La seule affaire, c'est qu'il faut que t'en profites cette semaine, pendant que c'est moi qui est au comptoir. Gisela revient dans cinq jours pis elle ne laisserait jamais faire ça.

— Pour la porte… il faut pousser ou tirer ? demandai-je.

— Pousser. Et pousser fort, parce qu'elle est pognée dans un pain. (Elle fit une pause théâtrale :) Roé… as-tu du cœur ?

Du cœur ? Du poids, oui, mais du cœur ? Elle braquait sur moi ses beaux yeux de maman ourse. Je plaçai les mains derrière ma tête et fixai le plafond sans piper mot. À l'origine, cet inoffensif attentat contemplatif chez les Hospitalières m'avait enthousiasmé. Mais maintenant que le succès de la gageure reposait sur ma capacité à déplacer dans l'espace un corps pesant avec ma force physique, j'étais terrifié. C'est que j'étais, malgré ce que laissait croire ma génétique d'orignal, un cérébral. Mes muscles s'étaient liquéfiés dans l'étude et la contemplation, seulement ça ne se voyait pas. Je débarquais quelque part, on me rencontrait pour la première fois, le poitrail avait l'air léonin sous la chemise, les épaules étaient larges, les biceps viandeux, six pieds deux cent dix livres de bon saindoux mauricien, « les Latuquois, c'est pas des tapettes », non madame, « un gars de même contre une porte ? C'est la porte qui se tasse », oui oui, bien sûr, sauf que non, pas du tout en fait, les chairs étaient fermes parce que j'avais seulement trente-huit ans, mais le gras était aqueux, les muscles atrophiés, sous la carrosserie le moteur commençait à tousser. Je n'étais pas une tapette (Pas.Une.Tapette.), mais je ne m'étais jamais battu et je n'avais plus fait de sport depuis mes années de hockey, je n'en tirais pas de fierté, c'est juste que ç'aurait empiété sur mon temps de lecture, sur mes activités d'écriture, sur la musique, il aurait fallu que je coupe dans les chips, dans la bière, dans le whisky.

— Tu travailles dans le milieu des… massages. Tu connais vraiment personne de plus bâti que moi ? Un danseur à gogo ? Un *doorman* ? Un vendeur de… produits ? Je suis lourd, mais pas très musclé.

— Je cherche pas juste des muscles, je cherche du cœur aussi. Pour une mission comme celle-là, il faut une sorte de courage très particulier. Et un sens de l'histoire. La semaine passée, tu m'as dit que tu avais ça. « J'aime les ruines, les églises… » C'est ça que je cherche. Un homme. Un vrai.

Et par ces simples mots, elle avait fait de mon choix mon sort. À la fin, une question : serais-je capable ou non de pousser cette criss de porte ?

• • •

Plus tard le même jour, je reçus un message d'un ami chinois qui, ignorant notre séparation, s'étonnait d'avoir croisé Meng Wu au bras d'un autre homme dans une exposition à l'Espace 798, la grande zone d'art contemporain au nord de Pékin. C'est con : mon premier réflexe fut de supprimer son message, comme si, sa représentation codée abolie, un morceau de réalité pouvait s'effacer aussi. J'étais en train de vornusser autour de l'Université de Montréal. Il y avait une SAQ dans un petit centre commercial sur Van Horne. J'achetai une bouteille de Famous Grouse et une caisse de bières hongroises hors de prix. À la maison, je passai la soirée à regarder des photos de Meng Wu en faisant descendre le whisky avec les bières – les Écossais appellent ça des « *half and a half* ». L'ordinateur jouait des chansons d'amour des années 80 : je m'effondrai pendant *Glory of Love*, le front sur le clavier, en larmes. Le lendemain, je vomis jusqu'à seize heures. Finalement, ma nausée vaincue par des biscottes scandinaves, je pris une douche et m'allongeai pour éthériser par le sommeil la migraine qui continuait de me taler. Le téléphone sonna juste au moment où j'allais m'endormir. C'était Catherine Tremblay.

— Tu devais passer au salon cet après-midi pour ton quatre mains. Je t'avertis, si tu viens ce soir, je suis pas sûre de pouvoir te donner deux filles. Il y a beaucoup de clients en soirée.

Je me palpai le front. C'est fou comme je transpirais. Pourtant il ne faisait pas particulièrement chaud.

— Est-ce que je pourrais échanger mon heure de massage contre une heure de lecture ?

— Une heure de lecture?

— Je vais au salon, disons demain. Je m'étends sur la table et tu me fais la lecture pendant une heure. Tu as une belle voix. Si je m'endors, surtout tu me laisses dormir. Tu me réveilles quand l'heure est finie. Tu auras rempli ta part du contrat. Je peux pas y aller aujourd'hui. J'ai pris une ostie de brosse hier.

— Tu veux que je te lise quoi?

— N'importe quoi. Un roman, un manuel d'histoire, la Bible, ta thèse… Ce que tu veux. Patrick Senécal. De la poésie.

Silence interloqué. Elle acquiesça finalement d'un « oui » perplexe et nous convînmes de nous rencontrer le lendemain, juste après le dîner.

Il y avait une pièce du salon de massage où je n'avais pas encore mis les pieds, c'était la salle *VIP*. À peine plus chère que les autres (cent vingt dollars de l'heure contre cent dollars), elle était pourtant incommensurablement plus grande. On avait élaboré son aménagement autour de l'idée axiale du « fantasme pour messieurs », et le résultat était une *man cave* décorée dans le respect scrupuleux des vertigos cochons d'un Lavallois moyen. Il y faisait très sombre, presque totalement noir. Les seules sources de lumière étaient de longs pavés droits de néons bleuâtres disposés au sol et les phares noyés du spa, de la même couleur. La table de massage était ici remplacée par un lit recouvert d'un drap de coton sur des piqués imperméables. Aux murs étaient suspendues des ossatures en bois doré, genre de squelettes aviaires; sur les meubles, des fleurs en plastique ridicules émergeaient de dames-jeannes recouvertes d'osier.

Faux foyer surmonté d'un trumeau figurant une Tahitienne alanguie à la plage. Canapé Houston assez grand pour dix. Télé écran plat 65 pouces – énooorme ! Les objets, leur disposition, leurs couleurs : tout criait un luxe plastique et plouc. Cette salle était parfaite pour organiser une orgie, ou bien une partie de poker entre membres de la mafia russe. Si c'était, à première vue, un drôle d'endroit où se cloîtrer à une heure de l'après-midi, je trouvais quant à moi un heureux réconfort dans l'adéquation entre l'obscurité des lieux et l'envie de néant qui m'habitait depuis deux jours. Catherine Tremblay m'avait promis la totale. Elle livrait la marchandise.

« T'es un bizarre, toi », c'est tout ce qu'elle m'avait dit en m'accueillant à la réception, mais elle m'avait guidé sans en rajouter jusqu'à la salle *VIP*, un recueil de Blaise Cendrars à la main. Comme d'habitude, je ne croisai personne. Pas d'autres clients. Il me semblait chaque fois que cet établissement n'existait que pour moi, pour mes plaisirs, et au fil de mes visites, j'y gagnais en abandon, au point, aujourd'hui, de m'y sentir blotti dans un espace de ma propre imagination, enveloppant et doux. C'était fait exprès, sans doute. La circulation devait être contrôlée par la réception pour éviter que ne se croisent des clients penauds. Je suivais Catherine en lorgnant ses longues cuisses, elle portait un déshabillé de soie noire qui, en d'autres temps, m'aurait galvanisé.

Dans la salle, je grimpai sur le lit et m'y répandit en ronchonnant comme un vieil arthritique. « Ça va ? » « Mmm. » J'avais fait de l'insomnie toute la nuit. À coup sûr, je sombrerais dès que Catherine commencerait à lire. Elle tira une chaise, chercha un poème. « Tiens. »

En ce temps-là j'étais en mon adolescence

J'avais à peine seize ans et je ne me souvenais déjà plus de
mon enfance

Je voulais dormir. Je voulais mourir, aussi. Beaucoup.
Ferme les yeux, Roé. Essaie de fermer les yeux.

Le Kremlin était comme un immense gâteau tartare
Croustillé d'or
Avec les grandes amandes des cathédrales toutes blanches
Et l'or mielleux des cloches.

C'était un texte difficile à réciter, mais Catherine le faisait avec une aisance surprenante, s'autorisant à ponctuer
là où Cendrars ne l'avait pas fait (*J'ai pitié / j'ai pitié / viens*
vers moi / je vais te conter une histoire / Viens dans mon lit /
Viens dans mon cœur...), et ne trébuchant jamais aux
retours à la ligne, même les plus baroques, ni dans les
déboulements de toponymes russes (*Tomsk Tchéliabinsk*
Kainsk Obi Taïchet Verkné-Oudinsk Kourgane Samara
Pensa-Touloune). Pas de sensiblerie dans la récitation,
jamais d'emphase ni d'effets de toge, mais une application
qui disait une appréciation intime des voltiges de tranche-
montagne du poète. Une certitude : ce n'était pas la première fois que Catherine Tremblay lisait à voix haute la
Prose du Transsibérien et de la petite Jehanne de France.
Pour l'accent aussi, elle faisait un effort. Moins Hochelag,
plus Radio-Canada. Merci, merci ! ma belle Catherine.

Mais quelque part entre *Les chefs de gare jouent aux*
échecs et *Je ne sais pas aller jusqu'au bout*, je commençai à
perdre l'image et le son. L'intonation régulière de Catherine
trémulait dans le champ de ma conscience sonore, et une

voix alarmée me disait « reste au moins éveillé jusqu'à la fin du poème, *Je voudrais n'avoir jamais fait mes voyages*, c'est la plus belle partie », mais la fatigue emportait mon âme comme une vague, et je m'assoupis légèrement, juste assez pour décoller malgré moi et retrouver dans la douleur ces brûlis noirs de mes cauchemars, peuplés d'enfants fantômes jouant à gruger les frises de mon cœur dans des sabbats atones et muets.

« Dis, Roé, sommes-nous bien loin de Pékin ? »

Je me réveillai dans un sursaut : Catherine Tremblay était étendue à mes côtés, dans le lit. Son bras en écharpe écrasait sa poitrine, on aurait dit qu'elle serrait un nouveau-né emmailloté.

— L'ostie de bandage… À la verticale, ça finit par tirer dans le cou, s'excusa-t-elle en refoulant un rictus de douleur.

C'était un grand lit. Je voyais bien qu'elle faisait un effort pour se tenir loin de moi. Je m'éloignai au maximum.

— Pis c'est dur de lire à voix haute longtemps, geignit-elle. La gorge devient sèche. À ton tour de me parler. Raconte-moi quelque chose.

« T'es un bizarre, toi. »

— J'ai déjà essayé de me prostituer.

C'était sorti tout seul. Catherine éclata de rire.

— « J'ai déjà essayé de me prostituer »… C'est la phrase la plus… Non, la deuxième phrase la plus *weird* que j'ai entendue de ma vie.

— Ah bon ? Numéro un, c'était quoi ?

— J'étais au théâtre, et un spectateur a interrompu la pièce en criant : « Y a-t-il un agronome dans la salle ? »

Je pouffai à mon tour.

— Il était venu voir Cyrano avec sa plante en pot et elle a fait un malaise ?

— Il y a un contexte. Mais toi en premier. C'est quoi, cette affaire de prostitution ?

Première année de bac. Je m'étais lié avec un camarade de classe, Maxime. Un garçon très beau, né dans les Antilles, un métis athlétique plutôt petit, mais musculeux et leste. Un médecin d'Outremont et sa femme l'avaient tiré d'un orphelinat dominicain quand il avait un an. Comme beaucoup d'étudiants en droit issus de la petite bourgeoisie canadienne-française, il avait la vie facile. Pas d'appartement à payer : il habitait toujours chez papa-maman, avenue de l'Épée, à quelques minutes de l'UdeM. Allocations hebdomadaires en phase avec la bienveillance parentale – combien ça faisait exactement, dur à dire, assez, en tout cas, pour se payer des t-shirts Fred Perry et changer ses Nike tous les six mois. Trekking en Europe l'été avec ses amis. Scandinavie, Corse, Croatie… Normalement, j'aurais dû détester ce type. Mais nous avions fraternisé un jour pendant une pause-cigarette et, allez y comprendre quelque chose, le courant avait passé. En rétrospective, je pense que nous partagions cette espèce de curiosité d'entomologiste envers ceux qui nous sont dissemblables.

Malgré ce qui nous séparait, nos rapports gagnèrent en intimité, au point pour lui, un jour, de me confier qu'il passait une partie de ses temps libres à coucher avec des femmes pour de l'argent. Cela m'avait semblé un loisir extraordinaire. Un soir, après un cours de droit fiscal, il m'avait accompagné dans un café pour me montrer un portfolio qu'il utilisait en guise de prospectus. Format magazine de luxe, papier cartonné lisse comme de la peau de bébé. Des photos professionnelles de Maxime dans différents décors, cadrées pour qu'on ne voie jamais son visage. Les premières, celles en complet, étaient vraiment impressionnantes. Maxime accoudé à un bar d'hôtel, manipulant nonchalamment une clé de chambre. Max, mains dans les poches, flânant dans le Vieux-Montréal. Max dans un salon de thé oriental, remerciant la serveuse à la chinoise (un poing dans une main, les avant-bras formant une barre devant le corps). Max dans une chambre d'hôtel, feignant d'enlever violemment son veston dans une torsion calculée pour évoquer un insoutenable élan sexuel, « ça suffit, ma biche, on passe aux vraies affaires ». Suivait une série de portraits de Max en caleçon Calvin Klein dans une cuisine ensoleillée, toutes viandes dehors : petits pecs, petits abdos, petits biceps, dorsaux, triangles, mollets, alouette, Max poussant le piston d'une cafetière posée à côté d'un panier de croissants fumants, le haut de son visage était flouté mais on voyait son sourire jubilant, « un compagnon attentionné pour des matins qui chantent ! », Max lisant le *New York Times* sur un canapé, jambes écartées pour laisser voir la forme de la biroute sous le calfouette, rien de monstrueux, rien pour effrayer madame Cardinal du square Saint-Louis ou madame Wolkenstein de Mont-Royal, non non non, plutôt une belle anguille généreuse et amène, sûre de ses moyens mais dressée, tenue en bride par un jeune mâle en parfait contrôle de la situation.

De la superposition des initiales de son nom de prostitué (« Aaron Dusang » – la classe), Maxime avait fait faire un logo par une amie graphiste, des armoiries qui figuraient au bas de chaque page.

— C'est sûr qu'il y a un gros investissement de départ, m'expliqua-t-il pendant que je feuilletais, fasciné, les pages glacées de son prospectus. Il faut au moins un costume taillé sur mesure. Honnêtement ? Si tu payes en bas de mille piasses, tu vas avoir l'air d'un habitant. Les femmes qui se tapent des *escortes* à cent cinquante piasses de l'heure sont capables de *spotter* un Sears ou un Moores, pis c'est vraiment pas ça qu'elles veulent. Après, il y a le *shooting* photo. Pis le contrat d'imprimerie pour le portfolio. Faque compte au moins deux, trois mille piasses de mise de départ. J'ai une annonce dans le *Voir*, avec une vignette où je suis en *chest*. Des clientes potentielles communiquent avec moi, je leur envoie mon prospectus. Il y en a qui rappellent… De fil en aiguille, je me suis fait une clientèle régulière. Quatre, cinq habituées. Plus les occasionnelles. C'est ben en masse, avec les prix que je *charge*.

— Je pourrais jamais faire ça, dis-je.

— Pourquoi ?

— Je suis moins découpé depuis que je joue pus au hockey.

— Oh ! T'es encore ben assez sec, *man*.

— Et je suis pas aussi beau que toi.

— Ç'a rien à voir, avait répondu Maxime en hochant la tête, les yeux clos. C'est pas ça que les femmes achètent. Elles achètent, comment je pourrais dire… une scène de film. Un moment. Un homme bien habillé qui les amène souper dans un bon resto, qui les traite comme des vedettes, qui les écoute. Une soirée magique. C'est d'abord pour ça qu'elles payent. Le sexe, c'est… pas accessoire, mais… Il faut enrober le sexe dans une expérience. Comme la cerise dans un Cherry Blossom. Personne n'accepterait de payer une piasse juste pour une cerise confite. Il faut le chocolat pour mettre la cerise en valeur.

Les femmes voulaient, en somme, un voyage sous escorte dans l'environnement contrôlé d'une masculinité fantasmée. L'ironie, bien sûr, c'est que Maxime et moi n'étions encore que de jeunes hommes à la virilité informe, tâtonnante, avec peu d'expérience de la vie adulte. Lui avait eu jusque-là, cela va sans dire, une vie sexuelle infiniment plus satisfaisante que moi. Par ailleurs, son éducation mondaine, son dehors, son «aisance relationnelle» avaient été facettés par le ciseau d'une société éduquée et riche, et je l'imaginais parfaitement désinvolte devant le couvert d'argent d'un grand restaurant, distrayant tout uniment de sa conversation de petit patachon friqué une avocate quinqua en manque de cul, une mécène canonique ou une rentière désœuvrée.

Bien sûr, les photos fabuleuses de son portfolio étaient émaillées des symboles menteurs d'une maturité professionnelle et sociale en réalité non encore aboutie (montre Alpina, coupe-cigare, mouchoirs avec ses initiales, verres de liqueurs mordorées posés un peu partout sur des meubles en acajou). Voilà précisément ce qui m'envoûtait dans son entreprise. On avait donc le droit de faire ça? Prendre ainsi de l'avance sur la vie qui, espérait-on, serait la nôtre après le Barreau? Maxime saisissait le côté faussaire de son activité. «Il faut jamais dire que t'es étudiant. Les femmes auraient l'impression d'avoir une *date* avec leur fils. À notre âge, si on veut se vendre comme "compagnon", il faut se vieillir.»

Il me raconta quelques-unes de ses expériences avec des clientes. De son propre aveu, elles étaient toutes de la même farine : intelligentes, vieillissantes, riches et moches.

— Mais c'est ça que je comprends pas, répliquai-je en lui rendant son prospectus. Pourquoi tu le fais ? Pour le *cash* ? Tes parents sont pétés de fric, ils t'en donnent plein.

Il ne répondait rien, comme s'il lui restait encore à s'expliquer à lui-même ce qui l'avait poussé dans cette pratique.

— Tu veux t'acheter quelque chose de spécial ? Un char ?

— Mmm… non. J'ai déjà un char. Une petite Civic qui fait la job. Non, l'argent que je fais comme *escorte*, je le pile à la banque. Six mille quelque chose, *à date*. Pourquoi je le fais… (Il me regarda dans les yeux en haussant les épaules.) Aucune idée. Mais, eille ! dans la vie, faut pas se poser trop de questions, *man*.

Maxime en avait dans le chou ; simplement, il n'avait pas l'esprit assez délié pour réaliser une objectivation conséquente du marchandage de sa vitalité sexuelle. Je pense que je pouvais le faire à sa place. Je supposais que le fait de se donner ainsi en pâture à des femmes qui convoitaient le contact momentané d'une masculinité idéale, décrassée, lavée de ses impuretés, scintillant comme un diamant noir, devait constituer une extraordinaire nourriture pour l'orgueil mâle naissant à la vie d'homme. Or, la possibilité que cette masculinité essentielle puisse aussi prendre forme dans la conversation m'éblouissait. Je trouvais que j'avais un physique ni chair ni poisson (« Tu as un beau genre », me disait parfois ma grand-mère), mais j'avais une certitude : j'étais quelqu'un qui savait parler aux gens et les écouter.

En définitive, sur moi, la théâtralité de la vie de prostitué – telle que Maxime en rendait compte malhabilement – exerça un attrait immense. Jouer à être un homme… À l'âge flottant et pressé qui était le mien (vingt ans), je n'imaginais pas de meilleur moyen de mettre à l'épreuve ma capacité de séduction pour cette vie qui s'ouvrait devant moi et que j'aurais à traverser avec un physique acceptable sans être explosif. Subsidiairement, j'étais jeune et en santé, et puis je bandais sur commande et j'étais prêt à la rentrer n'importe où, je déconne à peine : n'importe où, il suffisait de demander. Alors ? Qu'est-ce qui m'empêchait de devenir, comme Maxime, prostitué pour femmes ?

— Ça marche pas de même, interrompit Catherine Tremblay dans un accès d'irritation qui coupa net ma relation. J'ai plein d'amis qui sont *escortes*. Mon ex était *escorte*. Même pour un gars qui s'y consacre à temps plein, ça prend des mois avant d'avoir sa première cliente. Et encore plus de temps avant de faire de l'argent. Minimum, mi-ni-mum !, un an. Six mille piasses ? Un petit jeune de vingt ans qui s'essaye dans le métier ? Pfff ! Il te *bullshitait* grave, ton ami.

— Peut-être. Je suis pas allé *checker* dans son compte de banque.

— Pis toi ? T'es-tu lancé, finalement ? As-tu fait de l'argent ?

— Pas des tonnes. Mais c'est une aventure qui a changé ma vie de la plus extraordinaire des façons !

Elle me dévisagea, chiffonnée mais curieuse.

Ma première cliente s'appelait Émilie. Elle était costumière à l'Opéra de Montréal. Deux cent cinquante livres de lyrisme et de survoltage. En guise de conseil, Maxime avait rappelé à ma conscience une vérité que savent d'instinct tous les hommes hétérosexuels : « Dans chaque femme de moins de soixante ans, il y a au moins une chose bandante. Dans les heures difficiles, trouve cette chose et concentre-toi dessus. » Avec la gironde Émilie, à qui je ne donnais pas trente ans, les facteurs facilitants étaient nombreux. Des yeux vairons gourmands, convoquant la jouissance des mille nuances de jaune, de vert et d'or de leur iris. Une peau rosacée sans taches ni tavelures, rigoureusement émulsionnée. Seins énormes et curieux, pressés de voir le monde ; ils s'agitaient avec impatience sous le chemisier en popeline de coton chaque fois qu'Émilie s'enthousiasmait, et Émilie s'enthousiasmait beaucoup, fidèle en cela aux traits fondateurs de sa race (notre race), la bonne engeance de diseurs et de va-de-la-gueule romancée par Tremblay, singée par Deschamps. À son arrivée au restaurant de l'hôtel, où je l'avais accueillie en me levant et en attachant le bouton du haut de mon veston – ce fut, je crois, de toute ma vie, ma première manipulation d'homme adulte –, elle avait posé sur la table une enveloppe qu'elle avait discrètement fait glisser vers moi ; ma « donation ». C'était l'étiquette, celle qui commandait également que je n'empoche l'enveloppe qu'à la fin du repas. Elle devait contenir, normalement, trois cents dollars. Je valais moins que Maxime, donc j'avais fixé des prix plus bas. Je portais un costume Sears. Et puis, je n'avais pas conçu de prospectus, faute d'argent. Dans mon annonce publiée dans le *Voir*, je proposais aux femmes de leur envoyer une photo avec une liste de mes prix si elles en faisaient la demande. Il avait fallu un mois et demi avant de décrocher mon premier rendez-vous. Émilie.

Bien sûr, j'étais nerveux, mais la jeune femme avait fait preuve dès l'abord d'une assurance qui avait agi tel un baume. Elle était, comme elle me l'avait laissé entendre dès notre première conversation au téléphone, coutumière de ce type de commerce.

Je prenais très au sérieux la dimension conversationnelle de mon mandat. Une partie de moi anticipait que si je devais réussir dans ce milieu, ce serait davantage grâce à mes oreilles qu'à ma clarinette. Écouter beaucoup. Parler aussi, mais en gardant toujours en tête les fondamentaux de l'art de la conversation. Éviter les excès de verve. Ne pas me mettre en scène. Balancer mes réparties avec ce qu'il faut de mystère, d'humour, de lettres. Ne jamais élever la voix. Étrangement, l'impératif charnel, pourtant au cœur de l'expérience prostitutionnelle, ne m'angoissait pas du tout. J'avais l'insouciance de mon âge et l'intuition (juste, appris-je en vieillissant) qu'une relation sexuelle explosait ou queutait selon la capacité des partenaires à accorder leur rythme du moment, une valse aléatoire à recommencer chaque fois et dont les exigences ne se révélaient que dans les premiers embrassements. En cas d'inharmonie, il restait toujours l'orgasme féminin programmatique, que je pensais maîtriser (et pourtant… non, jeune homme : non), celui qu'on déclenche au terme d'une séquence arrêtée de manœuvres tactiles.

Costumière, ce n'est pas banal comme métier. Je le fis remarquer à Émilie et lui posai des questions sur les tâches qui l'occupaient chaque jour. Ce fut un dîner agréable, que la jeune femme, pour mon délice, ponctua de compliments sur mon physique, et à chacune de ses gentillesses, son physique à elle se parait à mes yeux d'un nouvel attrait, au point de se révéler, après une heure, dans une sorte de vénusté Renaissance quasiment irrésistible. On ne dira jamais assez à quel point la coquetterie, chez l'homme occidental, peut pousser à la plus abjecte putasserie, des mœurs et du sens esthétique.

À la fin du repas, le café et le dessert consommés, la facture payée par madame, il ne nous restait plus rien à faire qu'à monter à la chambre et à faire l'amour comme les rapaces acharnés que nous étions. Or, il advint quelque chose de singulier, quelque chose dont je ne me suis, à y réfléchir, jamais vraiment remis. Du bout du doigt, Émilie me caressa la main pendant quelques secondes, et, en la fixant, je vis distinctement ses yeux, injectés d'abord par le plus brûlant désir, se laver d'un coup de tous leurs sédiments licencieux, comme si une cornée détergente s'était superposée à la première. De la concupiscence, elle était passée sans crier gare à un amusement étonné.

— T'es bizarre, toi. T'es pas comme les autres.

— Les autres qui ?

— Les autres… gars. Les *escortes* avec qui je sors des fois. T'es… normal.

Mon sang ne fit qu'un tour. Je passai à un cheveu de casser cette conne, « Veux-tu bien m'expliquer, câlisse, comment on peut être bizarre et normal en même temps ? », mais je ravalai en silence. Dans un sursaut de fierté, je bougeai ma main sur la table, pour me rendre compte qu'elle avait déjà retiré la sienne.

Alors ! On se fend en quatre pour être exceptionnel et on se fait dire par doudoune en Gucci qu'on est « bizarre » parce qu'on est « normal ».

— Tu veux dire… normal physiquement ?

— Non ! se récria-t-elle. Ben non ! Je te l'ai dit : je te trouve pas mal *cute*. C'est juste… En général, les gars que je rencontre ont un petit côté *creepy*. Avec toi, j'ai l'impression que je peux parler.

Et c'est un problème parce… ?

— Je pense que je vais rentrer dormir chez moi, rajouta-t-elle avant que j'aie pu poser la question. J'ai comme un coup de fatigue. Je suis tellement crevée ! Avec *Le Pavot rouge* qu'on prépare pour le mois d'avril… Maaais… tu sais quoi ? Profite de la chambre (elle me tendit la clé). La 306. J'aimerais vraiment ça qu'on se revoie. Peut-être juste pour jaser ? Ça m'a fait du bien de passer un moment avec toi. T'as un effet thérapeutique !

Elle rit à en taper son gros cul par terre – je ne voyais pas ce qu'il y avait de drôle – et me dit adieu après m'avoir embrassé sur le front. Quand elle eut disparu de mon champ de vision, je pris l'enveloppe et l'ouvris. Quatre cents dollars en coupures de cent.

Le lendemain, je téléphonai à Maxime pour lui demander s'il avait déjà subi semblable déconvenue.

— Jamais, coupa-t-il sur un ton péremptoire. J'ai jamais eu de rendez-vous qui n'ait pas abouti à au moins une relation sexuelle.

Il disait vraiment « relation sexuelle » quand il parlait de ses clientes, pas « baise », pas « partie de jambes en l'air », pas « coup de queue », pas « pif paf dans la pantoufle » ni leurs innombrables équivalents graveleux : « relation sexuelle », et ce pli témoignait, pour moi, d'une délicatesse estimable chez un homme si jeune, issu, par ailleurs, d'une catégorie sociale où le mépris s'apprend dès l'enfance.

Je lui nommai la cliente. Il la reconnut tout de suite. « Ah ! La fille de l'Opéra ? Jeune, un peu ronde, avec des yeux pas de la même couleur ? Oui. On a eu… au moins trois *dates*. Elle est assez connue dans le milieu. Elle s'offre une *escorte* par saison, c'est son *trip*. Elle a même un budget pour ça. Quatre fois par année. Toujours le premier jour de la nouvelle saison. Comme hier, c'était le… 20 mars ! Ha ! Elle fait toujours ça ! Bizarre, han ? Oui, on a eu des relations sexuelles à chaque fois. »

Sa réponse m'avait consterné. Maxime était donc exceptionnel. J'étais juste normal.

À mon désespoir, le scénario se répéta avec mes deux clientes suivantes (une en avril, l'autre en mai : le téléphone ne sonnait pas souvent chez les prostitués pour femmes). La première était *trader* à la Bourse de Montréal. Quadra angoissée, laide, vétilleuse et maigre comme un rat d'église, elle pratiquait son métier dans le contexte hollywoodien d'une salle de marchés bruyante, remplie d'ordinateurs et de jeunes hommes tout-fous en bras de chemise. Elle était arrivée au restaurant nerveuse et fatiguée. « T'as l'air plus

jeune que sur tes photos. » « J'ai vingt-sept. » (mensonge)
Pendant le potage, je lui expliquai, l'air de ne pas y toucher, que j'avais un petit portefeuille (vérité), des titres dans deux entreprises seulement, un investissement modeste que j'avais fait dans une optique pédagogique, pour m'initier. Elle tomba dans le piège. Contrairement à l'idée reçue, rien ne détend autant un professionnel surmené que de parler de son métier. C'est le seul domaine dans lequel sa conversation a de l'assurance, et le fait de pontifier sur un sujet qu'il sait dominer a sur lui un effet relaxant.

La dame passa les trois heures suivantes à me donner un cours de négociation de produits financiers. Je le dis sans ironie : son exposé me passionna. Mon cursus universitaire comprenait des cours de droit des valeurs mobilières et je prévoyais de spéculer aventureusement quand j'aurais un salaire d'avocat. Elle m'apprit un tas d'astuces que cèlent la plupart du temps, pour des raisons éthiques, les professeurs de droit. Nous passâmes une excellente soirée, à la fin de laquelle, prise de vin, elle bascula vers moi sa silhouette dégingandée et me souffla dans un nuage de pinot gris : « J'ai plus du tout envie de baiser ! Je me sens comme... (elle se pencha vers mon oreille) comme si j'avais déjà joui. » Alanguissement, sourire mortuaire, miaulements exténués : cette madame était dans un indubitable état postorgasmique, et elle était parvenue à ce résultat surprenant sans se toucher nulle part et, surtout, sans mon aide. Je n'avais rien fait d'autre que l'écouter.

Elle me paya quand même le prix d'un « dîner avec intimité », en me scrutant avec l'air d'une chatte qui vient de pisser dans le son.

La troisième cliente esquiva mes questions sur sa situation professionnelle, me donnant à penser qu'elle était peut-être entretenue, ce qui ne manqua pas de me surprendre. Oui, c'était l'archétype de la « petite madame », mais mêlé à quelque chose de vaguement « gouineux » – pantalon et chemisier austères, mocassins, le cheveu court et sec, visage carré dépourvu de maquillage – et serti dans l'assurance d'une universitaire militante. Dans un autre contexte, sans doute l'aurais-je prise pour une prof de lettres lesbienne. Mi-cinquantaine, peut-être. Elle m'avait invité dans un des restaurants les plus chers de Montréal, au rez-de-chaussée d'un hôtel réputé de la rue Sherbrooke. Les premiers instants de notre rencontre s'étaient consumés dans une apathie inquiétante. Elle s'était détendue à partir du plat principal, quand je lui avais demandé à quoi elle occupait ses temps libres. « J'achète des vieilles Lada et je les démonte pour voir s'il y a des affiches syndicales cachées dans la carrosserie. » « Comment ? » Explications : dans les années 80, les ouvriers qui assemblaient les Lada dans l'usine géante AvtoVAZ de Togliatti, en Russie, se bouffaient parfois le nez avec leurs patrons. Quand les différends dégénéraient, pour porter leurs récriminations outre-mer (ou juste pour déconner), les ouvriers glissaient des pancartes syndicales dans les portières des voitures qu'ils fabriquaient pour le marché étranger. Des centaines de Lada ont ainsi été exportées vers l'Europe et l'Amérique, cachant entre leurs tôles les récriminations parfois très poétiquement tournées d'ouvriers russes. Ma cliente, québécoise mais vigoureusement russophile, collectionnait ces affiches. Pour en trouver, elle ne manquait pas de l'argent nécessaire pour acheter des Lada au hasard (carrément) et faire démonter les portières, «juste pour voir». Pas toutes les Lada, bien entendu : celles assemblées entre 1982 et 1985, pendant ce pont politique trouble entre les ères Brejnev et Gorbatchev, quatre années ayant été particulièrement riches en conflits de travail.

Son intérêt pour la Russie débordait les Lada et les slogans prolétariens. Elle lisait le russe et se passionnait pour *Le docteur Jivago*. Elle restait néanmoins une énigme, et je passai la soirée les yeux rivés sur elle, m'émerveillant de la surabondance de temps et de moyens qui rendaient possible pareille vie de barreau de chaise. Vers vingt-trois heures, elle m'invita à monter avec elle dans la chambre qu'elle avait réservée, et je crus bien que ça y était : ce service que j'offrais se déploierait enfin dans sa merveilleuse et décadente plénitude charnelle, dépris du suc collant de la parole et des épanchements. Dans la chambre, elle nous servit du scotch. La sentant assez détendue, je la pris dans mes bras et l'embrassai. Elle se laissa faire au début, proposa même que l'on s'installe sur le canapé. Cela dura cinq, dix minutes. Je ne voulais rien précipiter. Il fallait, moi aussi, que je m'habitue au contact physique de cette féminité différente. Cette dame faisait mon éducation à la fanaison.

Après un quart d'heure d'un pelotage poli, elle me repoussa doucement.

— Trouves-tu que je taponne ? demanda-t-elle.

— Pas du tout. On fait les choses à ton rythme. C'est bien.

— Normalement, je suis plus vite en affaires. Je sais pas pourquoi, avec toi, c'est... bizarre.

— Bizarre parce que je suis normal ?

Elle acquiesça, soulagée que j'aie mis des mots sur son sentiment. Je me séparai d'elle avec un soupir. En me relevant, je m'aperçus que j'avais une érection. Elle le vit aussi et plaqua une main amicale contre ma cuisse, l'air de dire « la vie, hein ? ».

Elle, aussi, insista pour me payer plein tarif, même si nous n'avions rien fait.

La semaine suivante, je reçus le coup de fil d'un oncle qui cherchait à obtenir mon avis sur une plate affaire de bornage qui l'opposait à un voisin. J'aimais beaucoup cet oncle, un original que tout le monde croyait gai dans la famille (à cause de son métier : il était officier de bouche à la table d'un industriel anglophone de Westmount), mais qui, en réalité, avait fusillé à peu près tout ce qui portait une culotte sur le Plateau. Nous ne nous parlions qu'une ou deux fois par année, mais je n'hésitais jamais à solliciter son avis sur des questions personnelles. Ce jour-là, après que nous eûmes épuisé la matière de son différend foncier, je lui relatai comment j'avais tâté, ces dernières semaines, du métier de prostitué et de quelle cavalière façon je l'avais eu dans l'œuf trois fois sur trois. Il était la première personne de mon entourage à qui j'en parlais. Je l'entendis souffler à l'autre bout du fil, comme un cobra qui fatigue devant un mauvais charmeur.

— T'es pas fait pour ce métier-là, Roé.

— Ah bon ? Pourquoi ?

— Ça a rien à voir avec ton physique. T'es une belle bête. Ton problème, c'est que tu fais l'oreille. Retiens une chose à propos des filles, une seule. Oui, elles cherchent toutes un homme qui les écoute. Mais y a un seuil d'empathie au-del duquel t'arrêtes d'être un homme et tu deviens un confident. À la seconde où tu mets l'orteil de l'autre côté de cette ligne invisible, le sexe est rayé du menu pour toujours. Pour-tou-jours! Comprends-tu? (Je dus acquiescer pour qu'il continue.) C'est endémique chez les gars de ta génération, cette manie-là de laisser les filles vous parquer dans la *friend zone*. Après, vous chialez pour en sortir… Pathétique, mon tit-homme. Si tu rencontres une fille et que t'as l'intention de la sauter, tu la laisses pas te pousser dans sa *friend zone*, avec ses cousins pis ses amis tantouzes. Ne-non. C'est une question d'attitude. Deviens jamais l'ami gai d'une fille qui te fait bander. Compris?

— Oui.

— Qu'est-ce que je viens de dire?

— Arg! J'haïs ça quand tu fais ça, mononc.

— Roé, qu'est-ce que je viens de dire?

— Le jeune homme hétérosexuel qui ambitionne de trombiner une fille refusera de se laisser cantonner dans la posture stérile du confident.

— Bravo! « Les femmes jouissent d'abord par l'oreille », c'est vrai, mais par leur oreille à elle, pas en les laissant bourrer celles des gars avec leurs niaiseries. C'est à toi de leur parler.

— Mais si elles écoutent pas?

— Si elles écoutent pas, tu te lèves et tu crisses ton camp. La vie est trop courte.

— Ça me semble fort sensé.

— Autre chose: est-ce que tu te crosses beaucoup ces temps-ci?

— Pas particulièrement. Pas plus que d'habitude.

— Arrête. Arrête complètement, au moins pour un temps. Quand tu te crosses, tu dépenses ton énergie vitale. Il faut lui laisser le temps de se reconstituer. Plus tu te remplis d'énergie vitale, plus tu vibres. Les femmes sont sensibles à ça. À côté d'un homme vibrant, elles mouillent jusqu'à pus capable. Tes clientes vont te tomber dans les bras comme des Filles d'Isabelle à un concert d'André Rieu.

À ce point de mon histoire, je fis une pause et tournai la tête vers Catherine Tremblay.

— J'ai pas de mots assez violents, siffla-t-elle en détachant chaque syllabe, pour te dire à quel point je trouve mongole sa théorie sur la masturbation. Mais la partie sur les confidents – et ça me fait mal de l'admettre – est pas complètement conne. Il y a un genre de déversoir, dans la tête des filles, qui dompe vite les gars trop smattes dans la catégorie des objets asexués. Ou, pire, les assimile à quelque chose de féminin. C'est vrai que ça doit être frustrant pour un gars qui espère compter des points avec sa belle qualité d'écoute. L'affaire… (elle remua les fesses en grimaçant : nous étions étendus sans bouger depuis plus d'une heure) c'est qu'un gars qui est d'une nature empathique, même s'il essaye ben fort de se faire passer pour un *bad boy*, réussira jamais à cacher aux filles ce germe très doux qu'il porte en lui, cette bonté d'âme là, cette délicatesse-là. On a le pif pour ça, les *girls*. Et juste de sentir la présence du germe, ça peut nous refroidir.

Elle s'arrêta de parler et me dévisagea intensément, au point où j'en ressentis un violent malaise.

— Quoi ? m'écriai-je. J'ai ce germe-là ?

— Toi? Oh non! Non, non, non. Toi, t'es une vraie criss de charogne. Je l'ai compris à ta première visite ici. Tu es, objectivement, une rognure de fond de poubelle. Un babouin en rut. Un jeune Marcel Aubut…

— Ouf! Tu m'as fait peur.

— Maaais, j'ai pas de misère à t'imaginer quand t'étais étudiant. Plus pâle, moins lourd. Rêveur. Plus doux, plus gentil. Un peu poète. De la pâte dont on fait les confidents.

Je soufflai d'aise.

— C'est vrai. C'est tout à fait moi quand j'avais vingt ans.

— Un garçon comme ça, murmura Catherine avec une pointe de tendresse inattendue, ne pouvait pas payer ses études avec sa graine, Roé.

Catherine Tremblay avait raison. D'ailleurs, j'avais fini par abandonner. On avait sollicité mes services huit fois sur une période d'un an.

J'étais parvenu à coucher avec une seule cliente.

Au téléphone, pourtant, elle s'était montrée catégorique. « *Only for dinner*, avait-elle insisté avec un accent oriental, *and only for talking. A friend give me your number. Say you have very interesting conversation. I'm in Montreal only few days, and tired of eating alone.* »

Sur le coup de dix-neuf heures, au restaurant de l'hôtel Le St-James où je l'attendais depuis une vingtaine de minutes, je ne fus pas peu étonné d'être abordé par une Asiatique très belle, d'une vingtaine d'années mon aînée, mais affichant cette verdeur insolente que gratifient de leur lait nourricier des génétiques méticuleuses et rares. Celles qui négociaient le virage de la quarantaine dans l'assèchement et dans l'aigreur devaient haïr cette Chinetoque lunaire; elle était de cette espèce de femmes chez qui la maturité agit, pour un temps en tout cas, comme un démultiplicateur du magnétisme sexuel plutôt que comme un dissolvant. Et j'aimais comme elle était habillée. Pantalon cargo ocré, chemise de plein air kaki d'un matériau rugueux. Pas de bijoux ni d'accessoires. Avec sa chevelure moirée réunie en un catogan tout bête, on aurait dit qu'elle était sur le point de partir en Afrique pour un séjour chez les Massaïs. La femme qui se tenait devant moi était une aventurière. Elle s'appelait Gao Fei, elle était photographe. L'ambassade de Chine les avait invités, elle et d'autres artistes, à présenter leurs œuvres dans quelques grandes villes du Canada.

Bizarrement, ce soir-là, c'est moi qui parlai presque sans arrêt. Je ne crois pas avoir bavassé aussi longtemps devant qui que ce soit ni m'être raconté avec autant d'égaiement. J'étais un gramophone dont Gao Fei faisait tourner la manivelle par un enchaînement ininterrompu de petites questions, chacune plus surprenante que celle d'avant. Elle s'enquêtait avec une grande douceur dans le langage (peut-être parce que son anglais était hésitant) et accordait de l'importance à des angles morts de ma vie, dont je n'aurais jamais cru qu'ils puissent intéresser quelqu'un. Elle me demanda par exemple de lui décrire mon quartier «dans le détail». En apprenant que je venais d'un trou perdu dans la forêt, elle voulut savoir ce que ça sentait chez moi, et elle le formula exactement comme ça : «Qu'est-ce que ça sent, La Tuque?» «Ça empeste la pétrochimie», répondis-je avant de lui parler de l'usine de pâte et papier qui surplombait la ville comme une forteresse postapocalyptique, décatie et rouillée. Mais, parce que Gao Fei avait des exigences poétiques qu'il me revenait aussi d'assouvir, je décrivis le mieux que je pus l'abîme infini du couvert forestier dans lequel ma ville natale flottait comme une planète sans étoile.

Il existe plusieurs sortes d'empathies, plusieurs manières d'écouter quelqu'un. Toute ma vie, les conversations autour de moi avaient répondu à un compromis simplissime : on écoutait l'autre jusqu'à ce que son propos recoupe notre propre vécu, et dès lors que ce recoupement survenait, on était autorisé à l'interrompre pour se raconter à notre tour. L'autre, suivant la même règle, n'avait plus qu'à attendre le retour d'un croisement semblable avec sa réalité pour reprendre le crachoir qu'on lui avait enlevé. On n'imaginait pas, dans mon monde, qu'une discussion entre deux personnes puisse se déployer suivant d'autres philosophies. Cet incessant aller-retour était consubstantiel à la façon même dont on concevait l'altérité. Deux personnes (ou davantage) qui discutaient empilaient tour à tour des tranches de vie jusqu'à ériger de véritables monuments à l'insignifiance et à l'égotisme. Bien sûr, personne ne s'offusque de cet égoisme dans le dialogue. On est habitués. C'est « dans les mœurs ». C'est comme ça. Les échanges suivent immanquablement cette trajectoire horizontale parfaite, marquée de nœuds de permutation. L'acte empathique consiste à prêter une oreille intéressée à son vis-à-vis pour ne pas rater le moment crucial où il nous reviendra, enfin !, de recommencer notre propre babillage en freinant, enfin !, celui de notre interlocuteur. Dans ma civilisation, l'altruisme véritable n'existe pas. On écoute nos semblables par dépit, parce que c'est le prix à payer pour s'exprimer soi-même, éventuellement.

— J'aime beaucoup Gilles Vigneault, dis-je à Catherine Tremblay, mais après ma rencontre avec cette femme chinoise, je n'ai plus jamais écouté *Les gens de mon pays* de la même façon. J'ai compris que Vigneault embellissait un trait de personnalité détestable des Québécois : leur sacrament de caquetage, qui n'arrête jamais, jamais… Il fait passer des pois pour des bines. On écoute la toune, on pense à des pêcheurs truculents de Natashquan en train de jaser poétiquement dans des champs clos sur le bord du golfe, les pieds sur des cages à homards… « Je vous entends jaser / Sur le perron des portes / Et de chaque côté / Des cléons des clôtures / Je vous entends chanter / Dans ma demi-saison / Votre trop court été / Et mon hiver si longue… » Dans sa bouche, ça devient quelque chose de pittoresque. Mais dans la vraie vie, c'est insupportable, tous ces totons qui parlent en même temps et qui ne s'écoutent pas.

— Arrête de changer de sujet tout le temps, pesta Catherine Tremblay. Moi, je suis là, je t'écoute, et je veux savoir ce qui est arrivé avec la Chinoise.

Ce soir-là, Gao Fei exigea que je tricote pour elle, dans la longueur et maille par maille, la trame exotique d'une vie éloignée de la sienne par la géographie, la sensibilité, la perspective et les petites choses. Elle écoutait, me faisais-je la réflexion, comme un artiste doit écouter. Cela m'émut beaucoup. Elle était un puits rempli d'eau, et chacun de mes mots tombait en elle et produisait à sa surface des remous qui descendaient en spirales cryptiques jusqu'au fond de son âme. Je reconnaissais dans son attitude un allocentrisme que j'avais fait mien toute ma vie, motivé par une pareille aspiration à voir les gens autour de moi peindre, pour mon sens esthétique, le tableau de leurs jours, même s'il s'agissait le plus souvent de compositions monochromes et grumeleuses, d'un chiant sans nom. Je ne me souvenais pourtant pas que l'on ne m'ait jamais payé de retour (à l'exception notable de mes parents). Alors, je n'eus plus qu'une envie : rendre à cette Chinoise merveilleuse un peu de sa sensibilité oblative. Après les sorbets et le café, nous montâmes dans sa chambre. Nous bûmes du vin blanc jusqu'au milieu de la nuit. L'alcool aidant, elle se lâcha sur des épisodes disparates de son existence. Une expérience sexuelle avec une camarade de dortoir au lycée, qui l'avait étonnamment satisfaite, même si elle ne s'était jamais considérée comme une lesbienne. Les bibliothèques universitaires… Elle les fréquentait parce que le chuchotis des étudiants lui procurait une volupté absolue. « Il y a une autre chose que tu dois savoir de moi, c'est que je vois mieux dans le noir que la moyenne des gens », il y avait un nom pour ça, on le trouva ensemble dans un dictionnaire de poche chinois-français, la « nyctalopie ». « Donc, si on se déshabillait après avoir éteint, tu pourrais quand même me voir tout nu ? », l'approche la plus lourdingue de l'histoire, j'ai honte quand j'y repense. Mais elle éteignit. Nous fîmes l'amour deux fois.

— Et le lendemain, demanda Catherine Tremblay, elle t'a payé pour le sexe ?

— Au matin, quand je me suis réveillé, elle était partie. Je veux dire, vraiment partie. Avec ses valises. Elle avait quitté l'hôtel. Il y avait un mot de remerciement sur la table, avec beaucoup d'argent dans une enveloppe. Beaucoup plus que ce qu'il fallait pour couvrir une «nuit avec intimité». J'ai ressenti un léger écœurement. Il me semblait qu'il y avait eu une vraie connexion entre nous.

Comme je ne parlais plus, Catherine me secoua en tirant sur le drap.

— Hé! C'est tout? Tu l'as jamais revue?

— Ce soir-là, je suis allé à la galerie où elle exposait ses photos, sur De Maisonneuve. J'avais son argent dans ma poche. Cinq cent cinquante piasses. J'avais préparé une phrase polie pour le moment où je glisserais l'enveloppe dans sa main, discrètement. C'était *cute*. Pensé pour éviter le malaise. Mais Gao Fei n'était pas à la galerie. Ses photos oui, mais pas elle. La directrice m'a expliqué qu'elle avait pris l'avion la journée même pour Calgary. Elle devait présenter ses photos là-bas la semaine suivante. J'ai accusé le coup. Chez moi, j'ai rangé l'enveloppe dans un tiroir. Je me suis promis d'aller en Chine un jour pour rendre son argent à Gao Fei.

Catherine Tremblay porta sa main libre à sa bouche, feignant d'étouffer un «oh!» d'attendrissement.

— Et, finalement, t'es allé vivre là-bas.

— Oui. Quelques années plus tard.

— Avec elle?

— Ben non! Bien sûr que non. Je l'ai jamais revue, en fait. Mais je l'ai retrouvée sur Internet. Elle habite à Ningbo et elle enseigne dans une académie d'art. C'est une vieille femme, maintenant. N'empêche, le jour de mon départ pour la Chine, il y a quatorze ans, j'avais son argent dans mes bagages. Mais j'ai tout converti en yuans à l'aéroport.

Un coup de tête. Jusque-là, j'avais surtout gardé l'enveloppe comme un prétexte poétique pour justifier mon projet d'aller vivre en Chine.

— Mais pourquoi tu partais, d'abord?

— Je pense que je voulais retrouver cette sensation que j'avais ressentie pendant ma nuit avec elle. Cet accueil absolu, cette disponibilité… Je rêvais de vivre dans un pays où les gens accueillaient les mots des autres comme Gao Fei avait accueilli les miens. Elle m'avait enseigné une nouvelle façon d'être en rapport avec le monde autour de moi.

Quelques semaines après ma rencontre avec Gao Fei, j'avais couronné ma carrière d'amant vénal comme je l'avais menée tout du long, c'est-à-dire pathétiquement. Ma dernière cliente était une juge de la Cour du Québec qui présidait une commission très médiatisée sur la justice administrative et dont on voyait chaque semaine la photo dans le *Journal du Barreau*. Quant à moi, j'étais dans un état lamentable. Nous étions le 31 octobre 1995, le lendemain du référendum sur l'indépendance du Québec.

La veille, j'avais passé une partie de la nuit avec des amis au Palais des Congrès pour le grand rassemblement du Oui. Première rangée. La barrière de sécurité qui séparait la scène de la foule appuyait sur nos abdomens. Nous avions l'indépendance tatouée entre cuir et chair. Ce n'était pas le destin politique du Québec qui se jouait, c'était nos destins propres. Nous avions vingt ans… Comment pouvait-on être fédéraliste à vingt ans? Ce soir-là, *nous adviendrions* ou *nous n'aviendrions pas*, et nous pressentions déjà tout ce qu'il y avait de morbide à ne pas advenir, ou pire, à n'advenir qu'à moitié.

Le verdict était tombé vers vingt-deux heures vingt. L'annonce de Bernard Derome, diffusée sur écran géant, avait plongé pour un moment d'éternité les milliers de partisans réunis dans un état cataleptique proche de la mort cérébrale. Mes amis et moi étions quand même restés pour les discours. J'avais applaudi la remarque de Parizeau sur l'argent et le vote ethnique – aucun des publicistes moralisants, théâtraux, pète-sec et inarticulés qui jouent les vierges offensées depuis vingt ans n'a été capable d'expliquer à ma satisfaction ce qu'il y avait de choquant dans ces mots. De toute façon, le plus éblouissant passage du discours était venu plus tôt, dans les deux premières minutes de l'allocution. Parizeau se savait filmé et, dans un sursaut vital qui ne pouvait qu'être le fruit d'une inspiration du moment, avait balayé la foule d'un œil qui visait autant à apaiser les militants massés à ses pieds qu'à morguer les veaux qui avaient voté Non et qui le regardaient à la télé. «On a raté par une petite marge. Quelques dizaines de milliers de voix. Dans un cas comme ça, qu'est-ce qu'on fait? On se crache dans les mains, puis on recommence!»

N'abandonne jamais.

«Soyons calmes, souriants. Pas moutons: souriants.»

Reste courtois dans la défaite. Évite la violence.

Jacques Parizeau était là, devant moi, narquois comme un mousquetaire. Il déclinait sans le savoir le programme d'une humanité noblement vécue, et il le faisait debout sur la carcasse fumante du grand rêve de sa vie, pulvérisé par un électorat de larbins. Je n'ai jamais oublié ce moment.

Le lendemain, donc, j'étais assis au Beaver Club pour distraire une peau de chien qui, je l'avais compris à une remarque vinaigrée, «On l'a échappé belle», avait voté Non.

À un moment de la soirée, je détournai complètement mon attention de ma convive pour m'intéresser à la salle feutrée et aux dîneurs. Ultrachics. *Montreal's finest.* Les femmes m'apparaissaient irréprochables dans leurs vêtements cintrés et de bon goût. Leur disposition dans la salle relevait de l'art décoratif, comme si un maître-placier s'était occupé d'asseoir chacune à un endroit choisi du restaurant pour qu'elle égaie son entour des pastels et dorures de sa tenue, qu'elle s'entremette auprès des hommes quand les discussions devenaient trop sérieuses, qu'elle soit semeuse de tempérance dans une mâlitude obsédée par l'argent et le pouvoir. Des oiselets lissés, aux déclivités pacificatrices et sûres. Le spectacle des hommes, lui, me plongeait dans une humeur autrement bouillonnante. Placides et nonchalants comme des wombats, ils posaient leurs ustensiles à tout moment pour sourire discrètement à leur reflet dans les miroirs qui couvraient les murs, arranger leur cravate, replacer un cheveu. Bienheureux Canadiens! Plus rien, ce soir – aucune tempête identitaire, aucune incertitude politique, aucun frémissement boursier –, ne s'interposait plus entre eux et leur velouté de châtaignes aux cèpes frais, et c'était là, à voir leurs visages tout confits en satiété, une chose follement réconfortante.

Mon regard s'empêtra dans mon propre reflet dans une glace. Ce costume Sears ridicule… La chemise piquait, et puis le col était trop grand, on voyait dépasser l'arc blanc de celui de ma camisole en dessous. Mes cheveux ne ressemblaient à rien. Un air de débile mental. C'est à ces abdicataires pusillanimes que j'avais essayé de ressembler depuis un an en faisant le gigolo. Jusqu'à aujourd'hui, j'avais refusé de les voir pour ce qu'ils étaient vraiment: un contre-modèle.

Puis, je repensai à Parizeau, cassant sa lame contre le moulin à vent de cette tribu figée et morte, dépourvue de destin. Il souriait quand même.

« Restons calmes, mes amis. »

J'éclatai en sanglots.

— Devant la madame ? demanda Catherine Tremblay.

— Devant la madame, dis-je en riant. Viril, han ? J'étais tellement fatigué ! J'avais pas dormi depuis trois jours à cause du référendum. Les autres clients nous regardaient. Elle a été ben fine, elle m'a mis la main sur l'épaule. « Ben voyons donc ! Qu'est-ce qui se passe ? Qu'est-ce qui se passe ? » Elle pensait que mon père était mort ou quelque chose de même. Je pleurais comme une vache. Plus capable de parler. Et même si j'avais été capable : comment j'aurais pu lui expliquer ce que je ressentais ? Elle a rapproché sa chaise de la mienne, elle m'a pris dans ses bras, comme une mère. Des serveurs commençaient à s'impatienter. Mais j'ai continué de brailler pendant cinq, dix minutes, et en même temps je réfléchissais et j'ai compris plein de choses. J'ai compris pourquoi j'avais pas réussi à coucher avec toutes ces femmes. J'ai compris aussi pourquoi il fallait que je quitte le Québec. Elle me consolait comme une « mère »… On peut pas rester toute sa vie dans les jupes de sa mère.

Quelqu'un cogna à la porte de la salle.

— *Eudoxia ? It's been, like… two hours or something.*

— *Coming !*

Catherine descendit du lit en tenant son écharpe.

— Je vais te donner mon numéro de téléphone personnel, dit-elle. Il faut qu'on se revoie pour préparer notre affaire.

• • •

À ce jour, je ne connais toujours pas l'histoire du fermier et de sa plante au théâtre. Et rien de ce qui était arrivé dans la vie de Catherine Tremblay avant l'âge de dix-sept ans n'était d'intérêt public, m'avait-elle laissé entendre, si bien que je ne pus jamais valider mes hypothèses concernant ses origines sociales. En revanche, elle accepta de me parler un peu de ses études. Et, étonnamment, de son gagne-pain. Sur ce sujet, elle se confessa avec une prodigalité absolue.

— Je suis partie de la maison à dix-sept ans. J'avais été acceptée en sciences humaines pas de math au cégep du Vieux. J'avais pas assez d'argent pour me prendre un appart. Juste assez pour louer une chambre. J'aurais pu chercher des colocs, mais… J'avais pas vraiment d'amis. J'ai toujours été solitaire. Habiter seule, pour moi, c'était important. Encore aujourd'hui, c'est important. Pour le logement, j'avais un budget de deux cent vingt-cinq piasses par mois. À Montréal. En 2005. Penses-y. C'est malade. Tout ce que j'ai pu trouver, c'est un petit trou dans une maison de chambres au bout de Sainte-Catherine, dans Hochelag. As-tu déjà vu la fin de la rue Sainte-Catherine ?

— Je pensais que Sainte-Catherine unissait les peuples en faisant une boucle infinie autour de la Terre.

— Niaiseux. Elle arrête à Viau. Mais c'est quand même une drôle de vision pour une Montréalaise. Une fin toute chenue, toute laide, pour une artère si importante. Dans une espèce de courbe *weird* : on sait même pas si la rue arrête vraiment ou si elle se poursuit vers le sud. En tout cas. Y est-tu correct, ton café ?

— Excellent ! m'exclamai-je.

Je n'étais pas du genre à me pâmer sur un café, encore moins à râler si j'en trouvais un mauvais, mais force était d'admettre que celui-ci était exceptionnellement bon. Du canapé, j'avais vu Catherine Tremblay le préparer dans sa kitchenette avec une machine miroitante qui avait la taille et le panache d'un module spatial.

Nous étions la veille du jour prévu pour notre excursion chez les Hospitalières. Catherine m'avait invité pour que l'on discute et convienne d'un plan d'attaque. Le studio de Griffintown où elle avait ses quartiers n'était pas très grand. « Tu dors où ? » « Ici. » Elle avait tiré une poignée dans le mur pour faire basculer un lit escamotable. Mais l'appartement comptait beaucoup plus d'avantages que d'inconvénients. Cossue et sûre, la tour à logements avait été construite à peine cinq ans plus tôt. Sur le toit, une piscine, un gym et une terrasse étaient mis à la disposition des résidents. L'appartement venait avec des électroménagers neufs et d'une excellente qualité. Surtout, il était au vingt-deuxième étage. Catherine avait installé son bureau d'études dans l'enfoncement d'une baie de fenêtre donnant sur les gratte-ciel, le Centre Bell et, en arrière-plan, le mont Royal. À couper le souffle.

— Je suis restée dans cette maison de chambres pendant un an et demi, continua-t-elle. L'enfer. L'en-fer. Les autres locataires étaient soit des putes, soit des toxicos. La police débarquait à tout bout de champ pour des affaires de violence. La nuit, des souris sortaient de je sais pas où et grugeaient les papiers dans ma corbeille. Dans le noir, je les entendais mordiller… *Ntss-ntss-ntss-ntss-ntss*… Le matin, j'avais des confettis partout sur le tapis. Il y avait une cuisine commune où on pouvait se faire à manger, mais les gens laissaient traîner des casseroles à moitié remplies de viande, ça fait que les mouches à vinaigre se mettaient à mille pour jouer là-dedans. Je suis allée une fois dans la cuisine, pour voir. J'ai rasé dégueuler. J'y suis jamais retournée. À partir de ce jour-là, j'ai toujours mangé seule dans ma chambre. Des sous-marins achetés au dépanneur, du fromage en crottes, des yogourts, des oranges… Un an et demi. Quand j'y repense… Comment je faisais pour étudier là-dedans ?

Un sourire médusé cambra ses lèvres et elle baissa le regard, comme pour ajuster l'exposition de son œil intérieur sur cet épisode de sa vie. L'habitation cauchemardesque qu'elle décrivait contrastait avec celle dans laquelle nous nous trouvions. Ici, tout était propre et rangé. Des dictionnaires, des encyclopédies et des ouvrages de sciences humaines étaient scrupuleusement alignés par collections dans une bibliothèque qui occupait un mur entier. Un parfum de vanille me faisait saliver, sans que je sache d'où il venait. Un purificateur d'air ? Des pâtisseries ? La peau de Catherine, peut-être. Assise en Indien sur un kilim à losanges fauves qui recouvrait presque toute la surface du plancher, elle discutait d'une voix douce, en s'arrêtant parfois pour écailler une graine de tournesol du bout de ses incisives. Avec ses cheveux attachés par un simple élastique, son jean, sa chemise à carreaux et son cardigan informe, elle se révélait finalement très pot-au-feu, plus proche de l'archétype de la doctorante en histoire que cette masseuse vipérine avec laquelle je m'étais chicoré au salon.

— Un moment donné, j'étais écœurée. Je voulais faire un bac, peut-être une maîtrise. Je me suis dit : « C'est pas vrai que je vais vivre dans la chnoute de même pendant cinq ans. » J'ai pris le *Voir* pis j'ai regardé les annonces. J'ai fait deux, trois téléphones. Je suis allée visiter un salon dans Centre-Sud, en face du métro Papineau. On m'a bien reçue. Les gens étaient vraiment corrects. (Je sourcillai.) Non, je te jure. Ils m'ont donné les prix, m'ont dit combien ils prenaient comme « quote » pour chaque passe. J'ai dit OK presque tout de suite.

— Tout simplement.

— Tout simplement. Les chiffres m'étourdissaient. Je me rappelle, le gars me parlait, mais dans ma tête, j'additionnais déjà des sommes. Tel nombre de clients, ça fait tant à la fin de la semaine, tant à la fin du mois… Je pensais à tout ce que je pourrais m'acheter. Pour moi, c'était des chiffres astronomiques. Mais c'est un salon que… C'est le genre de place où fallait tout faire. Tu comprends ?

— Ah. Carrément.

— Mmm. On m'avait avertie au téléphone avant que j'y aille. J'avais réfléchi… Finalement, j'avais décidé d'essayer quand même. Mais jusqu'à la dernière minute, c'est resté théorique dans ma tête. C'est juste la première fois que je me suis retrouvée toute seule avec un client pis qu'il m'a demandé un « complet » que j'ai comme… *buzzé*. « J'vas prendre le complet. » Au début, je comprenais pas. Un

« complet ». Ben… y a une partie de mon cerveau qui comprenait, évidemment. J'avais juste de la misère à faire le pas en avant. Le dernier pas.

— Et tu l'as fait.

— Oui. La première fois, c'est *fucké*. Mais on s'habitue.

Silence gêné.

— Ça marchait comment ? T'avais des *shifts* ? Comme chez McDo ?

— Oui. En fonction de mes horaires de cours. C'était ben souple, ben pratique.

— Et l'argent ? Ça vaut la peine ?

Elle hocha la tête frénétiquement.

— Regarde l'appart, dit-elle en balayant l'espace de son bras libre (l'autre était toujours en écharpe). Pourtant, je ne fais plus de complets depuis deux ans. Le salon où je travaille l'interdit. Je fais moins d'argent, mais quand même. Une étudiante avec un appart comme ça, c'est soit une fille à papa, soit la masseuse à papa. Je gagne assez pour me payer des vêtements neufs, aller prendre un verre quand j'ai envie, faire un voyage de temps en temps. Comment je pourrais dire ? C'est pas non plus comme…

— Tu vas pas manger au Pied de cochon trois fois par semaine.

— Je vais pas manger au Pied de cochon trois fois par semaine, répliqua-t-elle en souriant, mais je manque de rien. Ç'a été une chose ben spéciale, dans ma vie, cette simple affaire-là : ne plus manquer de rien. Ne plus compter mes sous tout le temps. Quelqu'un comme toi peut pas comprendre. Tu viens d'une bonne famille. Ça se voit.

— On t'a toujours payée sans problème? On t'a jamais crossée, rien?

— Jamais. C'est exactement comme une job normale.

— Mais ça reste des endroits contrôlés par des bandits! Je me serais imaginé que ça se gérait plus à coups de claques pis de menaces.

— Pourquoi ils feraient ça? Les clients se bousculent. Des touristes viennent de Toronto, de Boston, de New York exprès pour se faire sucer à Montréal. Et puis, des tonnes de belles filles font la file pour travailler dans les salons. Je te le dis: des régiments de beautés fatales. Tout ce qu'elles demandent, c'est qu'on les traite comme du monde pis qu'on les paye bien. Si tu savais le nombre d'étudiantes qui massent à Montréal, Roé... tu capoterais. Qu'est-ce que les boss gagneraient à les maltraiter? Rien. Au contraire. Leur jeu, c'est de se tenir tranquilles. La machine est huilée. « Le beu veut chier dans 'pelle », comme dirait mon grand-père. La manne leur tombe dessus. Je te dis: dans ce petit monde-là, tout le monde est content.

Je choisis soigneusement mes mots.

— Mais quand tu fais la soustraction... Tu sais? La fameuse soustraction.

— Quelle soustraction?

— Quand tu soustrais de l'argent que tu gagnes le... comment dire... le tribut moral...

— Quel tribut moral? Tu trouves que c'est immoral, ce que je fais?

— Ben non. (Je m'énervais un peu.) Tu sais ben ce que je veux dire. Disons la perte de dignité. On s'entend que ça peut pas être aussi facile de se prostituer, sinon toutes les filles le feraient. Y a quand même un prix à payer. Chaque client doit ronger un peu de ta dignité. De ton «moi secret». C'est ton intimité que tu vends, pas ton savoir-faire ou tes connaissances.

— Et c'est quoi la différence, au fond?

Je la fouillai du regard. Qu'est-ce qui n'allait pas avec cette fille?

— Y a peut-être une différence, poursuivit-elle, entre vendre son cul et vendre du maquillage chez Eaton. Peut-être. Mais c'est comme pour n'importe quoi: le fardeau de la démonstration repose sur les épaules de ceux qui disent que la différence existe. *À date*, personne ne m'a jamais convaincue.

• • •

Le soir, je proposai d'aller prendre une bouchée dans le quartier chinois: c'était tout près.

— Si on allait plutôt dans un restaurant italien? répliqua Catherine. J'en connais un super bon dans Villeray. C'est loin, mais on a juste à prendre ma voiture. Les restos chinois sont trop bruyants. Il nous faut une place tranquille. Pour machiner quelque chose de croche, un resto italien, c'est l'idéal.

Catherine connaissait ses restaurants: nous fîmes un repas d'empereur. Pour moi, carpaccio de bar aux amandes en entrée, puis cappellacci avec ragoût de cœur et de foie de canard. Les petits nœuds de pâte étaient cuits à la perfection. La viande était tout simplement savoureuse. Pendant que je me goinfrais, Catherine m'expliquait comment elle envisageait le déroulement de notre innocente entrée par effraction. J'acquiesçais à tout ce qu'elle disait, me contentant de faire une suggestion ici ou là. Elle avait commis l'erreur stratégique d'accompagner son entrée de burrata aux truffes d'une quantité déraisonnable de pain, si bien qu'elle étouffa, comme une voiture en panne, en plein milieu de ses tagliatelles aux crevettes, courgettes et pistaches siciliennes.

— Une bouchée de plus et ça ressort par où c'est rentré, dit-elle en poussant son assiette.

— Pas moi. Je me régale. Une panna cotta et un café, s'il vous plaît ! lançai-je à la serveuse.

Je versai le vin qui restait en parts égales dans nos verres. Nous nous étions contentés d'une bouteille. Nous avions rendez-vous plus tard dans la nuit, à quatre heures quinze, près du couvent. Ce n'était pas le temps de se pinter.

— À notre succès, dis-je en levant mon verre. À Jeanne Mance !

— À Jeanne Mance !

Nous bûmes en souriant.

— Comment tu l'imagines, la crypte ? demandai-je, la bouche pleine de crème cuite. Ça fait longtemps que tu en rêves. Je suis sûr que, dans ton imagination, tu as fabriqué une image très vivide de cet endroit. Quand tu fermes les yeux, qu'est-ce que tu vois ?

— Je vois… un long espace ovoïde et caverneux, éclairé par des cierges disposés un peu partout, de façon anarchique. C'est une allée, comme celles qui mènent aux trônes des rois. On la suit, et on croise de chaque côté les sépultures des religieuses. Leur nom, les dates de naissance et de mort… Des fleurs séchées sont écrasées, comme pulvérisées, pour faire un peu de rose et de carmin sur les pierres grises. Ce serait bien s'il y avait de la musique pendant qu'on avance… Pour ajouter une sorte de majesté. Un beau cantique d'Hildegard von Bingen.

Sa voix descendit jusqu'à n'être plus qu'un filet, jusqu'à cesser d'écraser l'écume de sa langue, et son tintinnabulement mouillé roulait maintenant dans mes oreilles avec la même limpidité que si nous avions été couchés côte à côte. Préhensible comme une main, sa voix soulevait mon âme et la transportait jusqu'à ces horizons mortuaires qui formaient toute la géographie de son imagination.

— On avance, on avance… C'est comme s'enfoncer dans une matrice. Et tout au bout, une sépulture, la dernière, la plus importante. C'est Jeanne Mance. J'ai en tête un tombeau ouvragé, gigantesque, impérial, comme ceux des ducs de Bourgogne à Dijon. Un grand sarcophage lambrissé d'ivoire. Et un agenouilloir, pour qu'on puisse passer un peu de temps près d'elle. Jeanne. Ma Jeanne.

• • •

De retour chez moi, je ne parvins pas à trouver le sommeil. Vers minuit, je m'envoyai deux comprimés d'alprazolam dans le tube à manger avec un fond de Famous Grouse. À trois heures quinze, l'alarme de mon téléphone sonna, et dans un demi-sommeil de nabab, je songeai à tout jeter par-dessus bord. L'instant d'une minute, je ne crus plus que Catherine et Jeanne valaient que je m'arrache de force à l'engourdissement des benzodiazépines. Je me fis violence (pas des lâcheurs, les gars de La Tuque). Pour me fouetter les sangs, je réglai la pression du pommeau de douche à « chevaline ». Ensuite, je pris le temps de manger un peu, de boire un café. Finalement, je commandai un taxi pour m'amener à Hôtel-Dieu. La nuit n'était même pas proche de l'aube. Quand le véhicule s'engagea dans le rond-point qui menait aux portes principales, je trouvai Catherine en train de griller une cigarette, assise sur un banc. Elle l'écrasa et se leva avant même que le taxi se soit arrêté.

— Tu vas marcher avec ça dans une église ? dit-elle en pointant mes Doc. Le bruit que tu vas faire !

— C'est tout ce que j'ai comme godasses.

— Mmm. Oh ! et puis on s'en crisse, lâcha-t-elle en esquissant un geste résigné.

La chapelle était à environ un demi-kilomètre de l'entrée de l'hôpital, du côté sud du quadrilatère. Catherine portait un jean et un coton ouaté noir. Un vent glacial nous rouait de bourrasques et nous forçait à avancer cassés, bras croisés sur la poitrine.

— Tu es prête ? demandai-je à Catherine en reniflant.

— Mmmoui. Oui, oui.

J'étais nerveux. Catherine, curieusement, donnait l'impression d'être en colère. Pas contre moi. Bien sûr, il y avait cette histoire de Doc, mais c'était un prétexte. Elle était fâchée, point. Granitique, effrayante, va-t-en-guerre. Elle récapitula les étapes de notre entreprise.

— Pour la porte, insista-t-elle à la fin, es-tu prêt ?

— Oui. Je pense. Mais je ne peux pas non plus violer les lois de la physique.

L'avant-veille, je m'étais rendu au cimetière Notre-Dame-des-Neiges, cette doucereuse « cité des morts », pour y pratiquer mon coup d'épaule. Il y avait, à flanc de colline, des rangées de caveaux familiaux très anciens, aux lourdes portes cadenassées ou bâclées, et je n'ambitionnais d'en ouvrir aucune (je n'essayai même pas de couper les cadenas ou de soulever les bâcles), mais je désirais tester des positions d'attaque, et, puisqu'il me faudrait utiliser mon épaule comme un bélier, vérifier si je parvenais au moins à faire frémir ces portails restés clos depuis parfois plus de cent ans. Je me figurais que les conditions se rapprochaient de celles qui régnaient dans la crypte des Hospitalières : la plupart des portes étaient dépourvues de loquet, et une sorte de gâchis de minéraux et de mousse liait la fonte des vantaux avec celle des chambranles, comme une peau neuve finit par joindre les lèvres d'une plaie. Un entraînement tout désigné.

Et qu'appris-je de ce saturnien après-midi à la nécropole ? Deux choses. Premièrement, que je n'irais nulle part avec mes épaules. Des hanches en montant, j'étais une femmelette. Deuxièmement, que ma force à moi, c'était la jambe gauche (je suis gaucher), si je la soulevais et l'envoyais dans la porte en lui imprimant deux impulsions : celle, d'abord, du genou, que je pliais et dépliais au moment opportun, et, concomitamment, celle de mes quatre-vingt-dix kilos, que je devais apprendre à utiliser comme le percuteur d'une carabine. Bref, mon poids dans ma gambette gauche. Alors, de petits miracles survenaient. Des crissements, d'abord : ceux de matériaux lourds qui se frottent après des années d'inertie. À force de coups, des cadenas massifs protestaient en se hérissant – *CLING !* Surtout, le mortier végétal qui avait prospéré au fil des siècles dans les fentes s'effritait en galets poudreux et laissait les portes vibrer dans leurs gonds. Je savais que sans les arceaux de métal des cadenas, ces portes se seraient ouvertes pour moi, et c'était une victoire. En revanche, je dois le mentionner, je ne suis parvenu à décoincer que quatre portes sur onze. Avec les autres, j'aurais aussi bien pu me jeter contre un mur de briques, la douleur n'aurait pas été plus vive.

Je ne parlai pas de cet entraînement à Catherine. À quoi cela aurait-il servi? Je ne lui dis pas non plus que j'étais allé la veille dans une quincaillerie pour demander un pied-de-biche «parce que j'ai besoin d'ouvrir une porte», et que le jeune quincaillier (quel emploi ridicule!) m'avait toisé comme si je lui avais demandé de la crème à main pour soigner une fracture ouverte. «Qu'est-ce que t'as d'besoin, c'est une *pouttt*», «Une quoi?», «Une *pouttt*, pou' défoncer 'a *pott*». Les Canadiens français larguaient les «r» qui terminaient les mots. Trop fatigants à prononcer. Ils n'étaient pas loin, en fait, de retirer carrément la lettre de leur alphabet, elle et plusieurs autres; à la fin, il n'en resterait que douze ou treize, largement assez, il est vrai, pour transcrire les phonèmes reptiliens qui composaient leur parlure raboteuse.

— Dans la chapelle, on va s'asseoir, dit Catherine en expirant des nuages de condensation. Comme si on était venus pour se recueillir. À cette étape du plan, notre présence dans la chapelle est pas exagérément suspecte. À partir du moment où les portes sont ouvertes, la chapelle accueille tout le monde jusqu'aux laudes, qui commencent à sept heures. Mais y a jamais personne qui vient si tôt. Même à la messe, y a jamais personne, à part les religieuses. Je suis venue souvent. Jamais croisé un chat, sauf, une fois, trois pauvres glands de la fac de théologie de l'Université de Montréal. Mais quand même. On fera pas exprès pour attirer l'attention. Alors, à genoux. Mains jointes… (elle fit le geste). Un quart d'heure, peut-être. Après, tu restes assis, moi, je me lève et je vais rôder autour de l'autel. L'air de rien. Pour *checker* le passage qui mène au réfectoire. Si je vois quelqu'un de l'autre côté, si ça bouge, si j'entends des bruits, on oublie ça pis on s'en retourne chez nous. Y a un ordre de la Cour qui m'interdit d'être dans le couvent. T'es avocat, tu comprends ce que ça veut dire. Si je me fais pogner, c'est la prison directe.

J'ignore pourquoi, ce n'est qu'à ce moment que je saisis le danger de cette aventure, mais aussi, contenue dans la même fulgurance, sa dimension sacrée, pas seulement dans le cerveau exalté de Catherine Tremblay, mais dans l'absolu. Pour la première fois, je sentis Jeanne Mance pulser dans les entrailles de Montréal, comme une naine brune brûlant ses dernières énergies mémorielles pour nous appeler, Catherine et moi, et alors seulement cette histoire prit tout son sens, et devint une quête, une vraie, avec ce que cela pouvait signifier pour ma vie future. Pendant un court instant, je fus incapable de reprendre mon souffle, et je vis Catherine approcher du mien un visage inquiet. Avais-je blêmi ? Elle allait toucher ma joue, mais ce geste seul me fit l'effet d'une décharge et, me ressaisissant dans un frisson violent, j'interceptai son bras et le tassai. Puis, je considérai ma partenaire de crime. Elle assurait finalement beaucoup mieux que moi, contrôlait tout, de son pas jusqu'au moindre mouvement de son visage. Ses cheveux seuls friselisaient au petit bonheur la chance dans les risées d'automne, galériens implorants sur le vaisseau d'une reine d'airain.

— C'est gagnable, affirma Catherine pour me rassurer. Je l'ai déjà fait, et toi, tu peux enfoncer cette porte. C'est pas sorcier. Pis c'est pas un crime abject non plus. On va tuer personne.

— C'est vrai.

— Si je sens que c'est sûr, je pousse vers la cafétéria, le nez en l'air, comme si je flânais. Toi, tu fais le guet dans la chapelle. Si quelqu'un débarque, tu tousses deux fois, fort, pour me prévenir. Je me cacherai. Sinon, moi, à l'autre bout, je balaie le réfectoire du regard. Je reviens, je te fais signe, et on y retourne ensemble. La porte du placard est dans le mur à droite, à six ou sept mètres de la sortie du couloir. Fais attention de pas te cogner contre une table. Il devrait faire noir. Les lumières seront pas allumées. Attention, on arrive… T'es prêt?

— On y va.

Coup d'œil à mon téléphone: quatre heures trente-cinq. La chapelle était vide. On avait allumé, pourtant, et nous fûmes avalés par cette nitescence mandarine qui m'avait charmé à ma première visite. Assis dans une rangée du milieu, nous grimâmes nos mimiques et nos gestes de l'hiératisme le plus fervent, sans jamais détacher l'œil du couloir, dont on apercevait l'entrée dans un renfoncement à droite de l'autel.

« Je plonge », souffla Catherine en se levant.

Ce n'était pas du tout le plan. Nous devions prier plus longtemps pour nous assurer qu'il n'y avait personne.

Aux abords de l'autel, elle se cassa le cou et feignit d'admirer la voûte, seul élément architectural digne d'intérêt de tout l'édifice, même les dépliants touristiques en convenaient. Elle faisait ça comme une pro, un bras croisé sur son écharpe, désormais plus badaude que dévote. Chafouine, elle laissa ses pas la drosser vers le couloir, où elle disparut finalement. Mon attention se reporta sur ce que j'entendais, mais Catherine, avec ses tennis à semelles compensées, ne produisait aucun son. Au bout d'un moment, je m'impatientai et commençai à compter dans ma tête. *Un… deux… trois…* je fermai les yeux, le Christ en croix m'intimidait… *sept… huit…*

À douze, Catherine passa la tête par l'ouverture. « Grouille ! »

Nous ne fûmes pas longs à nous rendre compte que mes Doc, dans l'exiguïté du tunnel et sur le fond sonore de suintement et de tuyauterie enrouée, dissonaient comme des coups de tromblon sur une berceuse. Je ralentis et laissai Catherine passer devant, observai son dos, à l'affût du moindre signe d'irritation, mais ne relevai rien.

Puis, à cinq ou six mètres de l'arrivée, c'est-à-dire passé la mi-parcours, le cauchemar.

Comme dans les films.

Un mouvement, d'abord, dans un décor jusque-là statique.

Puis, la compréhension, foudroyante : c'est une ombre, apparue sur la paroi de droite, devant nous. Une forme humaine, fantomatique et noire. Sa source arrive par la gauche dans le réfectoire, et s'approche du corridor.

« *Fuck !* »

Clop… clop… clop… clop… Des pas, réguliers et lents. Mon cerveau tourne au quart de tour, je perçois la réalité comme Dieu lui-même doit la percevoir : au-delà des limitations imposées par les sens, dans une parfaite intelligibilité.

Qui est-ce qui s'en vient ? Et quand est-ce qu'il/elle sera là ?

Réponse : c'est une vieille personne en babouches, et elle sera là dans vraiment pas long.

Question : qu'est-ce qu'on fait ?

Réponse : ce n'est pas exactement comme si on avait le choix. On fait demi-tour.

Ceci posé, à quelle vitesse on détale ?

Réponse : pressément, les amis, parce que l'intruse est à quelques secondes de l'ouverture et qu'il nous faut couvrir une dizaine de mètres pour retrouver la chapelle. Au dernier moment, c'est Catherine qui me prend par la manche et m'entraîne. Nous courons. Déboulons dans la nef, affolés. Je ne regarde pas derrière moi, mais mon appréhension divine m'assure d'une chose : nous avons été à portée de vue pendant deux, peut-être trois longues secondes. Bien sûr, cela n'implique pas que nous ayons été repérés. La personne était peut-être distraite. Vieille. Sourde. Préoccupée. Je m'appuie contre un confessionnal, tends l'oreille.

Clop… clop… clop…

Dans le passage. On vient. « Là-dedans », fait Catherine, et elle me pousse dans le confessionnal, entre avec moi, referme la porte. L'agenouilloir me déséquilibre en appuyant sur mes talons et il me faut un moment pour trouver mon assiette. Catherine me fait face, sa poitrine à cinq centimètres de la mienne, je suis terrifié à l'idée de choir sur elle, de lui toucher. D'une poussée, elle m'adosse au grillage. Plonge son regard dans le mien, place un doigt sur sa bouche : « Chuuut. »

On dit souvent que dans les moments de grande tension, le temps se saucissonne presque à l'infini pour donner une terrible impression d'éternité. Je vécus quelque chose de similaire dans le confessionnal, mais en vérité, ça n'eut rien de terrible, au contraire. Ainsi claquemuré avec Catherine, je fis connaissance avec son odeur, une senteur ambrée très douce, appétissante, à laquelle se mélangeait une note de cassonade, et quelque chose de végétal – je songeai à un sapin en hiver.

Ses seins étaient à portée de main. Sous son coton ouaté, ils se soulevaient au rythme de ses halètements. Je fermai les yeux.

Clop… clop… clop… Quand ils passent du couloir à la nef, les pas prennent une résonnance à la fois humble et immense.

Allez, qu'on en finisse. *On est ici, ma sœur !* Qu'est-ce qui peut nous arriver de pire ? On n'a pas infiltré la Corée du Nord, cibole. En cas de souci, on peut très bien bousculer la vieille et déguerpir.

Clop… clop… clop… Les pas se rapprochent. C'est la fin, la Fiiin. Une petite Fin. Il ne faut pas exagérer.

clop… clOP… CLOP…

…

CLOP... CLop... clop...

Les pas s'éloignent perceptiblement. Son visage près du mien, Catherine soupire, et je reçois son souffle comme les fumerolles sucrées d'un grand volcan de bonbons, j'incline la tête, je ne sais pas bien moi-même si mon geste est une invitation au baiser ou une marque de dévotion, mais je me tends doucement vers ma mie, et, sans le vouloir, j'éclate de rire. Catherine panique, une mèche de ses cheveux me chatouille la joue quand elle se cabre, ses seins se soulèvent et s'emportent vers l'arrière, comme une vague.

La porte s'ouvre.

Catherine pousse un cri. Pendant une nanoseconde, je suis traversé d'un vertige terminal. Mais le temps est venu de se comporter comme un homme. Je lève la tête. Tout de suite, je constate que quelque chose cloche.

Une religieuse mafflue, aux chairs du cou moutonnées comme de la ganache au chocolat blanc, tient la porte et bloque l'entrée. « Hé hé hé », lâche-t-elle dans un souffle rauque, mais sur un ton dénué de toute satisfaction vindicative, plutôt comme une manie. Je m'étonne qu'elle sourie. Il n'y a aucune raison pour qu'elle soit moins apeurée que nous.

— C'est dans le pouding aux chômeurs qu'y ont caché leu' boules, dit elle, et sa voix manque de tonus, comme si elle agonisait.

— Pardon ?

— C'est sûr qu'il avait ben de la peine. Pour sa gargoine.

Je me décide à la regarder directement. Derrière ses lunettes octogonales papillotent des yeux translucides. Elle porte l'habit sacramentel, pas de problème, et on dirait que sa douche est prise parce qu'elle sent le talc. Je tourne la tête vers Catherine, mes yeux demandent « tu la connais ? », mais elle hausse les épaules en faisant un bruit de pet avec ses lèvres. Peut-être qu'il vaut mieux que ce soit moi qui parle. Je ne suis pas bon avec les enfants, mais j'ai le tour avec les vieilles Canadiennes françaises.

— Est-ce qu'on peut sortir, ma sœur ?

J'avance d'un pas pour lui signifier de s'écarter de la porte, ce qu'elle fait sans cesser de sourire.

— Comment allez-vous aujourd'hui ?

— Oh oui.

— Pardon ?

— A' l'était… A'… l'était ben éplorée de t'ça. C'est parce qu'a' s'rongeait les ongles.

Cette petite sœur est providentiellement folle. Catherine exulte, je sens qu'elle mijote quelque chose. D'une voix forte, elle demande :

— Comment vous vous appelez, ma sœur ?

— J'y ai dit que c'était plus rafraîchissant quand ça venait avec des… des bouttes de melon, ou ben… du bran de scie, comme la *flour*, la poche de *flour*.

— Hein ? Nous, on travaille ici, à la cuisine ! Si vous êtes fine, on va vous donner deux *cups* de confiture avec vos toasts.

— Aaahhh… OK.

— Vous comprenez ce que je dis ?

— À la renvoyure, d'abord.

— Voulez-vous nous accompagner jusqu'au réfectoire ?

— Aaahhh… Hé hé hé.

La religieuse clopine sur place un moment.

— OK.

Catherine et moi lui tendîmes chacun un bras pour l'escorter. Coup de génie : la vieille allait nous servir de passeport vers la cafétéria, d'alibi si on croisait quelqu'un. Nous traversâmes le long tunnel, elle ne pipait pas, je lui tapotais la main, « Pauvre grand-maman ! C'est pas drôle, han ? » « Hé hé hé, non, c'est pas drôle ». Avant d'entrer dans la cafétéria, nous jetâmes un coup d'œil prudent. Personne, mais la salle était éclairée. Du beau mobilier de cantine de camp d'été, ciré, immaculé, vieux ; le bois reflétait la lumière des plafonniers. L'air sentait le citron et le savon à vaisselle. Les cuisines étaient à gauche, c'était la « zone de risque », celle qui nous inquiétait, mais on n'y décelait ni bruit ni mouvement. Les employés n'étaient pas encore arrivés.

— Elle est où votre chambre, ma sœur ? demanda Catherine.

— Une belle lurette, une belle… puce d'eau. Là-bas. Y faudrait ben que j'aille la promener dans la sacristie, pour pas que ça… Ça pourrait ben s'tricoter, si y s'force.

— Faites ça, ma sœur, et faites-le bien, dit Catherine en la larguant.

Et sœur Patraque prit le large, à petites foulées. Avant de disparaître par un escalier qui s'ouvrait dans un recoin obscur au fond de la cantine, elle pivota et pointa vers nous une bobine distendue par une sorte de surprise à retardement. Cela dura deux secondes, après quoi elle s'engouffra et nous ne la revîmes plus.

— Tu penses qu'elle peut donner l'alerte ? demandai-je.

— Tu l'as entendue jacasser ? Elle est folle raide. Oh ! et puis on s'en fout. Regarde ! C'est là.

Notre placard était en fait un réduit éclairé par des néons, assez grand pour contenir trois lourdes machines-outils, des bidons de peinture et de white-spirit, des seaux et un assortiment de vadrouilles et de balais de toutes tailles. L'escalier en colimaçon partait du mur à droite, sans tambour ni trompette. Rien ne le condamnait ; pourtant, on ne pouvait faire autrement que se sentir refoulé par son âge, son humidité palpable et son étroitesse, comme si l'escalier lui-même recourait à ces armes pour nous dire « vous n'avez pas le droit d'être ici, je vous recracherais comme des pépins de raisin si je pouvais ».

— J'ai l'impression de m'enfoncer dans un intestin, grommelai-je.

Mais Catherine n'écoutait plus, elle dévalait déjà deux volées tortillées, et je la rejoignis sur un palier où la lumière des tubes du placard ne parvenait plus que par franges confuses. Elle activa la fonction lampe de poche de son iPhone et dirigea le faisceau vers une porte qui bloquait le passage. *La* porte.

Mon premier réflexe fut de placer une main sur sa surface, pour l'intimider, aussi débile que cela puisse paraître. Je bouge, pas toi. Le mouvement l'emporte toujours sur l'inertie. Mais c'est l'inverse qui se produisit, en fin de compte c'est moi qui me sentis tout petit, la fonte était froide comme la mort, et la mort l'emporte toujours sur la vie. Je retirai ma main.

Nous ne pouvions évidemment pas juger de son épaisseur sur le seul aspect d'un de ses côtés, mais il se dégageait du velouté vicieux de sa surface une impression de masse telle qu'on n'avait pas plus envie d'y catapulter ses os, sa chair et ses rognons que sur le flanc d'un char d'assaut.

— Regarde un peu.

Catherine, elle, avait apprivoisé la porte, elle en tolérait l'imposante proximité, elle n'hésita pas à pousser dessus pour me montrer comment elle l'avait déplacée de trois picomètres. Risible.

— Tu vois? J'ai déjà fait une partie du boulot. À toi de jouer, maintenant.

Je commençai par exercer une pression avec mon épaule gauche, une main sur la poignée (une anse en acier damassé dont le contact me glaça), en utilisant mes jambes comme appui. J'enchaînai avec quelques coups d'épaule. Ceinture. Déjà à bout de patience, je me décollai et tentai de secouer la porte par la poignée; elle ne bougea pas d'un iota.

Après avoir posé son téléphone par terre pour que sa lumière continue d'éclairer la pièce, Catherine sortit un paquet d'Accord de sa poche de jean et alluma une cigarette, qu'elle grilla en faisant les cent pas sur le palier exigu.

Pas avec l'épaule, pas avec l'épaule, disait une voix dans ma tête, c'était la voix de la raison, à coup sûr je me disloquerais quelque chose si je fonçais épaule première. Mieux valait taper pied devant.

Je sondai mon adversaire avec un premier coup (façon savate française), puis un deuxième, au troisième j'entendis Catherine Tremblay rauquer, ça augurait trèèès mal pour la suite, j'ahanais et j'avais mal à la jambe, et déjà mon larynx échappait de petits cris très gênants, je donnais l'impression de jouir à côté de Catherine, mais sans son concours.

Yark !

Pause.

Ne te retourne pas, ne regarde pas Catherine, fais comme si elle n'était pas là, mais elle est là ! c'est vrai ! oh ! la hooonte !

Peut-être que je pouvais lui demander de partir ? Je recommençai les coups de pied, en karatéka cette fois, et j'essayais chaque fois de transférer un peu plus de mon poids dans ma jambe, comme on nous enseignait à le faire dans les cours d'éducation physique au secondaire. À l'époque, je ne comprenais pas bien cette phrase, même aujourd'hui, en y pensant, je n'étais pas sûr que ça marchait vraiment, la répartition de mes forces était une chose qui échappait à mon contrôle, non ? Mais bon, *imagine que ta jambe pèse cent kilos.*

J'es-saye-mais-ça-bouge-pas-ta-bar-nak.

Au douzième coup, le feu prit dans ma jambe et je gémis en m'accroupissant. Penaud, je refusais de me tourner vers Catherine, je fixais plutôt ma chaussure, mais je l'entendis s'approcher, elle se mit à croupetons et me força à relever la tête.

— C'est trop dur pour toi ?

Il y avait du dégoût dans sa voix, il y en avait aussi dans ses yeux, elle était en furie. Je voulais mourir.

— Ça bouge pas, câlisse.

Je me relevai péniblement. Plus possible de frapper avec la jambe gauche, la douleur était cuisante. Catherine s'était adossée au mur près de l'escalier, elle me disait mon fait en gesticulant pathétiquement, proche de pleurer, la cigouille tremblant entre son index et son majeur.

— À quel moment on a dit à l'homme occidental « c'est bon, tu peux ramollir astheure, les machines vont tout faire à ta place, l'ère du pur intellect a commencé » ? Pour l'intelligence, la civilisation grecque valait mille fois celles qui ont suivi, pourtant, la moitié de l'éducation des jeunes hommes était faite de culture physique. Alcibiade l'aurait ouverte avec son pouce, la sacrament de porte. Comment on a pu partir d'Alcibiade pour en arriver à ça ?

« Ça », c'était bibi. Elle me montrait d'un signe mou, comme à un interlocuteur invisible. De quelle partie de son cerveau déconfiguré de guidoune bipolaire venait donc cette cruauté soudaine ? Je me relevai, la fusillai du regard.

— Tu me niaises-tu ? J'ai pris la peine de te conseiller de descendre icitte avec un gorille de ton entourage. C'est une job de taupin, ça, pas une job de juriste ! As-tu vu la porte ? Autant essayer de faire un trou dans la Grande Muraille en pissant dessus.

— Je suis pas folle, je vois bien que t'es pas Georges St-Pierre. Mais naïvement, je pensais que ce qui te manquait en tonus, tu l'avais doublement en… en feu. En ardeur !

— On défonce pas des portes avec de la poésie, tabarnak. On défonce des portes avec de la puissance. Pis encore. Cette porte-là? Vraiment pas sûr qu'elle se défonce tout court.

Illico, je me projetai épaule devant, *bang!*, et cela fit mal à m'en avaler les dents.

Allez! Encore.

Cette fois, mes pieds glissèrent et je m'affalai contre le battant avec le chic d'un orignal boiteux.

— Criiisss d'ostie.

Encore. Coup d'épaule. *Paf!* Larmes aux yeux.

— Laisse faire.

Catherine Tremblay sanglotait.

Une autre charge.

— Gngngn…

— Laisse faire! J'vas revenir avec quelqu'un d'autre.

Bang!

— TABARNAK!

Je n'avais pas fini mon sacre qu'un tonnerre de tous les diables éclatait au-dessus de nous.

Paralysie absolue.

Le cœur faillit me sortir par la gueule (*calme-toi, calme-toi, calme-toi*). Catherine Tremblay avait arrêté de chigner *ex abrupto*, comme un chaton à qui on aurait cassé le cou. Dans la lumière saumâtre du iPhone, je voyais son visage cligner au rythme de sa nictation ahurie, comme un voyant d'urgence.

— Attends-moi, murmurai-je après ce qui me sembla une éternité.

— Non ! Laisse-moi pas toute seule ici.

— Bon ben viens, d'abord. Mais fais pas de bruit.

Nous montâmes les degrés avec une lenteur calculée. Dans le placard, nous comprîmes tout de suite. Sans doute sous l'effet des tremblements provoqués par mes coups, un balai avait glissé du mur, emportant les autres dans sa chute. Soulagement.

— Reste là, ordonnai-je à Catherine avec le peu qui me restait de mâle autorité. Assure-toi que je fais pas un bruit déraisonnable. Si c'est trop fort, viens me le dire. Et si quelqu'un vient, débarrasse sans t'occuper de moi. OK ?

Elle était bouleversée.

— Veux-tu une autre cigarette ?

Je sortis le paquet de sa poche sans attendre de réponse et en allumai une pour elle. Avant de redescendre, je la forçai à se ressaisir en secouant doucement son épaule qui n'était pas blessée. « C'est bon, c'est bon », souffla-t-elle en hochant la tête.

De retour sur le palier, je tentai de transformer en puissance physique l'écœurement généralisé que je ressentais. Je pilonnai longtemps la porte avec ma jambe droite. Mes ruades, malhabiles au début, prirent de l'aplomb à mesure que je me stabilisais. J'alternais avec des coups de siège : je partais de loin, me donnais de la vitesse et me propulsais de côté contre la porte, en prenant soin de protéger mon épaule, qui avait assez donné. Ce sont mes fesses qui encaissaient, sans douleur. Des coups douillets, et somme toute peu efficaces. On en revenait toujours aux jambes.

Un quart d'heure plus tard, je provoquai un glissement : pas grand-chose, un bout d'ongle, gagné par une succession de croupades rageuses. Mais à force, le recul s'accentua. Après une minute émerveillée, passée à fixer cette bande élargie dans le cadre, je ne cessai plus de faire des progrès. À un moment donné, je fis une pause pour aller voir Catherine. Assise sur la première marche, elle se palpait le front en exhalant son angoisse. Je lui demandai si je faisais beaucoup de bruit, elle fit oui de la tête. « Reste alerte. »

Il me fallut encore une dizaine de minutes. Vers la fin, quand il devint évident qu'il ne restait plus que quelques millimètres avant la béance, mes attaques prirent la forme d'une valse violente et joyeuse. Je tournoyais en parlant tout seul, prenais mon temps pour frapper, visais bien ; à un certain point, je me couchai par terre et martelai la porte avec mes deux pieds.

Mais le coup final en fut un d'épaule, plutôt mollasse.

Mes yeux se remplirent de larmes. Ce n'était ni l'émotion ni la fatigue, c'était une lumière glorieuse qui inondait maintenant le palier et toute la cage d'escalier, sûrement jusqu'au placard en haut, sûrement jusqu'au réfectoire et aux chambres des nonnes aux étages, et à tout le couvent, et à toute la ville, c'était Jeanne Mance qui disait « bonjour ! », qui disait « bonjour, Montréal ! ». Oui, bonjour !, bonjour, Jeanne Mance ! Si tu savais la joie, Jeanne Mance ! La joie ! Tu m'excuseras de me cacher les yeux, mais c'est tout un embrasement que tu me réservais là, c'est inattendu, ça fait une heure que je te cherche dans la pénombre, alors mes yeux, tu comprends…

Jeanne Mance!

Surtout, ne referme pas la porte! Je viens à toi!

Et j'avançai, et au début je pensais «mais qu'est-ce que tu pues, Jeanne Mance!», sauf qu'avant longtemps je compris que ce n'était pas Jeanne Mance.

Et ce n'était pas un caveau.

C'est-à-dire que ç'avait été un caveau, mais que c'était maintenant une grotte, puisqu'une ouverture avait été pratiquée tout au fond, une brèche par laquelle s'étaient engouffrés les anges pestilentiels de cette ville-poubelle.

C'était maintenant une piquerie.

C'est-à-dire que ç'avait été une piquerie. Elle était abandonnée aujourd'hui. Depuis des années, de toute évidence.

Des seringues. Des sacs de couchage en lambeaux. Des odeurs rances de tissus putréfiés, de Gyproc. Des bouteilles de bière, dont certaines de marques qui n'existaient même plus.

Des dalles marquaient les sépultures des hospitalières, on avait chié sur la plupart, les tas s'étaient figés avec les années, jusqu'à former des spirales grisâtres qui se brésillaient au contact de mes chaussures. Les parois étaient barbouillées de graffitis (*Loopman Carnage 2001, Pierrefonds Fuckers Wannabe, Wasssssupppp!!!!, theresa and reggie were here feb 1998, If you find me dead plz call my mother 5146680932*, des dessins de vagins, de bites, quelques autoportraits). Nous étions si loin au-dessous du niveau du sol… Comment était-il possible qu'une issue donne ainsi sur le grand jour ? Je traversai l'ossuaire, m'approchai du rebord et compris. La brèche, probablement formée accidentellement pendant les travaux, peut-être par un coup de bouteur, s'ouvrait dans les fondations du couvent et surplombait une fosse de construction pharaonique, dont le fond était à quatre ou cinq mètres sous mes pieds. Ce qu'on avait voulu construire à côté du monastère, je l'ignorais, mais on avait abandonné le projet sans remblayer le cratère. Des piquo-maniaques avaient investi la fosse et amoncelé des briques pour accéder à la brèche, envahir le caveau et poétiser icelui avec toutes les ressources esthétiques de leurs délicats entendements. Dans ces bombages où je voyais l'expression graphique de la plus abjecte déchéance, un chroniqueur culturel de Radio-Canada aurait probablement vu du *street art*, il aurait nasalisé son bestial contentement, « *Oh my God* que c'est vibrant ! Tellement urbain ! Vibrant… comme Montréal ! », et *ab irato* je l'aurais pris par les cheveux et lui aurais plongé la face dans un de ces tas de déchets qui jonchaient le sol, mélanges de mégots, de merde, de pansements, de fange, de bouteilles plastiques transformées en pipes à hasch, de linges croûtés par des fluides corporels, tiens, mon vieux fifi, tiens, mon âme laide, mon éboueur culturel, bouffes-en donc un peu de ta ville vibrante, bouffes-en jusqu'à la faire disparaître pour de bon.

Je me retournai vers l'intérieur. Catherine se tenait près d'une sépulture, la fixait d'un œil éteint.

Je voulais dire « Catherine, je suis désolé », mais les mots refusaient de sortir de ma bouche. Je m'approchai et contemplai avec elle un genre de grand lit de marbre cave, transformé en cendrier géant et en réceptacle pour un certain nombre d'ordures singulières : une couche pour adulte (une couche !), un siège de vélo, un rabot, deux 33 tours gondolés, des capotes, tout ça dans un fond de glaise, ça faisait un genre de potager, un beau potager montréalais vibrant. À la hauteur des genoux, sur un présentoir de marbre, des sachets de chips, des rouleaux de papier cul et des journaux recouvraient une inscription. Avec mon pied, je dégageai une extraordinaire plaque de bronze damasquinée, à l'éclat à peine altéré par le temps :

CY GIST DAME JEANNE MANCE
FONDATRICE DE L'HOTEL-DIEU DE VILLEMARIE
ETABLIE EN L'ISLE DE MONTREAL
POUR Y GOUVERNER LES PAUVRES SAUVAGES
QUAND ILS ETAIENT MALADES
DECEDEE LE DIX-HUITIEME JUIN 1673

Priez Dieu Pour Le Repos de son Ame

Il ne restait plus rien de Jeanne Mance, pas le moindre osselet, même le couvercle du tombeau avait disparu, c'était peut-être ces morceaux de marbre entassés dans un coin ; un réchaud Coleman d'un autre âge, carbonisé, était posé dessus. « Assieds-toi », et je forçai Catherine à se reposer sur la plaque. Elle offrait un spectacle à glacer le sang. C'était plus qu'un effondrement. C'était comme si toute sa charpente ontologique s'éboulait d'un coup. Physiquement, cela prenait la forme d'un abandon absolu, d'un relâchement de tous les muscles de son visage. J'aurais préféré qu'elle hurle, qu'elle pleure, qu'elle s'arrache les cheveux.

« Il… cœur. »

Je sursautai, Catherine non. La supérieure générale Onoflète Beaulieu se tenait dans l'encadrement de la porte. L'ossuaire maintenant percé aux deux bouts, le vent de septembre voyageait librement et ouatait les voix.

— Pardon ?

Je laissai Catherine sur la plaque et rejoignis la religieuse, qui hésitait à avancer.

— Il reste le cœur, répéta-t-elle. Le cœur de Jeanne Mance.

— Vous le saviez ? dis-je en montrant le caveau.

— Oui. Depuis longtemps. Mais il vaudrait mieux que ça ne s'ébruite jamais.

— Je comprends.

— Ça ne servirait à rien.

— Bien sûr. Et Jeanne Mance…

Je ne savais pas comment finir ma phrase. La religieuse, nouée, ferma les yeux et fit un petit non de la coiffe.

— Trouvez le cœur. Pour elle.

Elle pointait Catherine.

— Je croyais qu'il avait brûlé, dis-je. Dans l'incendie du premier Hôtel-Dieu, en mille six cent quelque chose.

— Je vous donnerai un nom et un numéro de téléphone. Mais ça risque de vous coûter cher. J'espère que vous avez des… ressources.

Le tableau vivant qui se mit ensuite en scène et dont je fus le seul spectateur, les mots sont impuissants à en rendre la tristesse et la beauté. Sœur Beaulieu était longue et sèche, ceinte dans la traditionnelle robe de serge. Elle avança dans la pouillerie en titubant, et je ne la vis plus alors que de dos, sa robe et sa guimpe noires se fondant pour lui donner des allures de samouraï expirant. À la hauteur de Catherine, elle lui posa une main sur les cheveux, puis s'assit à côté d'elle et la serra dans ses bras cependant que la jeune femme, enfin, laissait aller ses larmes. Dehors, un matin nucléaire éclairait Montréal jusqu'à en révéler les encoignures les plus obscènes, comme un projecteur braqué sur les plis pubiens d'une obèse morbide. Le contre-jour, brutal, enténébrait la crypte, néanmoins une lumière plus exquise, plus pérenne, plus séraphique que celle de n'importe quel matin partait du cœur de ces deux femmes qui se consolaient sur les ruines d'un siècle et les auréolait d'un nimbe surnaturel.

3

En 1809, des commerçants montréalais d'origine britannique décident par résolution d'ériger un monument en l'honneur de l'amiral Horatio Nelson dans le marché qui s'est construit sur l'emplacement du collège de Montréal, rasé six ans plus tôt par un incendie (aujourd'hui la place Jacques-Cartier, dans le Vieux-Montréal). Ils lancent une souscription.

Moitié pour rire, un des marchands propose de passer aussi la casquette chez les Canayens. Ce serait très drôle : des descendants de la France qui financent un monument à la gloire du tombeur de la flotte franco-espagnole à Trafalgar… On peut toujours essayer.

Le 2 avril, les Britanniques réunissent vingt-quatre boutiquiers *French Canadians* au Flagstaff's Winner, un pub du port. Ils les saoulent, puis, à la fin de la veillée, leur présentent le projet de colonne commémorative et les exhortent à participer financièrement en excitant leur culpabilité. « La Couronne a beaucoup fait pour vous depuis cinquante ans ; mais qu'est-ce que vous avez fait pour la Couronne ? » Les débitants francophones (« C'est ben vrai… C'est quoi qu'on a faite ? ») acquiescent bruyamment et sortent leur bourse, chacun donnant dans la mesure de sa honte. Le Canadien français a un tel dégoût de lui-même qu'il se sent coupable d'exister : vous obtiendrez tout de lui en promenant seulement le doigt sur cette plaie. « Aussi facile que de faire avaler du lard à un cochon », se félicite un banquier britannique assistant à la scène. « On n'avait même pas besoin de les saouler », se désole un armateur de Portsmouth.

Parmi les *Pea Soup* présents ce soir-là, on compte un gantier de vingt-six ans baptisé Abayeu Trépanier. Lui ressent le dégoût de sa race plus que tout autre ; c'est bien simple, s'il pouvait, il deviendrait Anglais. Une donation signalée le rapprocherait peut-être de cet alchimique idéal ? Sauf que ses affaires vont mal et sa bourse est vide. Pendant que les autres festoient, il court chez lui. À son retour dans le pub, il commande le silence et, d'un geste théâtral, pose au milieu de la table un bocal en verre aux angles renforcés par une armature de fer forgé. Le verre est si épais qu'on ne distingue qu'à grand-peine la masse opaque qui flotte à l'intérieur.

— *What's this thing ?* demande le responsable de la collecte.

— C'est ma contribution, mon bon seigneur !

— *It's bloody disgusting !*

— C'est le cœur de notre Jeanne Mance, mon amiral ! *It is Jeanne Mance heart !*

Trépanier ne ment pas : il s'agit bel et bien du cœur de Jeanne Mance.

Il faut savoir que cent trente-six ans plus tôt, le 19 juin 1673, dès le lendemain de la mort de Jeanne Mance, son cœur, que la charitable femme lègue aux Montréalais, est déposé dans la chapelle de l'hôpital Hôtel-Dieu, à l'époque bâti dans le port. En 1692, Sédèche Migneault, menuisier-charpentier de son état, est engagé avec d'autres pour effectuer des travaux dans le comble de la chapelle. Migneault, que son goût immodéré pour les dés a ratiboisé, forme le dessein de voler le cœur de Jeanne Mance pour le vendre. À la maison, il fabrique un réceptacle identique, le remplit de saumure, y glisse un cœur de cochon, et scelle le tout avec une vessie de chienne et un couvercle. La substitution se fait sans peine, à la fin d'une journée de travail où Migneault laisse ses camarades partir devant. La semaine suivante, il trouve un acheteur pour le vrai cœur en la personne de Queton Prudencien de Deraspe, un sulpicien fétichiste de la nouvelle mission du Sault-au-Récollet. Quand l'Hôtel-Dieu brûle pour la première fois en 1695, le pieux monde s'imagine que Dieu rappelle à lui le cœur de Jeanne Mance. On ne se doute pas que le bocal qui a été réduit en cendres ne contenait qu'un bas morceau de porc. De ce moment, on parle de la relique au passé, quand en réalité elle se vend et s'achète dans un réseau confidentiel d'amateurs de curiosités.

On l'a vu, donc : le reste mortel refait surface en 1809 sur la table du Flagstaff's Winner. À Abayeu Trépanier, les Britanniques répondent de garder pour lui ce muscle sans valeur, *thank you, my dear fellow, but what we want is money.* L'impressionnable gantier assimile ce refus à un désaveu de ses maîtres. Fatale flétrissure ! Au milieu de la nuit, quand ses compatriotes canayens rampent vers la maison en rotant leur gin anglais, lui se jette dans le fleuve Saint-Laurent. On retrouve son corps trois jours plus tard ; avant de sauter, il s'était emmailloté dans un Union Jack.

Trépanier a laissé le cœur sur la table du Flagstaff's Winner. Le cabaretier anglais, ignorant qui est Jeanne Mance et ne soupçonnant pas qu'il tient un merle blanc, rend la relique à la famille du suicidé.

Le bocal ne quittera plus le patrimoine de la famille Trépanier, assortissant systématiquement (et secrètement) les legs des pères à leur fils aîné.

Catherine et moi avions convoité les os en pensant, comme tout le monde, que le cœur avait disparu; finalement, ce sont les os qui s'étaient envolés. Le cœur, lui, existait toujours.

Les Hospitalières n'avaient appris l'existence du vrai cœur de Jeanne Mance (et l'épopée ci-dessus racontée) que quelques mois plus tôt. C'est le dernier Trépanier de la lignée, Bobby, qui, par l'intermédiaire de ses avocats, avait communiqué avec elles pour offrir de le leur céder. Prix de vente: cinquante mille dollars. «J'ai téléphoné à monsieur Trépanier pour parlementer, m'expliqua sœur Beaulieu. C'est un homme très riche, vous savez. J'ai essayé de lui faire entendre raison. On ne traite pas une relique historique comme ça, comme si c'était un immeuble ou un bijou. J'ai dit: "Je suis sûre que vous ferez preuve de la générosité qui vient avec votre statut social. Vous sortiriez grandi de tout ça... si vous nous faisiez don de la relique. Elle nous revient un peu. Au fond, c'est comme si vous essayiez de nous vendre quelque chose qui nous appartenait déjà." Mais il n'a rien voulu entendre. Il dit qu'un industriel libanais propose d'acheter le cœur avec l'idée d'en faire un médicament supposément magique pour sa femme, qui a le cancer. Jeanne Mance n'est pas une sainte:

c'était même pas une religieuse! Mais le Libanais lui offre soixante-douze mille en échange. Il dit qu'il est prêt à nous le vendre moins cher parce que de cette façon, le cœur resterait au Québec – "c'est mon petit côté nationaliste", il a vraiment utilisé ces mots-là –, mais pas pour moins que cinquante mille dollars. »

Finalement, les religieuses avaient décliné l'offre. Pas par lésinerie, jurait sœur Beaulieu. « On ne dispose pas d'une pareille somme! »

Point besoin d'enquêter longtemps pour savoir de quelle pâte était fait l'actuel propriétaire de l'organe convoité : ces dernières années, les médias avaient accordé à Bobby Trépanier une attention pointilleuse et largement non sollicitée.

Ingénieur de métier, Trépanier hérite de son père une petite entreprise de fabrication de béton, joliment appelée BétonPlus, en 1982. Au début des années 90, le gouvernement libéral de Robert Bourassa lui octroie une série de contrats publics lucratifs, lui permettant d'amasser une richesse modeste – il n'est pas « très riche », contrairement à ce que pense sœur Beaulieu; il est, disons, indépendant de fortune. En 2001, sans quitter la tête de BétonPlus, Trépanier devient responsable du financement du Parti libéral du Québec. Pendant deux ans, son infatigable prospection dans le milieu des affaires permet aux libéraux d'amasser un trésor de guerre incommensurable : des millions de dollars, qui n'attendent que d'être dépensés en belles publicités cartésiennes pour contrer la menace séparatiste et porter au pouvoir un conclave de ronge-papier, de comptables et de *businessmen* à la graisse d'oie, ventrus et vénaux, illettrés, corruptibles, fin de race, pour la plus grande gloire du Canada.

Mission accomplie : aux élections générales de 2003, en remportant soixante-seize sièges à l'Assemblée nationale, les libéraux peuvent former un gouvernement majoritaire. Bobby Trépanier obtient un « titre » : *special advisor* du premier ministre Jean Charest. En pratique, il reste le grand argentier du PLQ. Son travail : pomper des fafiots dans les cabinets d'avocats, les firmes d'ingénieurs et les grandes entreprises de la province pour garnir les coffres du parti.

Pour Bobby, les problèmes commencent en 2009, avec la révélation par des journalistes de cas graves de favoritisme dans l'attribution des contrats publics. Bien sûr, ce n'est pas d'hier que les partis politiques récompensent leurs donateurs, mais les libéraux de Jean Charest ont poussé l'abjection jusqu'à élaborer un système de rétribution d'une précision mécanique entre les contributions au PLQ venant de sociétés (par l'entremise de prête-noms, bien entendu, les donations directes par des entreprises étant interdites) et les bénéfices octroyés par le gouvernement à ces mêmes donateurs sous forme de contrats publics et d'avantages de toute sorte. Dans l'industrie de la construction, notamment, c'est un pont aux ânes : on fourre un peu de viande dans la bouche de l'animal libéral et l'État québécois se met à chier des contrats publics. Les entrepreneurs et les firmes d'ingénieurs n'ont plus qu'à tendre les mains. Rarement dans l'histoire de la province un parti politique a-t-il réalisé avec autant d'arrogance l'amalgame entre son financement et l'action gouvernementale.

La pression populaire force la tenue d'une commission d'enquête, la commission Charbonneau, du nom de la juge qui la préside. Les audiences, télédiffusées, passionnent le public. Pendant des mois, les Québécois assistent au déballage du maquignonnage libéral. Trépanier, chef d'orchestre de ce trafic d'influence, témoigne pendant trois jours. L'avocate de la Commission est impitoyable. À la fin, le quinquagénaire est en quelque sorte devenu le «visage» de la corruption libérale.

Après un lâchage nonchalant de son parti, Trépanier quitte la sphère publique pour embrasser plutôt une vie de bâton de chaise, tout assaisonnée de tournois de golf, de *billets de saison* au Centre Bell, de souper chez Denys Arcand, de bals caritatifs à l'hôtel St-James, de F1 avec Guy Laliberté, de *night cap* au club privé 357C et de concerts de U2 dans la loge de *La Presse*.

Parmi les éléments d'information qui ont mis le feu à l'opinion publique, on retient deux fêtes somptueuses que Trépanier a organisées sur sa propriété de Candiac, à l'occasion desquelles des hommes d'affaires ont pu rencontrer le premier ministre Charest et «discuter» avec lui. C'est devant cette maison que je garai mon VUS loué un gris matin d'octobre. La rue était tartinée des cadavres moulus de vers blanchâtres et ronds, gros comme des quenelles, une infestation commune dans ces lotissements nouveaux, déforestés trop brutalement.

— On y va?

— Je peux en fumer une avant? demanda Catherine.

— Ben oui. Viens. On va marcher sur le bord de l'eau.

Ce n'était pas une maison, c'était une «résidence», un monolithe truité orné de rechampis lui donnant des allures d'urne funéraire géante. Un drapeau du Canada flottait sur le parterre. Derrière, le terrain gazonné s'étirait comme un ruban de part et d'autre de la cour pour former une promenade fluviale. Nous longeâmes le fleuve vers l'est en levant de temps en temps la tête pour regarder au loin les voitures qui filaient comme des insectes sur le pont Champlain.

Catherine Tremblay faisait une mini-dépression. Elle n'allait plus travailler au salon de massage, n'ouvrait presque plus la bouche. Je savais qu'elle en bavait pour l'argent, et j'avais proposé de lui en prêter un peu, mais elle avait refusé. «Tu en as déjà assez fait», avait-elle répondu. Elle parlait du cœur de Jeanne Mance, que j'avais acheté pour qu'elle veille sur lui.

L'auguste palpitant ne m'avait pas coûté cinquante mille, mais bien vingt-six mille dollars. C'est moi qui avais pris l'initiative de communiquer avec Trépanier pour négocier, sans que Catherine me demande quoi que ce soit. Cette histoire de Libanais, c'était un mensonge, finalement. En réalité, Trépanier était pressé de se débarrasser de cette bondieuserie écœurante qui faisait tache dans sa déco. Bien sûr, vingt-six mille dollars, cela représentait une somme considérable, mais j'avais thésaurisé pendant deux ans pour acheter un appartement avec Meng Wu et ce bel argent dormait désormais, inutile, dans un compte à Pékin. Je n'envisageais pas de faire de dépenses particulières dans un avenir rapproché. Pour tout dire, je ne savais pas du tout comment utiliser ces économies. Pourquoi ne pas devenir propriétaire d'un muscle de la cofondatrice de Montréal?

À l'origine, j'avais projeté de tramer cette transaction dans le dos de Catherine pour lui faire la surprise. J'imaginais un moment lumineux quand je lui donnerais l'organe, un choc jubilatoire rallumant dans ses yeux les cailloux volcaniques que j'y avais vus brasiller parfois. Mais au téléphone, Trépanier m'avait expliqué qu'il était en possession de certains documents anciens, d'une valeur historique à vérifier, dont il acceptait de me faire cadeau gracieusement pour me remercier de le décharger de la relique. Comme je n'y connaissais rien et que cela relevait directement du champ d'expertise de Catherine, il valait mieux qu'elle m'accompagne pour récupérer le cœur.

Alors, je lui avais donné rendez-vous et l'avais retrouvée un matin dans l'aire commune du pavillon Judith-Jasmin de l'UQAM. Avec beaucoup de cérémonies, je lui avais annoncé que j'avais acheté le cœur de Jeanne Mance et que je comptais le lui confier pour qu'elle en dispose comme elle l'estimait séant.

— Merci, avait-elle dit en écartillant les doigts de sa main libre.

Pas de réaction, ou presque. Sa complexion blêmissait quasiment à vue d'œil depuis l'épisode de la crypte. Ça faisait peine à voir.

— Je vais t'en confier la garde. J'ai déjà tout signé devant notaire. Il faut que j'aille à Candiac vendredi pour que Trépanier me le remette officiellement. Ce serait mieux que tu viennes aussi. Il insiste pour nous montrer des documents d'archives. L'acte de naissance de Jeanne Mance ou je sais pas quoi. Viens. Tu pourras juger par toi-même s'il y a des papiers intéressants pour ta thèse.

Catherine Tremblay n'avait pas montré plus d'enthousiasme que si je lui avais annoncé qu'on avait rendez-vous chez un podiatre pour faire brûler nos verrues plantaires. Pendant tout le temps que j'avais parlé, elle était restée silencieuse, se contentant de renverser par moment sa bouteille de jus de pamplemousse pour observer à travers la vitre la pulpe qui s'accumulait dans le bouchon. Puis, juste avant que l'on se quitte, elle avait manifesté un frêle sursaut d'intérêt.

— Tu serais d'accord, avait-elle demandé en passant la tête dans la courroie de son sac à main, pour qu'on transfère le cœur à Langres et qu'il soit exposé dans la cathédrale Saint-Mammès ? Tu resterais le propriétaire. Il serait simplement « entreposé » là-bas, disons. C'est faisable ?

J'avais haussé les épaules.

— Pourquoi pas ? Les gens de Langres seraient sûrement heureux de ravoir leur petite Jeanne après trois cent cinquante ans. Mais je te l'ai dit : tu peux en faire ce que tu veux. Je m'imaginais que tu voudrais la garder auprès de toi. Dans ton appartement. Entre deux boîtes de Kraft Dinner et tes photos de graduation.

— Je ne veux pas qu'elle reste au Québec, s'était-elle bornée à dire, puis elle était partie comme un spectre, noyée dans ce nuage noir qui la suivait partout.

Ce même nuage, elle le traînait aussi avec elle ce matin-là, à Candiac. Pareille tiédeur devant un cadeau de cette valeur aurait pu m'énerver, pourtant non. Je mettais cette insensibilité de façade sur le compte d'un accablement généralisé, et dangereux, parce que Catherine me donnait l'impression de n'avoir personne autour d'elle sur qui compter. Pas d'amis. Pas de famille. Pas d'amoureux. Cette solitude à laquelle elle avait déjà fait allusion prenait aujourd'hui un tour concret.

De retour dans la cour après notre promenade fluviale, nous décidâmes de nous annoncer par la porte principale. Trépanier ouvrit après six coups de sonnette. Il portait un bermuda à fleurs et un t-shirt du Cirque du Soleil.

— Bonjour *Hi*!

Il était beaucoup plus cool que ce qu'on aurait pu imaginer, il avait une personnalité très rock, c'était un quinquagénaire surexcité et séduisant, bronzé, aux belles boucles grises et blanches, qui avait gardé dans sa silhouette et sa musculature les linéaments d'une jeunesse dorée, passée à fourrer des chochottes d'Outremont, à skier à Tremblant, à faire du parachute et à putasser en anglais dans des barbecues politiques à Westmount avec des fils de ministres et de banquiers. Frais comme l'œil. L'indice de masse grasse d'une fourchette. Sa maison était un foutoir, il y avait très peu de meubles, mais des objets traînaient partout, un kayak était suspendu au plafond, «impossible qu'il y ait une Mme Trépanier dans ce cirque», pensai-je, et Trépanier lui-même me le confirma un peu plus avant dans la conversation:

— Je vais trèèès bien, merci. Un homme nouveau. Le divorce! C'est la meilleure chose *ever*. *Ever*! Ma masseuse, Li Jou-o. Je l'héberge pour la dépanner.

Il indiquait une sculpturale Asiatique, vautrée dans un canapé d'angle installé en plein milieu de l'immense séjour. Hochement de tête minimum: elle ne leva même pas le nez de son portable. Trépanier ramassa une crosse de golf et dessina des moulinets dans l'air. Il couvrait Catherine de regards salissants.

— Le cœur de Jeannette ! Le ti-cœur de Jaaanet (prononcé en anglais, comme dans « Janet Jackson »)… Il est dans ma famille depuis 1783. C'est à qui, maintenant ?

Puis, utilisant la crosse comme un microphone :

À qui l'p'tit cœur après neuf heures ?

Est-ce à moi ? Rien qu'à moi ?

Quand je suis parti loin de toi, chérie

À qui l'p'tit cœur après neuf heures ?

Il s'arrêta net et pointa la crosse vers moi.

— Me semble que je t'ai déjà vu la binette quek' part, Rrroé.

Il roulait ses « r », c'était écœurant.

— Ça m'étonnerait, monsieur.

— On vous a bien expliqué ce qu'on avait l'intention de faire avec le cœur ? enchaîna Catherine. Vous êtes rassuré, j'espère.

— *Yes*, madame.

— La cathédrale Saint-Mammès existait déjà du vivant de Jeanne Mance. C'est quelque chose, quand même. Elle a prié dedans pendant sa jeunesse, à Langres. Et aujourd'hui, son cœur y retourne. Après presque quatre cents ans. Je sais pas si vous saisissez la portée symbolique de cet événement.

Bobby Trépanier s'en crissait ostensiblement.

— C'est pas que j'ai pas d'attachement pour ces affaires-là. L'histoire pis toute. C'est important. C'est jusse que j'ai des projets d'investissements pis j'ai besoin de *cash flow*. *Check* ben, Rrroé (pour une raison que j'ignore, il commença à s'intéresser exclusivement à moi, en m'interpellant à chaque phrase, «Rrroé», mon prénom n'était jamais aussi laid que quand on roulait le «R» initial). J'ai eu une super idée de *start-up*. Au début, ç'a été jusse une *joke* avec deux chums, mais là, ç'a *évolvé* que c'est un vrai projet d'entreprise. Une agence de rencontre *online* qui est basée sur un algorithme… *Check* ben. T'as-tu remarqué, Rrroé, que les belles filles sortent toujours avec des beaux gars, pis vice-versa?

— Mmm.

— *Check* ben, Rrroé. Prends toutes les couples autour de toé pis donne à chacune des deux personnes une note sur dix. Tu vas voir, ça *fit perfectly*. Les sept sortent toujours avec des sept, les cinq avec des cinq, les dix avec des dix… *Anyway*, c'est ben rare que ça rate…

— L'argent peut fausser l'équation, l'interrompis-je.

— Pis quand ça rate, c'est à cause de l'argent, *yup*. Mais qu'est-ce qu'on pourrait dire, c'est que si les gens sont tristes en amour, c'est parce qu'y *fall* pour d'autres gens qui sont trop beaux pour eux. Si tout le monde se contenterait de *cruiser* dans sa talle, comme qu'on pourrait dire, y aurait ben moins de gens seuls, pis ben plus de gens heureux.

Il arpentait la pièce en fendant l'air de sa crosse, et nous commencions à comprendre qu'il avait peut-être moins de prise sur la réalité qu'il nous avait paru au départ.

— *Having said that*, les gens sont jamais des bons juges pour leur propre *aesthetic quotient*. On s'imagine toujours qu'y est plus haut que ce qu'y est pour vrai. Toé par exemple…

Il me désignait du bout du bâton.

— *You're clearly a four…*

— Maman m'aurait donc menti ?

— Mais sûrement que tu penses que t'es t'un sept, ou un huit. Faque mettons que tu t'inscrirais dans mon site de rencontres *online*. Qu'est-ce qu'on fait, c'est qu'on envoye chez vous deux inspecteurs. Des professionnels du *body* pis du visage, formés par nos services. Toi, t'es t'un gars, faque on envoye deux filles. Qu'est-ce qu'elles font, c'est qu'elles t'examinent chaque partie de ton corps, pis elles donnent des notes. À la fin, ça donne un rapport détaillé, avec une moyenne. C'est ce rapport-là qui détermine la banque de profils qu'on va t'inscrire dedans. *Then, you only get to fish in your own pond.* Tu vas pouvoir *peruser* dans les profils de filles qui sont belles comme toi. Des *four*.

Il montrait quatre doigts en faisant des yeux vitaminés. Ma beauté physique s'exprimait avec une seule main, et même : il restait le pouce pour faire autre chose. Tant pis. J'avais d'autres qualités.

Sans doute, des gens branchés auraient compris au premier contact que la pétulance déréglée de ce prophète de banlieue était induite par le psychotrope du beau monde. Catherine avait plus de vécu interlope que moi, peut-être qu'elle l'avait deviné, mais les événements de la crypte l'avaient laissée inexpressive et on ne savait plus ce qu'elle ressentait, comme elle ne bougeait ni ne parlait presque plus. Pour ma part, il fallut que mes yeux, errant sur une table à café près du canapé, tombent par hasard sur un étui plaqué or, un miroir et un billet de vingt roulé en tube pour que tout s'éclaire.

— Pour les belles filles, aussi, c'est ben mieux, reprit Trépanier en fixant Catherine. Fini, les *random dudes*; Love Is a Battlefield vous garantit que vous allez rencontrer des pétards.

— Love Is a Battlefield?

— Le nom de l'entreprise. La toune de Pat Benatar? *Love Is a Battlefield*?

La crosse comme microphone:

We are young

Heartache to heartache we stand

No promises

No demands

Love is a battlefield...

... FUCK YEAH!

Et Trépanier cogna violemment le parquet du bout de la crosse, au point de le bosseler. L'Asiatique sursauta, Catherine recula d'un pas en plaçant une main devant elle. Je sentis mes muscles se bander. Cela suffisait. Je voulais lui proposer de remettre le rendez-vous à un jour où il serait en possession de ses moyens, mais il n'écoutait plus.

— Y a des gens qui disent que c'est un système *cruel*. Mais oui, c'est *cruel*! *Cruel but necessary. Inflexible,* mais *efficient. Love Is a Battlefield!* WAOUUUH!

Il botta une pagaie de kayak en hurlant.

— On va faire des *shitloads of money*, Rrroé. Des *shit-loads*. C'est un *sure shot*, mon ami. Un *sure shot*. La province a plus besoin de *start-up* de même que de vieilles affaires historiques, *mind you*. C'est pour ça que ça me fait pas trop de peine de te vendre le cœur. La vraie innovation révolutionnaire, c'est les *beauty inspectors* qui se déplacent. Tu comprends, Rrroé, je pense que dans leur fond, les gens veulent se faire dire la vérité sur leur vraie beauté, même si ça peut faire mal. Y ont besoin d'un troisième œil pour ça. *The Third Eye… The Third Eye!* Peut-être que ça serait mieux comme nom? Avec un gros yeux comme logo… Esti que chu stimulé! C'est le quartier qui me stimule de même. Comment tu le trouves, mon quartier, Rrroé?

— Je le qualifierais de tartiné.

— Toutes des entrepreneurs qui restent icitte. Des gars que je respecte. Des bâtisseurs. Des anglophones, des Italiens… Moi, ce que je veux, c'est créer de la richesse. Pas jusse icitte: partout dans le monde. *I see global*, Rrroé. *Global*.

— Bon, ben on va vous laisser créer en paix. C'est pas tout, ça, dis-je en me tournant vers Catherine. On a une réservation à La Tour d'Argent à midi, ça fait que…

— Ha! Rrroé! (Trépanier se tordait) La Tour d'Argent! C'est à Paris, mon snoreau. Je le sais, j'ai déjà allé. Essaye pas. Ha! Tu fais ma journée, Rrroé.

— On devrait peut-être revenir une autre fois…

— Une autre fois, me dit Catherine tout bas, il va être pareil qu'aujourd'hui. Donne-moi juste quelques minutes pour examiner les documents. En attendant, tiens compagnie à la dame.

Trépanier et elle se retirèrent dans la cuisine, me laissant seul avec l'Asiatique (qui continuait de pianoter sur son portable). Je musardai dans le séjour en gardant les oreilles ouvertes. Trépanier avait placardé chaque mur avec des pancartes électorales du PLQ. On en comptait plusieurs dizaines. Ce magistère libéral et fédéraliste, clownesque dans la façon dont il s'était articulé et, surtout, dans son dénouement médiatique, l'homme d'affaires l'avait visiblement pris très au sérieux. Le charme suranné de certaines affiches datant des années 60,

C'est le temps que ça change

en faisait de gentils objets de décoration, même si elles s'appariaient mal avec les pastels vulgaires des murs et des moulures. Sur des affiches plus récentes, je reconnus Bobby Trépanier lui-même. Je ne me souvenais pas d'avoir lu qu'il avait déjà été candidat. C'était bien lui, pourtant, sur les affiches d'au moins deux campagnes : portraits de buste, complets à rayures, sourire illuminé, avec, apposée en arrière-plan par photomontage, la silhouette de Jean Charest, frisé tutélaire, rictus carnassier sur fond céruléen.

Unis pour réussir

Trépanier avait probablement été défait, ce qui expliquait qu'on ne parle nulle part de lui comme d'un ancien député.

Je commençais à m'ennuyer. Je m'approchai de l'Asiatique avec l'idée de la lutiner.

— 中国人吗？

— 啊呀！你会说中文吗？

Son visage s'ensoleilla, elle posa son téléphone.

— Je vis en Chine, expliquai-je en mandarin.

— C'est vrai ? Où ça ?

— À Pékin. Je travaille à CUPSL.

— Oulà ! Tu parles rudement bien !

— Tu me flattes.

— Pas du tout. Ce n'est pas souvent qu'on entend des étrangers parler aussi bien. Tu parles comme Dashan. Mieux, même !

— Tu exagères.

Elle portait un short et un kangourou trop grand à l'effigie de la fac de droit de l'Université de Sherbrooke. Ses pieds nus appuyés contre le rebord de la table à café, elle frottait machinalement des jambes juvéniles et blanches très attirantes, deux « V » renversés qui, pour peu qu'elle les ait écartés mesurément, auraient composé une invitation sexuelle presque insoutenable. Il valait mieux porter mon attention sur la cocaïne ou

Maître chez nous

sur les affiches électorales, mais elle voulait continuer de discuter, je soupçonnais qu'il n'y avait pas beaucoup de gens dans son entourage avec qui elle pouvait parler. Elle se sentait possiblement très seule, comme Catherine.

— Tu apprends le chinois depuis combien de temps ?

— Presque quinze ans.

— Ah ! ben voilà !

— Comment tu t'appelles ? Il a dit que tu t'appelais « Li Jou-o ».

— Il est juste incapable de prononcer mon nom, fit-elle avec une moue. C'est Li « Zhuo ».

— Ah.

Toutes les prostituées que j'avais connues en Chine prétendaient qu'elles s'appelaient « Li ». C'était sans doute le nom de famille le plus commun dans les pays sinophones, ça voulait aussi dire « prune », mais j'avais fini par me demander si une sorte de tradition, trouvant sa source, peut-être, dans le fond des âges de cette corporation séculaire, ne poussait pas les filles à se présenter toutes sous le même patronyme, par solidarité, ou pour cultiver leur anonymat. Évidemment, ça ne signifiait pas que Li Zhuo était une prostituée.

— Tu ne veux pas t'asseoir un peu ?

Elle tapotait le canapé en toute amitié, sans lascivité ni folâtrerie. Je la rejoignis.

— Tu veux manger un truc ? On n'a pas grand-chose… Mais des nouilles instantanées, ça, on a.

— Tu les fais à la chinoise ? Moi, à Pékin, je les laisse ramollir dans l'eau bouillante avec la moitié du consommé seulement. Puis je les fais sauter dans l'huile d'arachide, et à la fin je saupoudre le reste du consommé.

— Même pour les nouilles instantanées, tu es plus Chinois que les Chinois ! s'émerveilla-t-elle. T'en veux ?

— Non, merci. On vient de déjeuner. Tu viens d'où, exactement ?

— Un trou. Je te dirais, tu ne connaîtrais pas.

— Dis toujours.

— Guixi. Dans le Jiangxi.

— Ça fait longtemps que tu es au Canada ?

— Moins d'un an.

— Et, euh… Il t'a présentée comme sa masseuse.

— Oh. Masseuse… Parfois, il dit femme de ménage, d'autres fois jardinière, ou cuisinière, ou prof de taï-chi… Il ne sait plus ce qu'il raconte. Il est complètement pishhh… (Elle fit rouler ses doigts à côté de sa tête.) C'est cette cochonnerie qu'il prend (elle pointait l'étui doré sur la table), ça le change complètement. Et puis, ça le ruine. Il n'a plus un rond, tu sais. Il se la joue « empereur », mais il est fauché. Cette grande maison… c'est tout ce qui lui reste. Il doit liquider ce qu'il possède pour payer ses dettes. Il dit qu'il va faire une tonne de fric en investissant dans une ligue de boxe ou je ne sais quoi… Des conneries. En réalité, il est sur le sable. À cause de ça.

— Ce n'est pas possible. Il n'a pas pu dilapider une telle fortune juste avec sa consommation de cocaïne. Ce type avait largement assez d'argent pour se payer de la drogue toute sa vie.

— Ben, en tout cas, il bouffe la grenouille. Peut-être qu'il a fait de mauvais placements. Il ne paie plus ses factures. Il ne me paie plus, moi.

— Qu'est-ce que tu vas faire ?

Elle haussa les épaules, s'alluma une cigarette – « Tu fumes ? Non ? » –, cracha une longue coulée cendrée.

— Je pourrais manucurer dans des salons du centre-ville de Montréal, sauf que je ne parle ni anglais ni français, alors… Même serveuse dans un restaurant, je ne pourrais pas faire.

— Tu ne parles pas du tout anglais ?

— Enfin, si, un tout petit peu. À peine assez pour faire la conversation. Même avec lui, tu devines bien qu'on ne parle pas beaucoup. Mais on fait des trucs. On va au resto, on se balade en voiture… Tiens, hier, on a grimpé cette montagne près d'ici, tu sais ?

— Le mont Saint-Hilaire ?

— C'est ça ! Super beau. Mais la plupart du temps, je me sens seule. Tu veux bien qu'on échange nos numéros, dis ?

— Si tu veux, mais je retourne en Chine dans dix jours.

— Oh…

Ce petit « oh », échappé comme dans un souffle, trahissait tout à la fois la déception et une solitude immense. J'en conçus une tristesse telle que je sentis mon estomac se durcir.

La séparation on a raison de dire NON

(Puis, quelques années plus tard, les slogans, par une sorte de nigauderie rimée, formant de petits poèmes au-delà du temps :)

L'économie d'abord OUI

— C'est drôle, tout de même, reprit Li Zhuo. Les Chinois sont prêts à faire des choses terribles pour émigrer ici. Prends moi, par exemple… Et toi, c'est ton pays natal, mais tu choisis de vivre en Chine !

— Mmm… (Je pris un paquet de cartes à jouer sur la table et le brassai distraitement.) On ne peut pas vraiment comparer.

— Pourquoi ?

— C'est compliqué.

— Hé ! Je ne suis pas conne ! J'ai passé le *gaokao*.

— C'est que vous, les Chinois, peu importe où vous allez dans le monde, vous portez toujours votre culture avec vous, comme une tortue sa maison. Quand vous émigrez, vous choisissez simplement une nouvelle terre pour « être Chinois ». Toi, par exemple, tu es venue ici pourquoi ?

— Pour l'argent.

— Voilà. Et peut-être aussi un peu pour la qualité de l'air…

— Oui, un peu (mais je lui avais clairement suggéré la réponse).

— Et peut-être qu'un jour, tu émigreras ailleurs – aux États-Unis, à Vancouver, en Australie –, mais toujours tu seras Chinoise.

— Bien sûr.

— Et où tu iras, il y aura d'autres Chinois avec qui te lier, avec qui manger des *jiaozi*, avec qui regarder des feuilletons chinois, avec qui jouer au mah-jong ou potiner.

— C'est vrai.

— Vous formez une communauté, une grande communauté d'hommes et de femmes qui peuple toute la planète. Si tu veux : la sinité, c'est enveloppant comme une peau. Que ça te plaise ou non, tu portes toute la Chine sur toi, avec toi. Sa grandeur, en tout cas : il faut beaucoup d'abnégation pour gagner de l'argent comme tu le fais… J'imagine que tu en envoies à tes parents à Guixi ?

Elle se rembrunit. Je la saboulais dans une partie trop intime de son histoire personnelle.

— À mon père et mon frère, oui.

TOGETHER addressing the real issues / ENSEMBLE on s'occupe des vraies affaires

— Cette solidarité vous lie les uns aux autres. Moi, je n'ai pas ça. Je ne fais pas partie d'une communauté. Je suis carrément tout seul. Les gens ici n'ont pas d'identité, pas de culture, pas d'histoire. C'est horriblement déprimant.

Li Zhuo soupira bruyamment.

— On vient ici pour faire de l'argent, dit-elle. C'est trop pauvre, en Chine.

— Tu exagères. Les choses changent. Vous vous enrichissez. Ça prend du temps, mais vous y arriverez. Les Chinois travaillent fort. Ils sont intelligents et courageux. Ce sont les gens les plus courageux que je connaisse. Bientôt, le monde vous appartiendra. Vous contrôlerez l'économie partout. Même ici, au Canada. Et alors, c'est nous qui serons pauvres, et vous devrez nous engager comme masseurs ou jardiniers.

— Moi, c'est toi que j'engagerai !

Elle éclata de rire et cacha ses rougeurs dans ses mains.

— C'est ta copine ? dit-elle en montrant la cuisine du menton.

— Non.

— Elle est belle !

— Oui !

— Tu l'aimes bien ?

Je gardai le silence un instant.

— Pour l'amour, c'est trop tard.

• • •

Trépanier m'avait mis la chanson de Pat Benatar dans la tête. Sur le chemin du retour, j'en tapotais le rythme sur le volant avec mes doigts, je remuais les épaules en chantonnant.

Des champs vert-de-gris, plats le plus souvent, mais ondulant ici et là, par quelque caprice du relief, en mortes éminences, habillaient le chemin vers Montréal. Rien d'autre pour rappeler la vie que ces plants de blé d'Inde rabougris et bas, frisottant sur toutes les surfaces, comme une croûte. Près de Saint-Constant, nous croisâmes une vacherie ponceau fraîchement repeinte, solitaire et coquette, plantée au milieu d'une glèbe roussâtre. Une goutte de sang sur une pierre tombale. Je rangeai le VUS sur l'accotement pour savourer mon kief et contempler Catherine.

— Si Jeanne Mance était dans le *truck* avec nous en ce moment, qu'est-ce que tu penses qu'elle dirait de cette idée de renvoyer son cœur en France?

Catherine haussa les épaules. La fatigue et la tristesse lui bouffissaient les yeux. Pelotonnée sur son siège, elle serrait contre sa poitrine le cœur de Jeanne Mance, s'y agrippait comme aux cendres d'un enfant. L'organe, finalement, venait dans une sorte de vieil aquarium opaque serti dans un lourd cadre de marbre. Le machin pesait une tonne. On ne voyait presque rien à travers les parois, qu'un corps gras et noir qui valsait dans du formol. Ç'aurait pu être n'importe quoi : une prothèse en silicone, une balloune d'huile, une patate, un jambon… En sortant de la maison, cependant, Catherine m'avait confié qu'elle ne doutait pas qu'il s'agisse bien de ce que nous étions venus chercher. De toute façon, nous tablerions bientôt sur des analyses qualitatives réalisées en laboratoire.

— Prends une couple de jours pour y penser, dis-je doucement. Mais pour moi, ce n'est pas parce qu'une personne est morte il y a trois cent cinquante ans qu'on est moins tenus de respecter ses décisions. Le nombre des années n'estompe pas le sacré des dernières volontés. Il faut se demander : comment on agirait si Jeanne Mance était morte hier ? Dans son testament, elle écrit qu'elle « lègue son cœur aux Montréalais ».

— Je ne pense pas qu'elle avait ces Montréalais-là en tête, lâcha Catherine en pointant l'horizon, puis elle se prit la tête en étau, comme si elle avait une énorme migraine.

Tout compte fait, Catherine Tremblay vivait les événements comme une défaite. Pourtant, moi, j'avais l'impression de conduire le char d'une guerrière. Une croisée éreintée, soit, et couverte de la poussière des combats, mais victorieuse, se cramponnant à l'objet retrouvé de sa juste quête.

Une ultra en mission. Ma Catherine chasseresse.

Je l'admirai jusqu'à perdre le fil du temps.

ÉPILOGUE

La première fois que j'ai lu *Le Livre de la jungle*, j'ai été étonné du portrait destructeur que dresse Rudyard Kipling des Bandar-log, la race des singes. L'ours Baloo enseigne à Mowgli que le Peuple de la Jungle a banni le nom des Bandar-log de son langage et qu'il n'entretient avec eux aucune relation, et ajoute même (en frappant Mowgli, qui vient précisément d'aller jouer avec les primates dans les ramures) qu'il n'y a rien de plus déshonorant pour quelqu'un de la jungle que de «jouer avec pareilles ordures». Cela surprend Mowgli, qui demande des explications, et le lecteur aussi, bien sûr. Les singes! Nos ancêtres! Égaux des dauphins, à ce qu'on raconte, pour la sagacité. Ils peuvent parler avec des signes et utiliser des bouliers. Au zoo, quand on leur lance un œuf, ils se cabrent et nous font la nique.

C'est que, explique Baloo, les singes n'ont ni loi ni patric. Surtout, ils n'ont pas de mémoire, donc pas d'industrie, puisque la séquence d'opérations nécessaire à la réalisation d'une entreprise complexe (comme traquer un daim ou construire un nid) implique une idéation, c'est-à-dire la capacité d'inventer des images et de les enchaîner pour former un plan. Sans mémoire, les singes vivent dans un «maintenant» perpétuel. La nouveauté la plus puérile les plonge dans une excitation criarde; pourtant, leur intérêt pour une chose cède dès lors qu'une nouvelle se présente – la chute d'une noix, donne pour exemple Baloo. Ils sont lâches: ils n'attaquent pas à moins d'être cent contre un, et accablent de brimades les animaux malades ou blessés qu'ils rencontrent dans leurs errances. Mais lâcheté et sagesse se confondent parfois, en particulier quand on se sait faible: dans la jungle de Mowgli, l'improbable alliance d'un ours, d'une panthère et d'un boa parvient à mettre en déroute des centaines de Bandar-log.

Ces tares sont les pires qui soient. Voilà pourquoi il est déshonorant de frayer avec le peuple des cimes, et pourquoi toutes les espèces qui vivent au sol le haïssent. Pourtant, les singes ont une très haute estime d'eux-mêmes. Dans cette ancienne capitale hindoue dont ils ont fait leur repaire, «ils s'assoyaient en cercles dans le vestibule menant à la chambre du conseil royal, grattaient leurs puces et faisaient semblant d'être des hommes». Le *vestibule*, précise Kipling. La salle royale est à quelques pas, au bout d'un couloir, libre à prendre, abandonnée depuis des siècles. Pourtant, les singes se contentent du vestibule. Là, ils se livrent à l'activité intellectuelle la plus poussée dont ils sont capables: le jacassement, cette gâterie vaine des créatures de rien.

• • •

Je passai près de me fâcher avec mon père pour cette histoire de pop-corn à la chasse à l'ours. Le jour de notre départ pour le réservoir Gouin, en constatant qu'il avait chargé dans son pick-up l'irrationnelle cargaison de maïs soufflé que j'avais découverte le jour du baptême du petit Bixente, je lui en fis reproche sans pouvoir masquer mon exaspération.

— C'est un voyage de chasse que tu m'offres pour mes soixante-dix ans, rétorqua-t-il, piqué. Un cadeau. Peut-être la dernière chance que j'ai dans ma vie de tuer un ours. Tu peux-tu me lâcher les génitoires pis me laisser essayer quelque chose de neuf?

— Fais donc ce que tu veux, sifflai-je en fermant violemment la portière du coffre.

Pendant l'escale à La Tuque, je le contraignis quand même à s'arrêter chez un grossiste spécialisé, où je réquisitionnai presque tout le pain tranché disponible, plus une chaudière de vingt kilos de caramel, une dizaine de gros pots de Nutella, vingt-cinq litres de sirop de maïs, pareille quantité de guimauve liquide et pour trente-cinq dollars de mélasse à l'anis. J'achetai aussi des provisions pour nous deux, deux caisses de vingt-quatre et des bouteilles de vin. En route vers le Gouin, je convainquis finalement mon père d'abandonner son projet très con. Quatre jours, c'est bien court pour une partie de chasse (et encore: il fallait soustraire deux journées pour le voyagement). En région, les chasseurs patentés alimentent leur site d'appâtage au moins deux fois par semaine pendant toute la durée de la saison pour créer chez les ours une habitude de visite. C'est un luxe que nous n'avions pas eu. Dans ces circonstances, mieux valaient mettre toutes les chances de notre côté en évitant les excentricités et en s'en tenant aux principes de base.

Le lendemain de notre arrivée à la pourvoirie, toute tension filiale dissipée, nous communiâmes autour d'un gargantuesque déjeuner composé à quatre-vingt-quinze pour cent de bacon. Puis, jouqués dans une cache à quelques kilomètres du camp, nous attendîmes tout le jour qu'un ours succombe aux soixante-quinze mille calories de délices sucrés qui jutaient, au pied de notre arbre, dans un tonneau éventré. Nous ne vîmes pas le début de la moustache d'un ursidé. Pas grave. Lectures, discussions, roupillons : on ne s'ennuya pas, et sans qu'on sache où le temps avait filé, le soleil entamait déjà sa descente. Le soir, nous bûmes deux bouteilles de vin en regardant la surface ultramarine du Gouin virer au noir. Notre camp faisait partie d'un chapelet de baraques disposées autour d'une baie. Près de nous, des Américains éclusaient des bières autour d'un feu.

Le lendemain, nouvelle journée de chasse blanche. Nous reviendrions au sud bredouilles, comme chaque fois. Tant pis. Le soir après le souper, mon père roula une série de « Quebec Big Bud », que nous fumâmes en buvant ce qui restait d'alcool et en admirant la lune. Vers minuit, pour déconner, nous installâmes un chaudron de quatre-vingts litres au-dessus d'un brûleur à propane, en utilisant une jante de camion comme support. Il nous fallut trois quarts d'heure pour desceller toutes les enveloppes de pop-corn. Avant d'allumer, je versai un plein bidon d'huile de cuisine et un pot de Nutella sur le mélange et touillai. À côté, les Américains nous regardaient faire en rigolant. En éclatant, les céréales finirent par déborder du chaudron et se répandre sur le sol. Pas une grosse perte. J'avais mis trop d'huile, les grains étaient gluants, immangeables. Mon père immortalisa le désastre avec son appareil photo. Rires gras. Allez, c'était le temps d'aller au lit. On ramasserait le lendemain.

J'ignore combien de temps je dormis. Pas longtemps, pour sûr, parce qu'il faisait toujours une nuit d'encre quand je me réveillai pour aller pisser. Je ne remarquai pas l'absence de mon père dans le lit à côté, il faisait trop noir. C'est seulement en approchant de la porte que je l'aperçus, assis sur une caisse de lait. Par la fenêtre, un rayon de lune découpait son profil régalien, me le rendant soudain très beau, sage, plus paternel que je ne l'avais vu ces dernières années, même si une inquiétude sourde arrondissait ses yeux et sabrait ses vieilles joues. Il tenait sa 30-06 entre ses cuisses, canon en l'air. Qu'est-ce qu'il foutait encore ?

— Papa…

— (Un doigt sur les lèvres :) Chuuut…

Je m'approchai de la fenêtre. Dehors, un ours se farcissait la panse avec notre pop-corn.

Nous restâmes une heure à l'observer, incapables de concentrer en nous le détachement froid qui était nécessaire pour ouvrir la porte et abattre cette adorable tonne de poils, de gras et d'absolue vacuité. Un Indien moins sentimental qui travaillait comme guide pour la pourvoirie s'en chargea à notre place, *bang!*, on n'avait rien vu venir, l'ours non plus, il s'affaissa sans émettre le moindre grognement.

• • •

Vint un jour où je ressentis le besoin de régler mes comptes avec Meng Wu. Le ton résolu de sa lettre de rupture ne laissait place à aucune ambiguïté. Du bout du pied, elle avait poussé dans une fosse la carcasse sans vie de nous-deux, puis s'était mise à remblayer, seule. J'avais mon rôle à jouer si je voulais que cela finisse pour de bon. Pelleter aussi, remplir le trou. Des pieds, damer le tumulus avec elle. À la fin, une dernière poignée de main, merci, bonsoir. Malgré les semaines qui s'étaient écoulées et les péripéties des derniers jours, une tristesse n'avait toujours pas crevé. Je savais que c'était parce que j'avais repoussé cette conversation finale que je devais avoir avec elle. J'aurais pu attendre d'être de retour en Chine, mais je voulais lui parler de Montréal, pour que la distance géographique appuie l'éloignement sentimental dont j'entendais témoigner, manière orgueilleuse de montrer que je tournais la page, «ç'a été un choc, mais je reviens enfin de toi, je lève l'ancre, je te souhaite d'être heureuse, ma chère Meng Wu, tu le mérites, bon voyage» – les mots qui me venaient en tête auraient fait une super chanson des Carpenters.

Seulement voilà, je ne trouvais pas le courage de prendre le téléphone et d'appeler.

Quelques jours avant mon départ, j'allai m'asseoir dans le parc Baldwin avec mon iPhone et un roman de Lin Yutang. Sans raison particulière, je pris soin de choisir un banc duquel je voyais l'appartement où avait eu lieu cette soirée flaquante quelques semaines plus tôt. Je posai le téléphone à côté de moi. Je saurais quand ce serait le temps.

Je ne lisais pas depuis trois minutes qu'un bourdonnement électrique régulier et doux scia le silence du parc, se rapprochant de l'endroit où j'étais. Sur ma gauche, un maigriot pilotait sa voiturette orthopédique dans ma direction. Je fermai mon livre sur mon index pour l'admirer. Quadriporteur Sarasota Squale rouge shiraz (le modèle était inscrit en lettres de plomb sur le bord du repose-pied). Petit *flag* du Canada au bout d'une longue perche à l'arrière. Cigouille aux lèvres, chemisette ouverte sur un torse de hareng saur, deux kilomètres-heure dans un parc public : je pense qu'il n'est pas exagéré de parler d'un fou du volant. En tendant l'oreille, il me sembla que son engin crachouillait une voix de femme, et c'est seulement quand il fut tout près que je compris que c'était la radio : une humoriste rendait compte de sa sécheresse vaginale, le pilote se payait une pinte de bon sang – il était à peine plus vieux que moi, je ne lui trouvais pas l'air plus handicapé que la queue de la chatte. Il me croisa sans me saluer, occupé qu'il était à donner des coups de dos en s'esclaffant. Puis, cinq mètres passé mon banc, *pouf !* Panne de batterie.

Immobilisé comme un con au milieu de l'allée.

T'as l'air fin, là, mon Jean-Guy.

Il me tournait le dos et je ne distinguais plus que le sommet de sa casquette plate blanche qui girouettait à cause de la panique – la paniiique ! Je crois qu'il essayait de tourner la tête vers moi – « Allô ? » –, mais son cou bloquait à quatre-vingt-dix degrés.

« Allôôô ? »

Sèche, tabarnak.

Des Canadiens français placides quadrillaient l'espace vert en usant de différents moyens de locomotion. Des cyclistes exagérément fiers ne se rendaient pas compte qu'ils avaient sur leur bicycle la même position que s'ils étaient en train de chier. Des filles en pyjama, échevelées et cernées, faisaient faire leurs besoins à leur chien ; je braquais exprès les yeux sur elles quand elles se penchaient pour ramasser les crottes, elles étaient mortes de honte, mais tentaient de n'en rien laisser paraître. Des petites madames lisaient Kim Thúy en marchant, d'autres poussaient des bébés ou transportaient des sacs recyclables remplis de kale, de pain, de pâtés, de vin. Des musclés en patins à roues exhibaient leurs pectoraux à trois degrés au-dessus de zéro.

De ma perspective, c'était comme si tous ces gens n'avaient, au fond, pas d'âme. C'est ainsi que je les voyais se mouvoir autour de moi : une succession d'holotypes, d'unités, de blocs ambulants. Des valeurs nulles. Douceâtres. Mobiles. Rudimentaires. Interchangeables. D'insaisissables marionnettistes leur avaient vendu un bonheur niais : eux appelaient ça une « vie de quartier », ils s'en félicitaient dans leurs journaux, s'étonnaient qu'on puisse exister autrement. Les Montréalais n'étaient pas des individus : ils étaient, dans le mouvement, des « modes de vie » ; dans le plaisir, des « arts de vivre ». Ils fonctionnaient comme ça, par gabarits, en se conformant à des modèles d'existence, pour que rien dans l'agenda de leurs jours n'engage jamais la moindre obligation d'excentricité ou de réflexion personnelle. Toutes ces vies d'adulte ainsi passées à glisser sur des coulisses d'habitudes, de goûts, d'idées, de comportements me semblaient une réalité accablante.

Depuis notre visite chez Trépanier, j'étais obsédé par les slogans de campagne du Parti libéral. À de curieux moments de la journée, il m'en venait un au hasard, qui me restait dans la tête pendant des heures. *Bourassa construit (votons libéral)*. Les slogans politiques sont détestables parce qu'ils violent les mots, c'est-à-dire qu'ils les détournent de leur finalité en les vidant de leur valeur signifiante. *Assurons notre avenir. Unis pour réussir. Nous sommes prêts*. De la même façon, les Canadiens français violaient la vie, ils la détournaient de son usage en abdiquant l'exercice de leur liberté pour se rabattre sur des matrices de goûts et de passe-temps manufacturées par les médias. Ce n'était pas surprenant, dans ce contexte, qu'ils pensent et parlent aussi par formules. *Il faut que ça change. On est déjà les plus taxés en Amérique. Il faut briser le mur du silence. L'ignorance alimente l'intolérance. Vive la différence! Il y a tellement de créativité à Montréal. L'économie d'abord. Nos enfants sont notre avenir.*

Des phrases toutes faites emportent des pensées toutes faites. Mais alors, aussi bien ne plus penser du tout.

Je me replongeai dans *Un moment à Pékin*, mais le mobilité-réduite, toujours bloqué et acculé à se secouer dans sa boîte à savon en bourrassant, pétaradait assez pour me déconcentrer. Il aurait pu se lever, j'étais sûr qu'il en était capable, mais non, il voulait qu'on l'assiste, un grand fatigué, l'humoriste continuait de grailler, les mots «noune» et «plotte» couronnaient ses punchs et déclenchaient des torrents de rires hystériques dans son auditoire. L'éclopé frétillait comme une truite au fond d'un canot, son engin cliquetait. Rien n'allait plus, il était au désespoir, je le devinais parce que son clabaudage cédait la place à des bêlements.

Lève. Toé. Donc. Sacrament. De. Peau. Morte.

J'avais fait un drôle de voyage. Pendant deux mois, j'avais été comme extrait du monde réel pour être jeté dans une dimension séparée où les gens vivaient détournés du siècle. Leurs journées se ramenaient à quelques fondamentaux hallucinogènes: le vélo, les *food trucks*, les Canadiens de Montréal, les tatouages. Des filles m'avaient confié qu'elles suivaient des cours de jogging, je n'en étais pas revenu. Il faut un professeur pour apprendre à courir ?

Il me revint en mémoire le souvenir d'un jour de vacances à la station balnéaire de Beidaihe, sur le bord de la mer du Bohai. Meng Wu et moi marchions le long du littoral, dans une rue bordée de palmiers. Comme chaque été, l'endroit était envahi par des touristes russes de la Sibérie et de l'Extrême-Orient. Nous en croisâmes un qui se promenait avec sa femme, un petit gris d'âge mûr au torse bruni par le soleil. Il m'avait abordé en russe pour une information, j'avais haussé les épaules en souriant, lui et sa femme étaient repartis en faisant « pardon » de la main.

— C'était quoi, cette barre verdâtre sur sa poitrine ? avais-je demandé à Meng Wu.

— J'ai bien regardé et je pense que c'était un cuirassé.

— Tu déconnes ?

— Non ! Si on lui avait pincé les mamelons et qu'on avait tiré vers le haut, je pense qu'on aurait déplié un cuirassé. Il était peut-être marin sur ce bateau quand il était jeune, et il se l'est fait tatouer sur les pectoraux. Il ne pensait pas alors que la peau ramollirait en vieillissant. Dégueu. Être jeune, c'est cool, mais il faut être bien con pour s'imaginer que ça va durer toujours.

Une main secourable se présenta finalement à l'infirme sous la forme d'une accorte cycliste, une blondine racée avec une coiffure de yorkshire-terrier qui s'arrêta à son abord et proposa de le dépanner. Le vent soufflait en sens contraire, je ne glanais que des fragments de leur échange, « Vous êtes mal pris, là, han ? » (mimique de connivence),

« Ah ! C't'à cause de mes problèmes respiratoires, j'me lèverais, mais j'risquerais de manquer de souff' », « J'suis étudiante en médecine, va ben falloir que j'apprenne comment ça marche, ces bolides-là… Dites-moi ce que je peux faire ! », « Gâr', j'ai enlevé le *brake* à bras, si tu pourrais jusse m'amener su'l'coin d'la rue, pis m'appeler un taxi, de tutt' façon c'est l'CLSC qui paye », et la délicate Canayenne de quarante-huit kilos, après avoir appuyé son vélo contre un arbre, entreprit de pousser hors du parc l'inerte mécanique et le corps mort trônant dessus. Dès qu'elle se fut éloignée, un anonyme qui déambulait, l'air de ne pas y toucher, profita de ce qu'il passait près du vélo pour l'enfourcher et filer à toute vitesse.

L'étudiante poussa pépère Bancroche jusque de l'autre côté de la rue Fullum et l'aida à monter dans un taxi. À son retour, plus de bicyclette.

— Excusez-moi, avez-vous vu quelqu'un partir avec mon vélo ? Il était accoté sur l'arbre, juste là.

— Oui, quelqu'un vient juste de partir avec. Un individu de race blanche, mi-vingtaine. Des *tatoos*, si ça peut vous aider. Je suis désolé. Si j'avais su que c'était votre bicycle…

T'avais juste à le barrer, niaiseuse.

Oh ! Non… Elle pleurnichait, maintenant. Apparemment, son portefeuille était dans la sacoche, avec sa tablette Surface 3, une trousse d'étudiant en médecine, sa carte de métro et d'autres affûtiaux chers à son cœur. Elle vida ses poches en pissant des yeux, « Ça coûte combien, à l'unité, un billet d'autobus ? », « La peau du cul, mademoiselle », elle s'éloigna rapidement en se séchant le visage avec ses mains et en tournant frénétiquement la tête vers moi, comme si j'étais le genre à suivre les filles. Pauvrette!

Meng Wu n'aurait pas pleuré. En fait, Meng Wu ne se serait pas arrêtée pour un faux cul-de-jatte. En Chine, c'est comme ça. À chacun de se débarbouiller avec son *fatum*. Lève-toi et marche. Une race de guerriers. Je pris le téléphone, je ne respirais plus. Comment ferais-je pour parler?

— Allô?

— Meng Wu? râlai-je. C'est moi.

— Je sais. J'ai vu ton nom sur l'écran.

Elle chuchotait. À côté d'elle, une voix d'homme rognonna: «谁啊?» J'eus un haut-le-cœur.

— Merde! m'écriai-je. J'avais complètement oublié le décalage horaire…

— Tu es toujours au Canada?

— Je te rappelle demain… ou non, c'est comme tu veux…

— Non! Lou Ye, je t'en prie, ne raccroche pas.

Je l'entendis se redresser dans un froissement de draps, allumer une lampe de chevet (*clic!*). «Attends un peu», me dit-elle. Je présumai qu'elle se levait et changeait de pièce.

— Tu fais un beau voyage, au moins? demanda-t-elle finalement d'une voix douce.

— Oui. C'est presque fini, mais ç'a été très intéressant.

— Tes nièces vont bien?

— Elles vont bien. Elles ont beaucoup changé depuis la dernière fois. Norélianne ne veut plus enlever le t-shirt des

J.O. de Pékin que tu as acheté pour elle, celui avec le panda. Elle l'a toujours sur le dos. C'est un problème quand on veut lui faire prendre son bain.

— Je suis contente. Et toi ?

— Ça va mieux.

Silence.

— Tu as pris une décision pour le doctorat ? demandai-je pour faire la conversation.

— C'est drôle que tu demandes. J'avais un peu abandonné l'idée de faire le saut, et puis, finalement, il y a ce prof américain qui est invité par l'université cette année… Quand je lui ai dit que je m'intéressais à Salinger et que je songeais à en faire mon sujet de thèse, il m'a branchée sur un programme d'échange entre Beida et Columbia, et… ben voilà. Il m'a écrit une super lettre de recommandation. J'ai envoyé mon dossier à Columbia, et ils m'ont convoquée pour un entretien à New York en décembre. C'est Beida qui paye le voyage. Dingue, non ?

— Chouette ! Ça alors ! Toi qui as toujours rêvé de voir New York. Ce serait pour quand ?

— À partir du mois d'août. Pour un an.

J'eus soudain très mal. Un vent nouveau procédait à un ébouriffage systématique et violent des grands arbres du parc. J'aurais voulu qu'il me rentre aussi par une oreille, tourbillonne dans ma tête et ressorte en emportant avec lui tous mes souvenirs de Meng Wu.

Jusqu'au moment de composer son numéro, quelques minutes plus tôt, j'avais secrètement espéré que ce coup de fil me ferait arrêter de l'aimer. Mais je n'arrêtais pas de l'aimer, et c'était, en vérité, une chose extraordinaire, intime et cruelle que cette éruption du cœur qui échappait à mon contrôle. Aujourd'hui, même si l'intensité de la douleur d'une rupture en est souvent le corollaire, j'ai la conviction qu'il y a de la noblesse dans l'acte d'admiration, que c'est une expérience de vie nécessaire. Je ne parle pas de cette admiration affectée pour les martyrs – mais oui, Nelson Mandela, mais oui, Malala, mais oui, Gandhi, sauf qu'à la fin et en réalité, ces flagellants lointains nous laissent indifférents, et leur évocation dans des conversations sert davantage à mettre en scène, par procuration, notre propre vertu – ; je ne parle pas non plus de l'admiration tue, mais unanimement partagée pour les hommes riches et puissants. Dans les deux cas, il s'agit de dérivés difformes d'un sentiment qui, lorsqu'il est dispensé pertinemment – au profit d'un père, d'une mère, d'un professeur, d'un grand idéologue ou, plus que tout, d'une amante –, peut être un prodigieux vecteur d'élévation intellectuelle et d'ordre moral. Mais il implique, je crois, que l'on connaisse une personne jusque dans son intimité. Connaître et aimer Meng Wu m'avait fait comprendre que ce monde était plus beau que moi, ce qui me rassurait. Meng Wu, qui avait grandi dans une campagne démunie de la région des monts Jaunes, me rappelait chaque jour que nous ne sommes pas tous égaux en valeur. Je l'admirais. Il se trouve que je l'aimais aussi, mais l'aurais-je seulement admirée que la leçon aurait été complète, c'est-à-dire que j'aurais appris l'humilité, et ce qu'il y a de plaisant et de beau dans l'agenouillement devant qui nous dépasse. Ce n'était pas de la soumission : j'avais toutes les ressources d'orgueil nécessaires pour protéger mon noyau vital, cette idée globalement positive que je me faisais de moi-même. Mais si je garde une certitude de cet épisode de ma vie, c'est la suivante : une société où l'on entretient l'illusion que toutes les natures sont égales, que tous les destins se valent est une société pourrie, parce qu'elle nivelle par le bas, d'abord, mais aussi parce qu'elle n'enseigne pas ce qu'est l'amour vrai. C'est dans l'admiration pour les gens et l'émerveillement pour les choses et les idées qu'une vie humaine naît à l'amour, à la transitivité de l'amour, c'est-à-dire à l'amour qui sort de soi pour aller vers un objet, l'amour qui fortifie l'âme, par opposition à sa déclinaison passive, plaisante mais vulgaire.

Voilà ce que je voulais expliquer à Meng Wu. Mais il était bien tard pour de tels débordements.

— Je suis fier de toi, me bornai-je à dire. J'ai toujours été fier de toi. Le sais-tu ?

— Oui.

À ma surprise, elle se mit à pleurer.

— Je suis désolée, murmura-t-elle. Pour tout. Je suis sûre qu'on se reverra un jour.

— Tu crois ?

— Oui. J'ai besoin d'y croire. Je ne m'explique pas comment les choses ont pu s'arrêter comme ça, aussi brusquement, je…

Elle se moucha bruyamment.

— Excuse-moi, je ne peux pas continuer, dit-elle en s'étranglant, puis elle raccrocha.

Je restai une minute à fixer l'écran labile de mon *smartphone*. Finalement, je fourrai l'appareil dans ma poche et soupirai.

Autour de moi, le vent emportait tout. Le temps était venu de quitter ce parc.

• • •

Jeanne. Ma chère Jeanne.

Quelques mots sur Catherine Tremblay.

Romain Gary a écrit que les écrivains, «professionnels de l'imagination», inventent les gens autour d'eux, ce qui les dispense d'apprendre à les connaître dans la réalité (une chose fatigante, selon lui). Ce faisant, ils condamnent leurs proches à les décevoir. Je me reconnaissais dans cette définition, sauf qu'à la différence de Romain Gary, je vivais en bonne intelligence avec ces clones améliorés qui vivaient dans ma tête sans rien attendre de leur double que je côtoyais dans le monde. Jamais de déception, mais, en certaines occasions, une foudroyante surprise : la réalisation qu'une personne a, dans la vie, une épaisseur, une tessiture, une magie que mon imagination, pourtant explosive, n'aurait jamais pu lui prêter. Ainsi de Catherine Tremblay.

L'avant-veille de mon départ pour la Chine, Catherine et moi nous sommes retrouvés à sept heures du matin dans le hall de son immeuble.

— Partie, l'écharpe ?

— Partie !

Torsion à trois cent soixante degrés pour montrer que tout allait bien. Elle portait un sac à dos. Tu étais dedans. Enfin, le bout de toi qui reste était dedans, nageant dans ce réservoir éléphantesque qui te tient lieu de maison.

C'est moi qui avais eu l'idée de cette promenade. J'en avais parlé à Catherine la veille. Elle avait souri. Première risette en sept jours. Il était temps : je me rongeais les sangs. « Où veux-tu qu'on l'emmène ? » « Tu prépares le programme de la journée, avais-je répondu, et Jeanne et moi, on suit. » Catherine voulait te faire découvrir, trois siècles plus tard, la ville que tu avais cofondée. Pour ma part, je te l'avoue, Jeanne, je m'enchantais surtout de passer cette journée aux côtés de Catherine et de la voir reprendre des couleurs.

Près de l'immeuble, on a trouvé une boutique qui louait des vélos. Catherine t'a sortie du sac et placée dans le panier de sa monture. Grand départ. Sous un ciel hésitant entre tôle et myosotis, des cônes de feuilles multicolores tourbillonnaient sur les trottoirs et montaient en fuseaux jusqu'aux toits argentés des vieilles maisons du quartier chinois. C'était un vent rageur mais tiède, édenté par l'indulgent automne, parfait pour une excursion. Catherine exultait. Elle tournait la tête à gauche et à droite, comme si elle visitait Montréal pour la première fois, et découpait la ville avec un sourire en sabre. Je la suivais de près, me repaissant de sa vision. Première activité de la journée : il s'agissait de suivre la rue qui porte ton nom jusqu'à l'Hôtel-Dieu. À un feu de circulation au coin de René-Lévesque, j'ai laissé Catherine filer devant et l'ai prise en photo avec mon iPhone. Droite comme un dossier de chaise sur son vélo, cérémonieuse, en quelque sorte, puisqu'elle conduisait ton char, Jeanne. Cette photo, sans doute, finira entre les pages d'un livre qui a une signification particulière pour moi. Il faudra, pour le coup, que ce soit un livre québécois. Je pense à *Des mondes peu habités*, de Pierre Nepveu. On verra.

On s'est arrêtés un quart d'heure à la chapelle des Hospitalières, pour la forme. Après quelques courses dans le Mile-End, on a grimpé le mont Royal avec nos vélos et on a pique-niqué sous la croix (pas celle que tu as connue, non, la nouvelle, en métal, une espèce de ballerine enflée et basse du cul qui fait honte). Au menu : des huîtres (c'était la saison) achetées chez un poissonnier grec sur du Parc, des biscottes, une salade d'artichauts, de foie gras et de framboises et, pour arroser le tout, un assyrtiko de l'île de Santorin très minéral, presque salé : délicieux. On t'a juchée sur un pilastre pour que tu admires ta ville pendant qu'on se bâfrait. Moi-même, je percevais Montréal différemment que si j'avais été seul ; l'humanité vacillante de Catherine Tremblay incurvait ma sensibilité, comme un corps massif l'espace-temps, pour me rendre momentanément charmante cette ville que je trouvais d'ordinaire triviale.

— Choisis une activité, toi aussi ! (Sa voix égayée coulait comme un ruisseau.) Qu'est-ce que tu veux faire voir à Jeanne ? C'est ta dernière chance.

Je répondis qu'il y avait trop longtemps que je ne vivais plus à Montréal, que je n'étais pas du tout attaché à cette ville, et que, de toute façon, c'était votre aventure à vous. Catherine. Jeanne. Catherine et Jeanne.

Le dîner terminé, nous sommes redescendus par le versant ouest de la montagne jusqu'à Côte-des-Neiges. De là, plein sud, direction centre-ville. Sur Sainte-Catherine, les masses consommatrices nous ont forcés à marcher à côté de nos vélos sur une certaine distance. Les oreilles de ton cœur se sont sans doute étonnées d'entendre parler anglais partout. Pars-moi pas là-dessus, Jeanne. C'est désespérant, et ça ne sert plus à rien d'en discuter. Ce chien-là est mort.

On a bifurqué à droite sur de la Montagne. C'est un peu gênant à dire, mais voici : Catherine voulait que tu danses avec un homme. « Il faut quand même le faire une fois. » J'aurais pu lui rappeler qu'il n'y avait jamais eu d'homme dans ta vie, que tu avais choisi la chasteté même si tu n'étais pas consacrée, qu'il devait bien y avoir une raison. Tu mangeais de l'ail, peut-être. Qu'est-ce qu'on en sait ? Mais je ne voulais pas contrarier mon amie. Elle se faisait une fête de te voir valser. Le décor était déjà arrêté : la salle des pas perdus de l'ancienne gare Windsor. Je me souvenais de cet endroit, un des plus étranges à Montréal. De part et d'autre de ce sobre vestibule courent des couloirs de transit importants reliant la station de métro Bonaventure au Centre Bell, à la gare Centrale, au Montréal souterrain et à certaines des tours de bureaux les plus importantes du centre-ville. Les jours de semaine, cols blancs et costumes-cravates essaiment dans ces galeries, une brioche ou un journal à la main, l'air affairé. Pourtant, cette salle immense et aisément accessible, donnant directement sur la rue De La Gauchetière, reste obstinément vide : on y croise, les meilleurs jours, quelques secrétaires insociables grignotant des sandwichs, ou des *scalpers* de billets des Canadiens fuyant la pluie. Le hall longiligne s'offre à qui veut le prendre. On y jouerait au badminton sans bousculer le chaland. C'est comme si un sortilège soustrayait cet îlot historique au radar public.

Catherine avait tout préparé. Elle m'a conduit par la main jusqu'au centre de la salle. Elle voulait que tu danses avec un homme – l'homme, c'était moi, mais tu penses bien, Jeanne, que je n'allais pas chalouper comme un con avec un aquarium dans les bras au milieu d'un endroit public. Non, tu es restée sagement dans le sac à dos et Catherine et moi avons dansé en partageant les oreillettes de son iPhone. Le premier morceau, *Quand vous mourrez de nos amours*, de Vigneault, c'est moi qui l'avais choisi. Il faut que tu saches, Jeanne, que dans les semaines précédentes, j'avais payé Catherine Tremblay pour qu'elle pratique sur mon anatomie un assortiment de cochonneries damnables. Naturellement, aujourd'hui, j'étais ému et gêné qu'elle me laisse lui ceindre la taille, tenir sa main. Mon accolade était pétrie d'une délicatesse pénitente. Mais pendant la deuxième pièce (la *Ballade* de *Karelia*, de Sibelius), la mélodie distilla en moi une tristesse telle que je ne pus m'empêcher de presser Catherine très fort.

— Reste pas ici après ta thèse, lui murmurai-je à l'oreille. Ici, c'est pas pour les gens comme nous. Toi et moi, on a une chose en commun…

— Un esprit romantique. Je sais.

— Viens en Chine. On va s'acheter une lamaserie abandonnée dans les montagnes. Il y en a plein. Ça coûte une bouchée de pain. Les jours où tu t'ennuieras, je t'emmènerai à Shanghai pour faire la fête. Ou va ailleurs, si tu veux pas me voir. Mais va-t'en. Pour les romantiques, ici, c'est un mouroir.

J'étais désespéré et ma voix, probablement, tenait de la plainte. Je me suis décollé légèrement pour la regarder. Elle faisait une jolie bouille de Bouddha benoît, et alors j'ai compris que tout était bien, qu'elle avait un plan B, une sortie de secours, un projet.

— Je m'excuse d'être aussi sentimental, dis-je en rapprochant ma bouche de son oreille. Il y a une petite chose en toi que je n'ai pas. Une flamme... C'est l'idée de m'en éloigner qui me rend triste. À l'intérieur de moi, tout est consumé. J'ai l'impression d'avoir le plexus qui traîne dans un lit de braises froides.

Cette fois, c'est elle qui m'a serré contre son cœur. Une pluie drue s'est mise à tambouriner sur le toit en verrière.

Nous avons dansé pendant un quart d'heure en échangeant naïvetés et promesses. À la première accalmie, nous avons repris la route. Le passage des roues dans les flaques ébranlait nos vélos, les giclées crottaient nos chaussettes et nos bas de pantalon. On a roulé longtemps vers l'est, jusqu'à la piste cyclable qui enjambe le pont Jacques-Cartier. La perspective que notre aventure prenne fin si tôt (il était à peine dix-sept heures) me désolait. En voyant La Ronde, j'ai eu une idée. J'ai crié à Catherine de s'arrêter. On était au milieu du pont.

— Ici ? a-t-elle demandé.

— Non, pas maintenant. Je viens de penser à une dernière activité. Suis-moi.

On a emprunté la voie de desserte de l'île Sainte-Hélène et descendu en zigzaguant jusqu'à La Ronde. « Est-ce que je peux vous demander c'est quoi cette affaire-là ? » a demandé à Catherine un préposé à la sécurité après l'avoir invitée à ouvrir son sac. « C'est le cœur de mon père dans du formol. Il est mort la semaine passée. Sa dernière volonté, c'était : "Faites faire à mon cœur un dernier tour de Pitoune." C'était son manège préféré. » Il a fallu répéter le mensonge au responsable du jeune homme dans un bureau. Ils sont allés jusqu'à passer ton cœur aux rayons X dans un scanneur à bagages. En fin de compte, ils ont laissé pisser le mérinos. Une bonne histoire à raconter à leurs amis.

On a fait le Monstre deux fois. Pendant le premier tour, Catherine a hurlé et sacré comme une folle. On a repris nos esprits en mangeant des hot-dogs, des frites et des *sundaes* dans un kiosque à côté, puis on est retournés dans les montagnes russes en prenant soin, cette fois, de te sortir du sac et de te coincer entre nous dans le wagon. À quatre-vingt-seize kilomètres-heure pendant une minute, de grands yoyos mécaniques ont alternativement fait sombrer et émerger les boqueteaux déplumés de l'île Notre-Dame, la Biosphère, le pont, les gratte-ciel au loin… Catherine et moi habitons cette époque. Pour toi, Jeanne, la cavalcade a dû prendre les allures d'une noyade psychotonique. C'est le moyen que j'avais trouvé pour t'étourdir avant le grand saut.

Nous avons ensuite flâné au hasard dans le lacis de promenades en attendant que la nuit tombe. À mesure qu'une obscurité boucaneuse chassait le jour, le souffle d'automne échevelait le parc d'attractions avec une force grandissante, au point de soulever la poussière et les détritus. Un orage se préparait. « Il faut y aller, dit finalement Catherine en me prenant la main. C'est le temps. »

Sur le pont, le tableau était tout autre que lors de notre première traversée quelques heures plus tôt. Les bourrasques secouaient la structure vertigineuse et freinaient notre avancée. La lumière des éclairs déferlait par lames sur Montréal, comme si elle avait été moulée par les jalousies d'une fenêtre. J'ai baissé la tête : un interstice dans le tablier du pont laissait voir les vagues vertes du fleuve avançant en rangs serrés, comme les soldats d'une armée. Il faut l'observer de nuit et d'une position zénithale pour que le Saint-Laurent se dévoile dans son insane irrésistibilité. On brave cette puissance à ses risques et périls. Cette sensation de perdre le contrôle de son environnement jusqu'à en devenir le jouet, je suis sûr qu'elle t'a envahie aussi, Jeanne, quand ton bateau a abordé les rivages du Nouveau Monde. Tu as peut-être molli exactement comme mollissait Catherine en cet instant même à mes côtés. Je ne l'avais jamais vue dans un tel état. Son quant-à-soi de façade emporté par le vent, un effarement pareil à celui que je ressentais se faisait jour sur son visage. Elle tâtonnait en triturant les bretelles de son sac à dos. Je lui ai touché la main pour la faire émerger de sa torpeur et, d'un signe de tête, l'ai encouragée à sortir ton cœur du sac.

La barrière antisuicide n'avait rien de très « anti », un dépressif motivé pouvait parfaitement grimper par-dessus les recourbures des hautes cannes de métal censées l'arrêter. Mais pour balancer de l'autre côté un réservoir gros comme un bidon d'huile, c'était une autre affaire.

Alors, Catherine juchée sur mes épaules, j'ai plié les genoux pour cueillir l'aquarium posé à mes pieds, puis je l'ai soulevé à la hauteur de Catherine, qui l'a hissé à son tour jusqu'à l'asseoir sur la courbure des barreaux. Elle l'a maintenu ainsi en équilibre pendant quelques secondes, une main plaquée contre sa surface. Elle t'a dit quelques mots que, dans la fureur des rafales, je n'ai pas saisis. Tant mieux. Il s'agissait sûrement de sentiments très personnels.

À la fin, une poussée nerveuse, et c'était fini.

Nous t'avons regardée basculer et tomber, mais je ne crois pas que nous ayons vu la même chose. Vivre est une affaire de perspective. Mais je peux te dire ce que moi j'ai vu, Jeanne. J'ai vu une rayure s'effacer. J'ai vu vingt-six mille dollars couler au fond d'un des plus longs fleuves au monde, emportant avec eux un rêve domestique oriental. J'ai vu une planète perdue se faire avaler par un trou noir. Une sonde sombrer dans les vagues d'une géante aqueuse pour n'en plus jamais ressortir.

Puis je t'ai vue, avec l'œil de mon esprit, t'enfoncer dans le limon noir du fleuve.

Te voilà confinée. Sereine. À l'abri du monde.

FIN